27/24
£4-

Pour Geoff & Catherine,

Quarante-six
nouvelles !

Bien cordialement,

FABRICE

Paris, mai 2014

Le Cas Perenfeld

Fabrice Pataut

Le Cas Perenfeld

nouvelles

Pierre-Guillaume de Roux

Conception graphique de la couverture :
Karen Petrossian, Bernard Perchey et Olivier Mazaud.

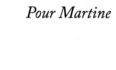

Pour Martine

Seule la nostalgie du péché me réchauffe.

Pier Paolo PASOLINI

Kipling la nuit

« L orsque vous arriverez à Kipling, dit Fairbanks avec douceur, vous éteindrez vos lumières.

– Après la route de Cork ?

– *Avant*, insista Fairbanks en regardant le sergent Purdue de travers. En haut de la côte. Quand vous verrez le panneau.

– Il y aura le bruit du moteur...

– Vous aurez *déjà* coupé le moteur, précisa le révérend sans paraître irrité le moins du monde. Une fois arrivé au sommet, vous vous laisserez doucement couler jusqu'à la grille.

– On risque pas de nous entendre ? Même avant ? Je veux dire, quand on sera encore de l'autre côté en train de monter ?

– Aucun risque. »

O'Shea prit un air sceptique. Il ne se serait jamais permis aucun commentaire sur les conseils du révérend Fairbanks. L'air tout alentour s'épaissit sous l'effet de son silence.

« Vous n'êtes pas des lâches, au moins ? demanda Fairbanks avec une pointe de soupçon dans la voix.

– Des lâches ?

– Je veux dire par là que vous avez bien répété, tous les deux, enfin tous les trois, avec Trevor. Et l'autre, aussi... j'allais l'oublier, le quatrième... C'est vrai que nous avons du renfort depuis que Trevor s'est décidé. Il les attire comme la foudre. Comment s'appelle-t-il, déjà?

– Robert, monsieur Fairbanks. Robert Delahuney, le fils du pharmacien.

– Ah oui... Bien sûr... Alors, est-ce que vous avez bien monté la côte mardi soir? Il était là?

– Très certainement, monsieur Fairbanks.

– Très certainement quoi, Purdue? Très certainement vous avez bien monté la côte ou très certainement Robert Delahuney était avec vous?

– Les deux, monsieur Fairbanks.

– Bien. C'est ce qu'il faut: monter la côte *avec* Delahuney. Pas l'un sans l'autre. Pas l'autre sans l'un. C'est un élément essentiel maintenant qu'il est recruté. Et la redescendre, bien sûr. Vous n'allez pas rester coincés en haut avec lui, diable non. Ni avec qui que ce soit d'autre, d'ailleurs. Je m'en voudrais.»

Fairbanks tripota le fond de ses poches avant de continuer.

«Est-ce que vous êtes descendus en roue libre, comme vous faisiez avant avec vos petits vélos?

– Absolument, confirma O'Shea. Quoique... si vous me permettez, j'avais pas vraiment de vélo à moi à l'époque. J'empruntais celui de Robert, enfin... celui de son frère.»

Fairbanks avisa O'Shea en fronçant les sourcils; lequel crut nécessaire de s'expliquer:

«Robert Delahuney. Le fils du pharmacien.

– Tiens, tiens... Mais pourquoi pas, après tout! Qu'est-ce que j'en ai à faire, moi, je vous le demande, pourvu que ça roule? Bon... En tous les cas, j'étais dans la maison et...

– Fairbanks s'autorisa un ton énigmatique qui parut pour le coup curieusement faux – ... je peux vous assurer que je n'ai absolument *rien* entendu. Mais alors, que couic. C'était même un peu tout noir. Vous étiez bien là sur la route, n'est-ce pas?

– *Rien n'est plus silencieux qu'une voiture sans moteur en roue libre dans la descente de Kipling*», fit Purdue pour rire en imitant maladroitement la voix du révérend concluant son sermon dominical.

Fairbanks regarda les deux hommes par en dessous comme s'il était descendu de sa chaire pour observer une souris trottinant entre les bancs.

«C'est normal, confirma O'Shea. On fait pas plus de bruit qu'un vélo, vous savez, quand on descend la grande côte en coupant le moteur.

– Alors c'est bien. Et n'oubliez pas d'éteindre aussi les phares. Il ne faut pas qu'on vous voie depuis le salon. C'était parfait, d'ailleurs, à supposer que vous fussiez vraiment là comme j'avais dit qu'il le fallait, et pas quelque part ailleurs à faire les drôles sur la route de Wexford. Il faudra remettre ça avec la même perfection quand madame Froy sera assise dans son fauteuil en face de moi.

– On faisait ça aussi, monsieur Fairbanks, sauf votre respect. On mettait pas les phares.»

Fairbanks regarda tour à tour Purdue et O'Shea d'un air également incrédule.

«Je parle dans le temps passé, précisa O'Shea.

– Pas les phares? Vous voulez me faire croire, O'Shea, que vous empruntiez le vélo de Robert Delahuney et que vous descendiez cette fichue côte à toute berzingue sans lumière? Mon Dieu! Je n'oserais pas prononcer une deuxième fois les mots terribles que je viens de dire.

– Nous le faisions *la nuit*, insista O'Shea avec une sorte de fierté un peu lasse. Les pieds en l'air sur le guidon. On sentait le froid passer par les trous de nos semelles. Les pédales tournaient toutes seules dans le vide sur les côtés et on allait jusqu'à la grille.»

Ses yeux brillaient.

«Ma parole, vous êtes un sacré lascar, O'Shea! Et Delahuney en est un autre, c'est bien évident, bien qu'il ne soit pas avec nous à l'heure qu'il est. Par saint David, vous êtes gonflés tous les deux!

– C'était pour impressionner Margaret, rectifia Purdue.

– Nous *étions* gonflés», reprit O'Shea avec réserve en bourrant sa pipe.

Fairbanks, pour le coup, chercha son tabac à priser dans la poche de son gilet.

«On s'est tous rangés, pas vrai?» continua O'Shea en lorgnant la petite boîte ronde d'un air absent.

Le révérend remplit ses deux narines d'un geste court et méthodique, puis il ferma les yeux comme s'il avait été tout seul, debout au milieu de la grange.

«Vous avez connu sa sœur?»

Tout le monde à Kipling se souvenait de cette sœur; et donc aussi bien le planton O'Shea que le sergent Purdue. Fairbanks continua pour lui-même dans la pénombre sans les regarder.

«Molly... Elle était belle comme un cœur. Blonde aussi, comme Margaret. Ce genre de blonde laiteuse, vous savez, presque rose à la lumière du jour. Et ses mains étaient tellement pâles, l'été, qu'on aurait cru voir à travers. Et dans ses cheveux...»

Fairbanks respira un grand coup et éternua de toutes ses forces. Deux jets marron d'une consistance glaireuse tombèrent à ses pieds sur la terre battue.

«Ce tabac est une vraie cochonnerie. Je m'en vais foutre une raclée à cette vieille carne de Morissey dès l'ouverture. On n'a pas idée de vendre une horreur pareille. Un cheval n'en voudrait pas! Qu'est-ce que je disais, déjà, Purdue?

– Molly...

– Ah oui. C'est tout à fait personnel, d'ailleurs... Laissons
là. Une idée de l'heure ?

– Trois heures, fit O'Shea.

– C'est l'heure. Mais qu'est-ce que fiche Trevor, nom
d'un chien ? Faudra être ponctuel demain, hein ? J'en dirai
également deux mots à Delahuney.

– Trevor sera ponctuel, assura Purdue en défense de son
camarade.

– Delahuney aussi », confirma O'Shea en tortillant sa
bouche pour recracher la fumée vers les hauteurs.

Il renversa la tête en arrière pour mieux contempler l'effet.

« Votre rond... » essaya faiblement Fairbanks en tremblant des lèvres comme un chat devant un oiseau.

Purdue prit soin de leur tourner le dos avant de mettre
la main devant sa bouche. O'Shea n'avait pas compris
la remarque, ou bien s'intéressait peu aux commentaires
obscurs et aléatoires du révérend Fairbanks.

« Aussi rond qu'une roue, ma parole. Aussi roue qu'un
rond peut l'être et même, en vérité, aussi rond qu'une roue
doit l'être pour rouler rondement tout son saoul. Fichtre...
Ces cheveux... Ah, Molly ! Fichtre ! Fichtre ! Eh ben, oui,
alors... Quoi... Vous alliez comme moi jusqu'à la grille... »

Purdue cogna le pied contre une tinette en fer-blanc.

« Vous croyez que je ne vous entends pas pouffer tout
seul dans votre coin, Purdue ? Mais qu'est-ce que vous avez
à rire comme ça dans mon dos ? C'est ce que je dis sur les
roues en rapport avec les ronds que le camarade O'Shea fait
avec sa fumée qui vous fait marrer ? Diable, il vous en faut
peu ! Qu'importe ! Ce que je veux, moi, c'est que du salon
où je serai avec madame Froy, on ne voie rien et on n'en
entende pas plus... Je veux être seul avec elle dans le noir,
vous comprenez, et que la voiture passe sous sa fenêtre sans
bruit comme un fantôme quand elle viendra me rejoindre

à côté du rideau pour vérifier ce qu'elle aura cru voir... Ce qu'elle *veut* voir depuis des années : Molly qui revient à la maison bien qu'elle n'ait pas reçu une seule lettre de sa fille depuis vingt ans. Je vous dis, moi, que Molly serait là, toute penaude, à sortir de la voiture devant la porte pour lui demander pardon à genoux, que la mère Froy en serait ma foi bien satisfaite. »

Fairbanks crut opportun de marquer une pause, puis il ajouta sans faire de lien :

« Ce rond, O'Shea, est une merveille.

– Un autre ?

– Alors, Purdue, vous ne dites rien ? O'Shea demande si nous voulons un autre rond de fumée. Vous en voulez un ? Moi, oui. »

Purdue haussa les épaules et renifla bruyamment. Fairbanks baissa les paupières en signe de connivence et fit signe au planton d'y aller. O'Shea dessina un rond très large, puis un second, plus petit, qu'il fit passer au ralenti à travers le premier.

« Comme c'est beau ! dit Fairbanks apaisé.

– C'est beau comme... essaya Purdue.

– Comme quoi ? Vous n'avez rien regardé. Vous avez les yeux collés sur les élastiques qui tiennent votre pantalon alors que O'Shea nous fait des ronds et que vous allez bientôt descendre la côte dans une voiture. Voyons, Purdue, vous n'avez plus quinze ans ! Regardez autour de vous, pas vos pieds.

– Je peux les faire ovales, proposa O'Shea.

– Surtout pas ! »

La porte de la grange s'ouvrit d'un coup. Un peu de l'air frais de la nuit pénétra dans l'espace presque vide et un peu de lumière, aussi, qui éclaira les premiers barreaux de l'échelle poussée contre le mur du fond.

« C'est vous, Trevor ?

– C'est moi.

– Z'auriez pas croisé Delahuney en venant ?

– Ah non.

– Ça serait trop simple, vraiment. Faut toujours qu'il y en ait un qui manque. L'autre jour, c'était vous, O'Shea. Je crois bien... Enfin, aujourd'hui, vous faites des ronds.

– C'est quand même un monde que Molly s'en soit allée », fit tout à coup Purdue sans prévenir en s'adressant par précaution au nouveau venu.

Fairbanks le regarda d'un drôle d'air.

« Oui, un monde, confirma le révérend pour s'approprier cette remarque laconique. C'est le mot. Trop grand, qu'il est, ce monde-là. On sait plus où se retourner. Alors que Margaret... C'est ça qui a brisé le cœur de madame Froy. Rien que le fait de supporter la compagnie de son aînée plutôt que sa préférée reste avec elle. Plus encore, je vous dis, que le départ de Molly lui-même. Elle aurait tout fait pour que sa Margaret trouve un parti. La voir s'en aller avec un peu de linge et de vaisselle lui aurait pas déplu. Mais que Molly file comme ça d'un coup sans rien dire... Elle l'aura pas supporté.

– Margaret aurait trouvé, risqua O'Shea.

– Pour sûr, dit Fairbanks. Moi-même, j'aurais pas dit non. Mais, rien qu'à savoir qu'elle avait décidé de rester au village pour pas laisser sa mère toute seule, ça refroidit son homme. Je dis que ça l'a refaite, la mère Froy, plus encore que tout le reste. Et... C'est pas pour excuser Molly que...

– Personne l'avait vu venir, cet Américain, fit Trevor pour enfoncer le clou.

– Ah... Ça ! Personne ! s'exclama Fairbanks. On n'avait même pas idée d'où y venait et pourquoi y se trouvait là. Dire qu'elle a détalé au bout de deux jours avec lui.

Deux jours ! Dans la voiture du vieux Froy ! La seule du village, faut dire.

— Et puis, dans la chambre, à l'étage. *Tac tac*, le premier soir. Ils étaient juste au-dessus du comptoir où madame Froy en dessous essuyait les verres.

— Si on montait ? proposa Purdue. Histoire d'observer un peu la situation. »

Fairbanks prit quatre bières fraîches dans la caisse en fer derrière la porte et se dirigea le premier vers l'échelle. Puis il se ravisa, attrapa gentiment O'Shea par le bras et tira de bon cœur sur l'oreille de Purdue, enjoignant les deux hommes à le précéder. Ils montèrent l'un derrière l'autre jusqu'en haut, poussèrent ensemble la lourde trappe de bois, les jambes de O'Shea maladroitement emmêlées dans celles de Purdue, et ils disparurent sur le toit. Puis ils aidèrent Fairbanks à se hisser à son tour pendant que Trevor restait derrière les deux pieds plantés dans le sol pour assurer en cas de chute.

Fairbanks marcha droit comme un *i* jusqu'à la cheminée, passa un bras autour de son armature de ferraille comme il aurait fait avec une bonne amie dans la solitude d'un champ ou au bord d'une falaise, et dit d'une voix suave :

« Je me répète, mais ça n'a aucune importance tant vous êtes bouchés. Je me disais en moi-même, là : est-ce que vous connaissez quelque chose de plus beau au monde ? Quand vous voyez le clocher tout mince se dresser au-dessus des toits et les champs alentour, bien jaunes, qui oscillent comme la mer avec un bruit de papier froissé ! Oh, mes aïeux !

— C'est que je connais rien d'autre, fit Purdue.

— Heureusement, heureusement, répliqua Fairbanks en faisant trois grands pas sur les ardoises pour venir lui bourrer gentiment les côtes. Si vous connaissiez le monde, Purdue, vous tomberiez raide sur le coup rien qu'à revoir la taverne de madame Froy. Comme votre père. Paix à son âme. Parce que le monde en est une, de sacrée cochonnerie, vous pouvez me croire ! Quand il est rentré, le vieux Purdue, il est mort de ça. C'était pas la guerre, ni le gaz, non, non. C'est la beauté d'ici qui l'a terrassé. C'était tellement joli de voir les portes peintes et les rebords fleuris après toutes ces années de poisse qu'il a regardé la pharmacie et ensuite la confiserie de madame Kenilworth et la taverne des Froy. Et puis il aurait bien pu regarder autre chose encore comme la vitrine du barbier pour aller se faire raser gratis, mais là, la coupe était pleine, et il s'est dit en lui-même que c'était pas la peine d'aller s'en jeter une. C'était comme avant. Pas bougé d'un pouce. Tout comme y faut. Y avait rien de mieux à savoir. Alors il s'est couché en travers de la route. »

Chacun réfléchit pour soi à cette image connue de tous, directement ou par ouï-dire selon les générations, du jeune Purdue père revenant à pied du continent pour mourir sans embrasser son fils.

« Je l'ai vu, moi, reprit Fairbanks. Je l'ai vu, même si les autres avaient tiré leurs rideaux. Je m'en rappelle. Il a même pas eu le temps d'ouvrir son clapet. Le temps qu'on se dise tous qu'il était là, il s'est couché tout droit. On aurait dit un arbre qui tombe sans bruit dans un champ. Comme un clou, il était, sa tête toute rentrée en dedans, perchée sur un fil de fer tellement on lui voyait les os. C'est moi qu'ai dit l'office.

– Le vaste monde... fit O'Shea.

– *Le vaste monde...* Mais où avez-vous pris ça, mon gaillard ? Dans quel mauvais livre ? Le monde est tout petit dans les mains de Dieu. Et qui vous arrose de ces balivernes sucrées bonnes pour les filles ? N'allez surtout pas raconter ça aux autres. Soyez bon chrétien. Épargnez-les. Et nous avec, tant que vous y êtes. »

Quelque chose chez Fairbanks, comme un voile ou un cache glissé devant ses yeux et tendu depuis longtemps par son propre artifice, s'était soudainement levé, chassé par un vent mystérieux.

« Regardez-moi ça, tous les trois. Regardez bien. Pour une fois, c'est pas coutume. Et dites-moi un peu ce que ça vous fait, Kipling la nuit.

– C'est beau, fit O'Shea en attrapant sa bouteille.

– Tellement, renchérit Fairbanks, qu'on n'a pas besoin de voir plus loin que la rue du cimetière. Aller jusqu'à la grille des Froy, la pousser d'un petit coup de pied, entrer là prendre son verre, c'est bien suffisant. Vous avez remarqué ça, d'ailleurs ? ajouta-t-il d'un air satisfait comme s'il allait conclure et s'arrêter là, on n'a jamais vu plus que ça d'ici en pleine purée de poix. Si on avait tiré une grande nappe dessus pour cacher le reste, on n'aurait pas mieux réussi. Et c'est tant mieux comme c'est.

– C'est pas par là que Molly est partie avec son Américain ? fit Trevor sans ironie.

– Par là, confirma Fairbanks d'un air docte en avisant la rue principale sans même bouger la tête, comme s'il n'y avait jamais eu d'autre possibilité.

– Alors c'est aussi bien qu'on voie rien.

– Aussi bien », acquiesça Fairbanks.

Trevor posa sa bouteille sur ses genoux et tenta autre chose par esprit de contradiction :

« La route va jusqu'à la mer.

– On sait tous ça, répliqua O'Shea. C'est là qu'ils ont dû aller, puisque la voiture y était. »

Fairbanks fit rouler le goulot contre ses lèvres d'un air dubitatif.

« La mer, en même temps, ça nous a toujours sauvés.

– C'est sûr », fit O'Shea d'un air absent.

Le révérend serra la bouteille contre sa poitrine sans baisser la tête, le regard fixé sur un point si proche qu'il aurait pu le toucher sans peine en tendant la main.

« Quand vous passerez devant la maison de madame Froy avec la voiture demain soir, dit-il d'un air tout doux, vous vous arrêterez.

— Elle verra bien que c'est pas l'Américain, fit Trevor.

— Justement, fit Fairbanks.

— Justement ?

— Vous vous arrêterez pile devant sa grille. Nous serons derrière le rideau. »

Purdue regarda O'Shea ; O'Shea regarda Trevor ; puis Trevor, Purdue à son tour et le regard de chacun repartit comme un élastique en sens inverse jusqu'au sergent qui se retourna pour observer Fairbanks refermer le chapitre pour de bon.

« Vous entrerez tous les quatre, dit le révérend enfin apaisé. Avec Robert Delahuney. Pas la peine de frapper. J'aurai du whisky dans mon sac en manière de cadeau et puis des petits gâteaux secs de chez Morissey, ceux à l'orange, et on boira un verre avec madame Froy en souvenir du bon vieux temps quand on venait chercher les filles pour faire un tour en vélo.

— On buvait pas encore de ça, fit Purdue, comme pour nier ce revirement soudain.

— C'est vrai, dit Fairbanks.

— C'est pas bien méchant de se moquer un peu, risqua O'Shea, qui voulait lui aussi revenir en arrière.

— C'est vrai », dit à nouveau le révérend en partant s'asseoir un peu plus loin au bord du toit.

Il répéta cette petite phrase à chacune de leurs remarques. Elles semblaient bien l'intéresser malgré la monotonie de sa réponse. C'était déconcertant, cette idée d'abandonner ce qu'on avait prévu depuis si longtemps avec autant de détails à retenir. Mais Fairbanks décida de rester ferme et les laissa repartir chacun chez soi sans rien ajouter. La moquerie flottait encore dans l'air au-dessus du toit lorsqu'il se retrouva seul, et un peu de l'amertume poisseuse laissée aux hommes en partage par les deux filles de madame Froy.

Il redescendit lestement l'échelle à son tour, épousseta les genoux de son pantalon et il n'en fut plus jamais question, ni là-haut sur le toit, ni en bas dans la grange, ni dans les rues de Kipling où chacun s'en tient aux faits établis.

Machines

Mamie est venue me réveiller à quatre heures au milieu de ma sieste pour m'annoncer qu'Antoine venait d'arriver et nous attendait toutes les trois au salon. Elle a passé sa petite tête ronde par la porte entrebâillée, puis je l'ai entendue se précipiter dans l'escalier. J'ai horreur qu'elle me réveille comme ça l'après-midi alors que Béatrice vient à peine de m'endormir avec une histoire de montgolfière. Ça m'aide à faire des rêves que je ne fais pas quand je dois trouver le sommeil toute seule parce que c'est le soir et que Béatrice est déjà repartie chez elle.

Je me suis levée et peignée, puis j'ai enfilé mes chaussures noires vernies à boucles pour l'occasion. Je savais que mamie était déjà installée sur le divan, les mains posées sagement sur ses genoux serrés, et qu'elle avait ce sourire qu'elle a toujours quand Antoine vient nous montrer sa nouvelle machine. Je déteste ce sourire. Je trouve qu'il lui donne un air faux et méchant. J'ai remarqué qu'il accuse ses traits un peu plus chaque fois. Il s'amenuise, les lèvres de mamie deviennent toutes fines et on dirait qu'elles tranchent le bas de son visage comme le ferait un rasoir. En même temps que je poussai la patte de ma boucle dans le passant avec l'index, j'ai décidé que je m'assiérai bien loin d'elle sur le divan pour éviter le contact.

En bas, Antoine était déjà perché sur une pile d'annuaires. Il avait ordonné le silence. Mamie serrait très fort la main de Béatrice. Je me suis installée sur l'accoudoir à l'autre bout du canapé. Antoine a imité le son du cor de chasse puis, toujours sans postillonner, le roulement du tambour. Enfin, il s'est retourné vers nous, s'est penché pour faire sa révérence et a brutalement relevé le drap.

Celle-là était beaucoup plus grande que les précédentes. C'était une énorme machine faite de vieilles ferrailles, avec toutes sortes de poulies et de rouages dentés. Nous avons applaudi toutes les trois très fort. Antoine pivotait de droite à gauche sur ses talons comme s'il faisait face à une rangée de fauteuils d'orchestre et a continué à s'incliner. Puis il est monté sur un escabeau en bois placé sur le côté, a enfourché la selle et s'est mis à pédaler.

Nous nous sommes vite rendu compte que la machine était disproportionnée par rapport à son corps, qu'elle était beaucoup trop grande pour son âge et que sa construction avait dû nécessiter de longues heures d'assemblage. Tout cela – taille, nombre des pièces, complexité – lui conférait une puissance monstrueuse. Les jambes d'Antoine étaient semblait-il bien faibles pour l'actionner. Jamais il n'avait construit quelque chose d'aussi gigantesque. Mamie poussait Béatrice du coude pour qu'elle aille l'aider, mais Antoine a levé le bras pour faire signe que non. Il était tout rouge et pédalait de plus en plus vite. Puis toute la machine s'est mise à vibrer de haut en bas et à faire des bruits métalliques. Les petits moyeux sous les pédales poussaient un essieu qui faisait tourner des roues à pneus lisses de différentes tailles. Il y avait des pistons qui montaient et descendaient, des cordes qui se tendaient.

Antoine s'est arrêté un instant pour souffler. Il a laissé pendre ses pieds et s'est efforcé de respirer lentement les yeux fermés. Il a lâché le guidon le temps que la machine ralentisse toute seule puis il a repris sa position initiale. Sans nous regarder, il s'est mis à pédaler encore plus fort et tout l'ensemble – tourelles, pistons et tuyaux – s'est mis à vibrer, à tourner sur soi et à se balancer de gauche à droite. Mamie applaudissait et criait fort pour l'encourager, et le divan lui aussi s'est mis à vibrer doucement. Béatrice tenait sa jupe collée contre ses cuisses. Mamie s'est levée pour regarder de plus près fonctionner cette extraordinaire turbine. Mais Antoine lui a fait signe que non, qu'il était temps au contraire de se rasseoir. Son visage avait repris un teint normal. La machine était lancée et fonctionnait à présent de manière autonome.

Alors il se produisit soudain quelque chose de tout à fait extraordinaire. Le salon s'est mis à vibrer de toutes ses forces, le tapis à glisser de droite à gauche sur le plancher et l'on aurait dit que le mobilier du salon s'affaissait sous son propre poids comme s'il était devenu trop lourd pour tenir sur ses pattes. Le pommier du jardin était bien là dans l'encadrement de la fenêtre et le ciel fixe et sans histoire derrière les six carreaux rectangulaires...

Antoine nous toisait d'un regard triomphant et son corps replié sur lui-même à quarante-cinq degrés au-dessus du guidon pédalait maintenant de plus en plus vite, avec une force qu'aucune d'entre nous n'aurait pu imaginer. Il a levé les bras en l'air comme un coureur à l'arrivée et, dans un bruit épouvantable de cordages qui craquent et de boulons qui cèdent, la maison s'est arrachée du sol et nous a laissées, mamie, Béatrice et moi, assises au milieu du salon, entre le potager et la cour en terre battue où l'on gare la voiture. Antoine beuglait et pleurait de joie tandis que la maison, détachée du sol, arrachée à ses fondations, s'élevait toujours plus haut dans les airs. Elle est restée suspendue au-dessus de nos têtes pendant cinq bonnes minutes et s'est élevée plus haut encore jusqu'à devenir pas plus grosse qu'un petit pois dans le ciel de septembre. Mamie a enfilé son châle. Béatrice pleurait de béatitude et n'en croyait pas ses yeux. Elles se sont collées l'une contre l'autre pendant que la maison faisait des loopings.

Antoine n'avait pas fini. Il s'est arrêté de gigoter et a croisé négligemment les bras sur le guidon. Nous avons instinctivement courbé le dos : la maison revenait vers nous à une vitesse vertigineuse, entraînée depuis tout là-haut par son propre poids. Elle est venue reprendre sa place avec un bruit cotonneux de boîte à bijoux qui se referme sous la simple pression d'un doigt.

« Encore un tour ? » a fait Antoine. « Oui ! Oui ! » a dit mamie en frappant dans ses mains, entraînant du même coup Béatrice dans cette folie. Et la maison de remonter dans les airs avec ses deux étages et de revenir sagement se mettre en place.

« Bravo ! » Béatrice trépignait de joie en tenant sa robe toujours bien serrée et réclamait plus de loopings encore. Mamie pleurait d'excitation et voulait monter au grenier pour faire des loopings avec, mais Antoine le lui a formellement défendu. « C'est trop dangereux », a-t-il dit. Il vaudrait mieux commencer par faire des essais avec le chat et ensuite avec un animal plus gros, par exemple la jument de monsieur Marie. Hop ! La maison est repartie de plus belle et a tournicoté encore une fois dans les airs. Tout devait être sens dessus dessous de la cave aux soupentes.

Antoine s'est enfin arrêté et il est redescendu de sa selle avec des airs de vainqueur. Mamie l'a embrassé. Béatrice l'a porté sur ses épaules jusqu'à la cuisine en sautillant. Je pense qu'elle ne s'était jamais sentie aussi fière d'avoir trouvé sa place dans une famille à ce point hors du commun. Et là, mamie s'est occupée des tartines le temps que Béatrice fasse bouillir le lait. Antoine a dévoré son goûter. Tous ses efforts – lesquels comprennent les efforts intellectuels de l'ingénieur, disait Béatrice, admirative – lui avaient donné faim. C'était bien normal. Qui plus est, il devait instamment repartir à l'atelier travailler à quelques modifications.

Après le goûter, je suis remontée dans ma chambre enfiler un pull-over, puis je suis tout de suite redescendue au jardin. Antoine avait déjà disparu et mamie était assise toute seule dans sa chaise longue. Je suis arrivée sans bruit par-derrière. Je ne voyais que ses petites bouclettes mauve pâle dépasser du dossier. Je me sentais très fatiguée. Je me suis plantée derrière elle dans le gravier en laissant aller tout mon poids contre son siège et j'ai passé mes bras de l'autre côté. Elle les a attrapés et les a serrés contre elle avec affection. Elle a pressé mes poignets par petits coups, comme un enfant presse un jouet en plastique, en faisant un rond autour avec le pouce et l'index. J'ai reposé mon menton sur ses cheveux et elle s'est mise à bouger doucement la tête d'avant en arrière. Cette douceur m'était indifférente. Je ne savais comment lui faire comprendre que je ne voulais plus habiter ici et que notre maison n'était plus notre maison. J'aurais pu lui dire exactement cela, tout répéter mot pour mot. Je croyais qu'il aurait été plus facile de le lui dire dans cette position, sans la regarder, avec le pommier au fond derrière. Mais, même comme ça, rien n'est venu. De toute façon, cela n'aurait servi à rien car je sais très bien qu'elle aurait ri en se retournant vers moi et que j'aurais vu sa petite tête ronde qui me la fait aimer comme ça, par le seul fait de sa gentille rondeur. J'aurais ravalé mon mal au cœur. C'est d'ailleurs ce que j'ai fait lorsqu'elle a dit, sans se donner la peine de bouger la tête :

«Ce n'est pas bien grave, finalement», mais avec un peu plus de difficulté encore que les autres fois.

Je suis repartie dans ma chambre. Et là, je me suis mordue le bout des doigts pour me punir de ma faiblesse. Son sourire m'a paru dégoûtant et jusqu'à la douceur de ses cheveux. On pouvait tout aussi bien vendre cette maison et nous avec à des étrangers. «Pourquoi pas? me suis-je dit. Pourquoi pas, finalement? Quelle importance, à présent?»

Le Rhin

1

Je ne peux me rappeler aujourd'hui comment nous en étions venus à choisir cet endroit plutôt qu'un autre pour descendre. La berge est d'un accès beaucoup plus facile par le pont. C'est pourtant là que nous avions décidé de nous arrêter avant de repartir : au croisement de la route et du chemin de halage, à la droite du tilleul. Peut-être l'un d'entre nous avait-il entendu un animal bouger dans le feuillage, ou bien une plante d'une couleur ou d'une forme particulière l'avait-elle attiré dans cette direction. Je ne sais. Mais je sais que quelqu'un a exigé que nous observions un long silence. Quelle qu'ait pu être la raison de son écart, nous l'avons suivi sans y penser après la pause.

Plus bas, le chemin de halage décrit une large courbe. La mince bande de terre qui longe le fleuve se rétrécit et finit par former une petite poche de terre noire. Nous nous y sommes arrêtés, nous nous sommes déshabillés et nous avons plongé nus dans l'eau froide. Marie et moi pour commencer, puis tous les autres à la suite. Dix en tout.

Nous sommes revenus tous les deux nous asseoir près du bord. Les autres ont continué à nager en file indienne et avec assez de vigueur jusqu'au milieu du fleuve. D'où nous étions, nous pouvions voir leurs bras fendre la surface de l'eau. Puis ils se sont arrêtés. Ils criaient fort et nous ont encouragés à les rejoindre. Nous avons refusé et j'ai plongé seul pour remonter vers le pont.

Ils se sont battus. D'abord par paires et corps à corps, à la manière des lutteurs antiques. Puis deux contre un. Les cris se sont faits plus insistants et le combat est devenu inégal. Trois ou quatre d'entre eux ont forcé une première tête, puis une deuxième, à rester sous l'eau. Leurs torses jaillissaient hors du fleuve lorsqu'ils reprenaient leur souffle. Ils disparaissaient derrière les gerbes argentées et réapparaissaient un peu plus loin en direction de la berge opposée. Plus tard encore, les rôles se sont inversés. Les victimes ont chargé et les attaquants se sont défendus. Ils ont formé un cercle. Lorsque je suis revenu, Marie a dit qu'ils étaient forts comme des chevaux.

J'ai replongé. De la terre ferme, elle m'encourageait en frappant dans ses mains. Après quelques essais, j'ai réussi à atteindre une couche de terre limoneuse. Je suis remonté très vite à la surface en m'efforçant de garder la paume serrée. Elle est venue me rejoindre en prenant l'eau jusqu'à mi-cuisse et j'ai vu ses jambes immobiles et vertes onduler dans l'eau trouble.

J'ai levé mon bras très haut pour rapporter la preuve que j'avais touché le fond. La terre jaune coulait entre mes doigts et le long de mon bras. Elle a applaudi en signe d'approbation. Nous sommes sortis de l'eau. Elle s'est allongée sur l'herbe. Je suis resté debout un moment et j'ai regardé son corps sécher, d'une remarquable sérénité, long dans son aspect, serré pourtant dans sa chair et aussi dense que du marbre.

Je me suis allongé à mon tour. Elle gardait les yeux grands ouverts, juste à côté de moi. Le silence de la vallée nous a enveloppés. Elle m'a souri longuement comme une femme victorieuse. Ses dents étincelaient au soleil et elle a croqué dans le fruit que je lui ai offert en regardant droit vers le ciel.

2

Le dimanche matin, nous allons à pied le long d'un quai goudronné, puis nous suivons une berge en terre battue, une eau couleur d'acier à nos côtés. Nous prenons le courant pour guide. Nous décidons de nous asseoir sur l'herbe, toujours au même endroit, au pied d'une petite butte qui surplombe une poche de terre noire. Nous faisons face à une longue cheminée dont le tuyau se resserre vers son extrémité. La fumée grise qui s'y engouffre en ressort comme un long fil gris.

Marie enlève ses chaussures. Après les avoir soigneusement rangées, elle les bourre nerveusement avec ses socquettes. Je sens, tout près, leur légère odeur de moisi. Puis elle trempe ses pieds dans l'eau froide.

En y réfléchissant, cela fait bientôt quatre mois que nous répétons ces mêmes gestes. Les coudes posés sur les genoux, elle porte son regard sur la surface de l'eau pendant que j'observe le fond à travers la vitre de mon masque. Elle doit voir, par intermittence, une ou deux palmes en caoutchouc, un tuba et des genoux blancs. Sous l'eau, j'entends le ronronnement de la barge qui véhicule le minerai de l'autre côté du fleuve. Puis je ressors, je me sèche et nous restons là tous les deux sans rien dire jusqu'au milieu de l'après-midi. Nous finissons par rentrer. Nous refaisons le même trajet en sens inverse, accrochés à la barre du tramway qui nous bouscule l'un contre l'autre.

Arrivée à la maison, elle pend sa veste à la patère de l'entrée. Je la suis jusque dans la cuisine sans me déshabiller. Elle fait couler l'eau du robinet dans la bouilloire. L'eau résonne dans le récipient vide et le chuintement s'estompe au fur et à mesure qu'il se remplit. Je reste assis à la même place. Je laisse ce bruit affreux me percer les tympans, comme s'il avait fini malgré moi par me devenir aimable et familier.

C'est sans rien dire que je la laisse faire bouillir ce liquide admirable. Elle y trempe ses pieds l'après-midi et me le ressert sous forme d'infusion dans un bol posé sur une soucoupe. Je ne bois jamais. Elle ne remarque rien. Pendant qu'elle range, je sors faire les courses.

Je déchire son petit carton, je distribue un morceau de la liste dans chaque magasin : un pour les légumes, un pour la viande, un autre encore pour le pain. Pendant que les commerçants complices se passent le panier, je reprends le tramway. Je suis la route goudronnée. Je me précipite au bord de l'eau et là, j'implore très humblement pour mon propre compte un pardon qui ne viendra pas.

3

Le ciel est noir et bas, déchiré par le vol des oies qui prennent la direction du nord. Leurs cris s'entendent jusqu'au milieu de l'eau. Je reste assis à les regarder en compagnie du batelier. Elles s'éloignent en ligne droite et disparaissent comme des gouttes de lait absorbées par une épaisse tenture.

Peu importe le nom qu'on donne à notre tâche. Il est de notre ressort de l'accomplir. Il faut désormais disposer d'une preuve irréfutable de notre volonté d'en finir. À midi, le bâton raclait les cailloux près de la berge; ici et maintenant, plus rien. L'eau est trop profonde et le courant l'emporte. Nos bras ne peuvent retenir la perche même si nous nous y mettons à deux. Hier nous avons dû la lâcher. Aujourd'hui également, de peur de tomber à l'eau lorsque la barque s'est mise à tirer sur sa corde.

À la pause, je regardai silencieusement en direction d'Ehrenbreitstein, la demeure militaire, grise et massive. Quelques oies solitaires sont allées se percher sur ses tours. Elles tournoient mollement autour de la citadelle et reviennent inlassablement se poser sur sa crête.

Le batelier a fait le café pendant que son aide s'occupait du rangement. Il ne dit pas trois mots entre le moment où il vient me chercher et celui où il me raccompagne. Je l'ai observé poser la cafetière sur le réchaud, attendre que le café monte et servir les trois tasses. Il a sorti une boîte en fer d'une grosse caisse où sont entreposées les bouées et les couvertures et m'a tendu un sucrier de fortune. Puis il s'est levé pour boire seul et a embrassé toute la vallée d'un geste impérial en nous tournant le dos.

Ses mains sont incroyablement larges, fortes comme des sapins. Un enfant pourrait les imaginer surhumaines, de bois et de fer mêlés, ou bien au contraire faites d'un unique métal durci par la trempe et la différence tiendrait alors à ce qu'on les jugerait plus nobles encore de par l'absence de mélange. On peut prévoir qu'après sa mort elles resteront intactes dans son linceul quand son corps pourrira. D'autres hommes, peut-être, pourront penser qu'un dieu ou un héros a été enterré là et ils auront raison.

À la fin de la pause, il s'est saisi d'un deuxième bâton et l'a plongé dans l'eau, le corps penché en avant, pris d'une fureur extrême. Son visage a rougi sous l'effort. Dieu sait quelle force l'a saisi. La perche s'est enfoncée de tout son long jusqu'à la garde. La poignée sortait à peine de l'eau. Elle est restée là, immergée comme un roseau, recouverte par les vagues qui annonçaient l'orage de l'après-midi. Il s'est assis. Par dépit et sans même prendre le temps de souffler, il a repris les rames pour me ramener à la berge.

4

Le mystère de leur disparition est fortuit. Marie veut y voir l'effet d'une nécessité inexorable que nous ne comprenons pas. Je crois quant à moi à une sorte de fatalité un peu hasardeuse dont je pense qu'il est inutile de rien savoir. La seule chose qui compte pour le moment est qu'une décision soit prise. J'avais promis à notre batelier une énorme somme d'argent au cas où il aurait retrouvé les corps. Je pensais jusqu'ici qu'un seul aurait suffi à lui assurer une rente. Il semble à présent que nous devions modérer encore nos exigences et que, du coup, sa fortune dépende de presque rien. Un bijou rapporté ferait l'affaire. Nous nous contenterions presque d'un témoignage ou d'un ouï-dire. C'est que le doute nous est insupportable. Mieux vaut encore l'erreur, qui a le mérite de la franchise. Jusqu'à cette promesse, je le payais à la journée. J'avais gardé cette offre en dernier recours, comme un stimulant possible au cas où son intérêt pour notre affaire se serait relâché. C'est ce qui n'a pas manqué d'arriver. Nous voilà donc engagés dans de petites histoires d'argent.

Je le vois chaque jour glisser sur l'eau, penché sur son ouvrage, pliant et dépliant ses filets. Il me fait toujours de grands signes qui restent comme autant d'espoirs déçus. Nous sommes désormais convenus qu'il agitera son mouchoir au cas où il retrouverait quelque chose. Tout autre mouvement du bras, du torse ou de la tête ne peut signifier que la reconnaissance ou la politesse et ne peut rien dévoiler quant au résultat souhaité.

C'est à son corps immobile que toute mon attention se destine. Il m'apprivoise comme un animal docile. Je l'attends comme un chien et suis déçu comme un chien lorsqu'il revient bredouille. Le soir, je livre à Marie les résultats de nos journées en composant un visage confiant. Elle m'écoute. Nous sortons marcher. Je dis et redis sans cesse les mêmes phrases. Elle me regarde. J'ai l'impression qu'elle n'y croit pas et qu'elle essaie de le sous-entendre sans rien dire, par exemple en arrêtant de sourire sans raison apparente ou en détournant la tête d'un air volontaire. Je continue mon histoire en feignant de l'ignorer. Je reste déterminé jusque dans cette fausseté. Peut-être même ai-je l'air d'un petit chien savant.

5

J'ai fait moi-même les courses aujourd'hui et je suis parti tout jeter dans le fleuve de la manière habituelle. J'ai ramassé une grosse pierre au bord de la route, j'ai lesté le filet et lancé le tout. J'accumule les mensonges les plus éhontés depuis une dizaine de jours. Je me découvre des talents de conteur que je ne soupçonnais pas il y a seulement quelques semaines. Avec Marie, je prétexte l'oubli ou la fatigue. La plupart du temps nous devons dîner à l'extérieur faute de provisions. C'est qu'elles pourrissent au fond ; ou alors je ne les ai pas faites. Au travail, j'invente des rendez-vous. J'imagine toute une clientèle.

J'y retourne inlassablement à toute heure de la journée, parfois même tard le soir. Mieux encore : c'est par là que je commence tôt le matin. Je suis le témoin de petits événements routiniers et prévisibles. Il y a des belettes qui s'étirent. Des chouettes qui rentrent dans les arbres creux. Des mésanges qui sortent du nid. Je regarde et j'écoute ce qu'elles font entre l'état de sommeil et l'état de veille. J'observe l'éclat particulier de leurs pupilles dans ce court instant qui n'appartient ni au jour ni à la nuit. J'étudie l'attention qu'elles portent à leur fourrure ou à leurs plumes.

Dès l'aube, une brume épaisse s'étire sur le Rhin. Je vais au bain comme un Oriental. Je reste immergé jusqu'à ce que l'immobilité refroidisse mon corps. Lorsque mon batelier apparaît sur l'autre rive, je nage doucement la tête sous l'eau pour réchauffer mes muscles. Je sors sans faire de bruit, je me sèche et repars. Il ne m'aura pas vu. Je pousse parfois jusqu'au pont et je l'observe s'installer pour la matinée. Il déplie soigneusement ses filets, aligne ses perches, observe vainement les larges méandres du fleuve. Il doit les connaître mieux que son propre jardin. C'est sa véritable demeure, à plus d'un titre, plus encore que sa maison natale. Il m'a confié qu'il est originaire d'un village en amont, situé à quelques kilomètres seulement de Waldbröl. Enfant, il venait seul à pied jusqu'ici. À seize ans, il a pris ce métier. Aujourd'hui encore, il refait le même trajet pour repartir chez lui.

Plus tard, il remontera vers Lahnstein et en reviendra sans rien de différent par rapport à la fois précédente. Il me le fera savoir demain par son silence et nous commencerons une nouvelle journée. Mêmes brumes, même tâche.

6

J'ai promis en sachant que ma promesse était vaine. Il n'aura rien. Je m'imagine lui avoir délibérément menti depuis le début et me défends maintenant d'avoir jamais pensé honorer son courage. Je me dis qu'il se prête de bon gré à cette comédie en toute connaissance de cause. J'ajoute à cela qu'il *joue* au batelier, qu'il n'y a vraiment rien au fond de ce fleuve qui puisse jamais nous contenter : de la terre molle, des plantes filandreuses, des carpes et bien d'autres choses encore qui seraient là même en notre absence. Mais nous, qu'avons-nous fait ? Que vaut notre contribution ? Je soupçonne que cette recherche est sans but véritable, que Marie n'y croit pas elle-même et que de nouveaux venus vaudront bien les premiers. Nous n'y verrons rien, les habitudes que nous avions prises en circonvenant d'autres habitudes qui ressembleront aux anciennes.

Nos premiers équipiers, justement, pourraient bien être pris sous une roche. De là, ils auront pu appâter les poissons. À moins qu'ils n'aient dérivé très loin, ne se soient perdus en pleine mer et que leurs corps ne soient déjà revenus à une eau plus large, grise et presque violette par endroits. Peut-être sont-ils très exactement là où le mauve tache le bleu comme de l'huile sans s'y mélanger. En comptant avec la force du courant, il n'y a pas si loin d'ici au delta. Si c'est le cas, ils ont visité des lieux que je ne connais pas encore et que je n'aurai jamais l'occasion de connaître. Je reste au bord ou en tout cas toujours très près. À moins que moi aussi je n'y tombe. Ou bien le courant... Ou bien Marie, qui ne sait rien me cacher...

Si cela devait lui arriver, j'ai l'intime conviction qu'elle me dirait tout. Elle ne m'épargnerait aucun détail. Elle nagerait soit vers la source, soit vers l'estuaire – je veux dire dans une direction choisie et bien déterminée. Sa nage est sereine comme sa marche. Elle reviendrait. Elle n'oublierait pas. Elle rapporterait quelque chose. Elle ouvrirait la porte avec un cadeau. Elle le fait toujours, même au terme de petits trajets journaliers. Mais moi...

7

J'ai jeté leurs vêtements après les avoir pliés dans une vieille valise que j'ai abandonnée en bas de l'immeuble. Les poches étaient vides. Certains portaient indéniablement les traces de la dernière descente – essentiellement de la terre et des épines de ronces. Étaient-ce donc des ronces que l'un d'entre nous – mais lequel? – voulait observer près du tilleul? Et quelle observation précédente avait bien pu conduire celui-là à nous faire changer de route? Quelque chose, en bougeant, avait-il touché le feuillage? Les autres étaient-ils partis sans rien, sans même un ticket de transport, un mouchoir, une paire de lunettes?

Marie les avait donc emportés en toute hâte avant de les déposer au fond de la penderie. Je ne m'étais jamais posé la question de leur disparition, comme s'ils avaient pu se volatiliser après notre retour aussi facilement que des éléments du décor peuvent disparaître d'une scène de théâtre lorsqu'ils ne servent plus l'action. Une main invisible les retire ou un second rôle les emporte en coulisse sans que nous ayons rien remarqué. Je me suis indéniablement laissé aller à cette facilité. Ils étaient là depuis des mois, à portée de main, à côté de nos propres vêtements, et je n'en savais rien.

Je pourrais me reprocher de n'y avoir prêté aucune attention. Mais le temps me manque pour cela. Il faut avancer et je me plie de bon gré à cette nécessité: se défaire de leurs habits, retourner au lieu même de leur disparition. Le lieu, me dis-je, voilà ce qui compte. Ce ne sont pas des traces posthumes qu'il nous faut, mais quelque chose qui témoigne de l'endroit et de son heure même si nous devons transporter ailleurs ce que nous aurons trouvé pour le conserver. Peu importe, en fait, ce que cela pourra être.

Il faut simplement que cela soit dans un certain état : tordu et trempé par les eaux, que le batelier l'arrache lui-même au courant. Ces vieux habits ne sauraient suffire.

J'ai donc pris cette pile avec moi avant de partir et je m'en suis défait à la première occasion, c'est-à-dire à gauche en sortant, dans la poubelle commune de l'immeuble. Leurs derniers habits y sont maintenant avec d'autres détritus, secs, ménagers, sans aucune utilité ou destin autre que celui de leur propre disparition. Je ne vois là aucune injustice ou forfait particulier.

8

Le fruit dans lequel elle avait croqué ce jour-là était une prune. Grosse, de forme oblongue, fendue dans sa chair par le milieu. Tout cela me revient aux moments les plus fortuits : l'anatomie de ce fruit et plus particulièrement sa couleur et sa taille. Aujourd'hui, à la cantine, quelqu'un a pris une grosse prune oblongue dans le panier. J'ai dit à la cantonade et sans plus d'explications : « Tiens, c'est exactement le fruit que Marie avait mangé. »

J'en ai cherché une autre encore qui lui ressemble. Celle que j'ai trouvée en recouvrait d'autres semblables ; à croire que la terre ne porte plus que des prunes bleues. J'ai gardé le noyau pour jouer avec sur ma soucoupe au moment du café. Un collègue agacé me l'a enlevée et l'a jetée dans le cendrier.

En fin d'après-midi, quelqu'un a proposé une promenade. Nous avons marché le long de la route après le trajet en tramway. Nous avons tourné à droite du tilleul. Nous nous sommes assis pour souffler. J'ai repris le fil de mon histoire et j'ai précisé, sans susciter de réaction immédiate, que c'est à cet endroit précis qu'elle l'avait mangée et que la prune était fendue dans sa chair par le milieu.

Puis quelqu'un a posé la question : « Tu en as peut-être même une dans ta poche ? » Faux. Mes poches étaient vides. Nous nous sommes tus. C'est à ce moment précis que la barge est apparue au milieu du fleuve. Ils se sont mis à faire des signes auxquels mon batelier a répondu. J'ai cru un instant qu'il se dirigeait vers nous. Son embarcation ne faisait en réalité que remonter obliquement à contre-courant et son angle d'attaque n'était rien de plus qu'un effet de perspective.

Dans l'ignorance de cet effet, j'ai d'abord regardé le bateau fixement comme si j'avais pu le détourner de sa trajectoire ou le faire couler par la seule force de mon regard. S'en sont-ils rendu compte ? L'un d'entre eux m'a attrapé par le col. J'ai senti que la couture était près de lâcher. J'ai essayé de tourner la tête en me relevant mais le tissu s'est tordu en vrille. La haine, oui, la haine seule l'a déchiré.

Il était six heures. Nous devions repartir. Je me suis efforcé de revenir à la route sans regarder derrière moi, négligemment, en donnant de petits coups de pied dans les cailloux, en marchant de manière régulière, en faisant la conversation.

9

J'ai fait ma déposition à Coblence en modifiant la date et le lieu. Le bureau des déclarations était frais, peint en blanc, isolé au bout d'un long couloir sans ornement et somme toute assez convivial dans sa nudité. Des moulures en stuc rose délimitaient le périmètre du plafond. On m'a offert un verre d'eau et j'ai tout dit, mis à part ces trois points sur lesquels j'ai indéniablement menti : le lieu, l'endroit, la présence de Marie. J'ai décliné leur identité, décrit leurs vêtements, leur précipitation, leur jeu, donné leurs adresses respectives. J'ai insisté auprès du commissaire sur la précarité de la situation, la vigueur du froid, la force du courant, la jeunesse des combattants. Je n'ai rien caché de l'état de désordre mental qui a précédé la lutte et de mes vains efforts pour empêcher le pire.

«Bien évidemment...» a-t-il renchéri en marquant une pause de convenance. «Que peut-on faire lorsque huit...? Des adultes, après tout... Que peut-on faire...?», etc. Puis il s'est excusé de me demander si j'avais une idée de leur poids et de leur taille. Non. Sûr que non. Comment aurais-je pu savoir cela?

Le bureau fermait pour l'heure du déjeuner lorsque nous finissions de rédiger le rapport. Je me suis mis à sa disposition. J'ai signé et je suis reparti par la place du marché. L'accident a donc eu lieu hier sans autre témoin que moi-même.

Une fois dehors, livré au bercement de la foule, au milieu des viandes, des fruits, des légumes et des bouteilles à long col, je me suis assis pour boire du vin sous un arbre. Il y avait une profusion extraordinaire de faisans, de carpes, de raisins noirs et blancs, de fruits rouges, de pâtés. J'ai longuement déambulé dans ces allées odorantes qui étaient comme les rues d'une ville luxuriante et miniature. Cette marche m'a ôté toute réflexion, tout souci, tout désir autre que celui d'être précisément là à regarder les produits de la cueillette et de la chasse. J'ai véritablement ressenti le repos comme je ne l'avais pas ressenti depuis longtemps. Non pas le bienfait de la relâche, mais la vraie plénitude du répit. La pause. L'escale.

J'ai fait les courses avant de repartir par le train de cinq heures. Je me suis assis sur la banquette sans croiser les jambes, les mollets parallèles, comme pour assurer mon équilibre dans une ascension. Dans le sens de la marche. Triomphant. Les marchandises étaient dans un sac à mes pieds. Le bras droit jouant avec l'air par la fenêtre du compartiment, j'ai sifflsté, je crois, une vieille chanson. Je suis revenu chez nous et nous avons dîné à la maison pour la première fois en trois mois.

10

Nous sommes partis vers midi avec l'attirail habituel. Un seul événement mérite d'être remarqué. Marie m'a confié ce matin – ce furent même ses premiers mots – que nous redescendrons le chemin de halage avec d'autres pensées pour reprendre nos bains comme nous les prenions autrefois, sans même nous en rendre compte. Au réveil, j'étais encore sans avis sur ces paroles rassurantes et pleines de bon sens.

Mais voilà qu'aujourd'hui, en fin d'après-midi, le batelier a agité son mouchoir. Il faisait des pas de géant sur son embarcation, tout entier à son travail. Son aide a tiré la corde d'amarrage, leurs voix ont résonné dans la vallée et nous les avons vus se diriger vers nous. Il a sauté trop loin du bord et a pris la vase jusqu'à mi-cuisse pendant que son compagnon attendait assis sur le banc. Je me suis rhabillé. Il a fait de longues enjambées avant de monter sur notre talus d'un air fier.

Il était là devant moi, large et vainqueur, pour me tendre un anneau. Il portait des bottes montantes maculées de boue. Ses dents étaient aussi blanches que celles de Marie lorsqu'elles s'étaient fichées comme des piquets dans la prune. Tout au moins ai-je pensé à la même blancheur en les examinant. Des dents de loup, mais comme aiguisées par un instrument, sans naturel aucun, d'un artifice déconcertant.

L'anneau retrouvé était en argent. Les entrelacs de quatre initiales, précédées d'une date, étaient gravés à l'intérieur. Je ne l'ai pas touché. J'ai fait un signe négatif de la tête et je suis retourné m'asseoir. Il est parti la tête basse sans rien demander, en murmurant quelque chose dans son patois rhénan. Ils sont rentrés tous les deux, suivis par les péniches grises qui transportent le minerai vers le nord.

Marie m'a posé la même question et j'ai répondu : «Non.» Je me suis alors souvenu que nous étions venus dimanche dernier après l'église. Il est vrai que nous étions dix en tout et que nous recommencions déjà à prendre nos bains en nouvelle compagnie.

Tobermory détective
(à la Saki)

Vous saviez que l'insouciante Lady Blemley laisse son fils monter sur un bateau pompeusement baptisé *Le Foudroyant* par son andouille de mari et que c'est ainsi qu'elle le perd pour toujours, en pleine mer, au large de Minorque. Ah! Paco Berenguer, le franquiste de service qu'elle a convié à bord pour plaire à Cathy Pons, le fait tomber à l'eau en manœuvrant avec maladresse. Le bel enfant disparaît sous ses yeux dans «l'eau de Dieu, injuste et toute-puissante, qui fait plier les hommes et [l]e couvre avec amour de sa bave argentée»[1].

Je vous rappelle au cas où vous l'auriez oublié que William annonce à son arrière-grand-père que Verlaine, le chat d'enfance du même Aloysius perdu en mer, s'exprime *avec des mots*, tout comme Tobermory, le chat des nouvelles de Saki, et que cette remarque impertinente aiguise l'animosité de son alter ego Philip; au point que ce dernier prendra un malin plaisir à démolir méthodiquement le livre susmentionné. Ce n'est pas que l'idée de l'Angleterre pâtisse de toutes ces anglaiseries contournées qui débordent d'*Aloysius* comme le hachis d'une dinde trop

---

1. *Aloysius*, Éditions du Rocher, coll. «Motifs», Paris, 2009, IIe partie, ch. 5, p. 270.

farcie. Non. C'est qu'elle est fausse, cette idée, «ce qui est bien pis»[1].

Ce n'est pas tout. Le sort s'acharne. Voilà que je retrouve à l'improviste du Saki inédit en langue française : les trois dernières pages d'une nouvelle inachevée, lues récemment dans *The Complete Unabridged Short Stories of Saki*, Cox and Wyman, Bath, 1937. Ce texte, dont on ne connaît que la fin, se serait intitulé «Tobermory détective» si Saki avait eu le temps d'en écrire le début. Je traduis ici les pages 628-632 de l'édition anglaise. Le fragment ne figure pas – c'est dommage – dans les éditions courantes, pas même celles qui se piquent d'être exhaustives.

Vous verrez qu'en fin de lecture on en est que plus désolé d'avoir précédemment appris – dans le premier «Tobermory» du volume habituel des *Collected Works* – que monsieur Appin est mort piétiné par un éléphant du zoo de Dresde. L'homme qui apprend avec succès le langage aux animaux aurait essayé d'inculquer à la pauvre bête la conjugaison des verbes irréguliers allemands. C'est en tout cas l'explication suggérée par Clovis à la toute dernière ligne de cette histoire.

Nous savons quant à nous que le Diable a appris le français au chat Verlaine et que, côté punition, nous ne risquons donc plus rien. Qui penserait à châtier Belzébuth ?

Voici la partie qui nous intéresse. C'est Saki comme on le connaît : frais et impertinent. Lady Blemley est à la recherche de son collier. Tobermory, le chat parlant instruit par la méthode de Cornelius Appin, a pris les devants...

TOBERMORY DÉTECTIVE
(*fin*)

---

1. *Tennis, socquettes et abandon*, Buchet/Chastel, Paris, 2003, IIIe partie, ch. 1 : «Au jardin», p. 226-232, à la page 231.

[...]

« Il est passé par là, fit observer Tobermory. Je reconnais les traces de ses pattes.

– Vous m'avez parlé ? s'enquérit Lady Blemley.

– Indéniablement, répliqua Tobermory sans se retourner, la tête déjà engagée dans une meule de foin. À qui d'autre aurais-je bien pu m'adresser ? Nous sommes seuls.

– Je vous crois sur parole, mon ami, je vous crois, fit Lady Blemley d'un air fatigué en regardant mélancoliquement en direction de Blemley Grove. Qui viendrait s'aventurer dans un endroit pareil, au fond du jardin où il y a toujours une humidité épouvantable ? »

Qui, en effet ? C'est une bonne question, pour une fois, se dit Tobermory en aparté. Son corps avait à présent entièrement disparu à l'intérieur de la meule. Seule sa queue tigrée en dépassait, tendue comme une manivelle détordue et singulièrement horizontale.

Il répondit à voix haute à sa propre question, jugeant que la langueur et le désespoir étaient en train de gagner l'esprit chagrin de Lady Blemley.

« Qui ? Je vais vous répondre sur-le-champ : celui qui voudrait cacher le collier de perles offert cet après-midi même par Sir Blemley à Lady Blemley pour leurs noces d'argent.

– C'est ridicule, mon ami. Nous n'avons plus aucune chance de le retrouver. Je suis certaine qu'il est déjà loin d'ici à l'heure qu'il est. Il ne me reste plus qu'à avouer cette perte à Wilfrid. Je suis fatiguée. J'ai besoin de mon fauteuil. »

Tobermory ressortit de sa cachette à reculons, le dos rond, le collier entre ses crocs.

C'est un faux. De la verroterie, pensa-t-il en l'observant de biais, le cou tendu vers son propriétaire.

Lady Blemley l'attrapa aussi sec sans même accorder une caresse et repartit, triomphante et militaire, en direction de la véranda, suivie à distance par un Tobermory exaspéré. C'était donc ainsi qu'on le remerciait...

À quel moment, se demanda-t-il, oui, à quel moment devrais-je annoncer que Wilfrid a acheté une misérable bricole pour quelques livres dans une boutique incertaine de Clapham Junction?

« C'est un monde, lança Lady Blemley à la cantonade en retrouvant ses invités. C'est encore un coup du chat mal élevé de... »

De qui, mon Dieu, déjà...? se demanda-t-elle en arrêt sur la pelouse.

« ... de Lady Pembroke, compléta Tobermory qui l'avait précédée dans son fauteuil.

– Oui, c'est cela. Merci, mon ami. D'ailleurs, cela me rappelle que j'ai oublié le nom de son horrible animal.

– Manière noire, continua Tobermory en léchant négligemment sa patte gauche.

– *Manière noire!* Mais bien sûr. Quel nom prédestiné! Quelle perversité!

– Il faut avouer, ajouta mademoiselle Cornett non sans hésitation, qu'il est tout noir.

– Quant à *lui*, se mit en devoir d'ajouter Lady Blemley en scrutant le pelage tigré de Tobermory, sa mémoire m'étonne toujours. Non seulement sa mémoire, mais son intelligence. Nous devons tous féliciter monsieur Appin pour son infaillible méthode. Je ne m'explique pas autrement comment notre bon Tobermory a retrouvé la cachette. »

Elle souleva le chat du fauteuil et le prit affectueusement sur ses genoux. Tobermory s'enroula autour de son bras, affectant l'une de ces poses félines qui aurait pu infirmer sur-le-champ l'hypothèse pourtant maintes fois vérifiée selon laquelle il avait une parfaite maîtrise du verbe. En ce pur instant d'intimité avec sa maîtresse, il avait tout l'air d'un chat normal.

« Il ne dira rien, vous savez. Un bon détective garde toujours par-devers lui les petits trucs de sa profession, conclut Lady Blemley en se penchant pour lui gratter le cou.

– Le verbe n'est pas grand-chose, lança Tobermory pour rassurer Tiramisu, le chat marron de mademoiselle Cornett qui le regardait avec envie depuis la paire de genoux opposés, rien de plus en vérité que l'expression de l'intelligence qui le précède.»

Cette remarque boursouflée passa inaperçue. Lady Blemley tenait son collier dans la main gauche quand une longue chose sèche au nez carmin et aux mains gantées crème, officier de la flotte royale, proposa de l'agrafer pour lui redonner *sa place d'honneur* – ce furent ses propres mots. Ses doigts tremblaient un peu. Il évitait maladroitement le regard avisé de Tobermory.

« J'espère, madame, que vous venez au dîner que nous donnons demain en l'honneur de Lady Blemley, dit-il en reculant pour admirer le résultat.

– Mais *je suis* Lady Blemley, dit Lady Blemley.

– J'ose espérer que vous viendrez quand même, répondit le militaire un peu vexé en s'éloignant par-derrière avec cérémonie.

– Mais qui était-ce donc ? demanda Lady Blemley en se tournant vers mademoiselle Cornett.

– Le vice-amiral Pembroke », trancha Tiramisu pour épater la galerie.

Cette nouvelle information n'échappa nullement à la sagacité de Tobermory. Il décida de n'en rien laisser paraître, jugeant qu'il méritait déjà son repos, se réjouissant de célébrer plus tôt que prévu le prochain forfait de

Manière noire. Car, cette fois-ci, c'est en toute impunité qu'il le laisserait subtiliser pour de bon la précieuse camelote de Wilfrid et ce, sur rien de moins que les instructions d'un officier de Sa Majesté. Il lui semblait bien, en effet, que Lady et Lord Pembroke allaient eux aussi fêter leurs noces d'argent le dimanche en huit et que Lord Pembroke, tout ruiné et hurluberlu qu'il était, se devait de faire un cadeau.

Il hésitait, en termes de récompense personnelle, entre une course à la souris avec le gros chat du presbytère et un festin en solitaire dans le grenier. Pour l'heure, notre détective avait accompli son devoir.

Cela vaut bien la peine, se dit sagement Tobermory, d'attendre encore une semaine pour annoncer publiquement le vrai prix du bijou.

Sur ces mots, il s'endormit paisiblement sur la confortable robe en taffetas moucheté de sa très innocente victime.

Le chien d'avant

La gent canine tient chaud aux pieds, comme les chaussons qu'on enfile l'hiver. Lorsqu'il se couche devant nous et observe de biais nos agissements les plus anodins, le chien ne pense jamais à mal. Bien au contraire. Il réfléchit à quelque bonne action qui pourrait nous plaire et ne désire rien tant que mieux faire encore.

S'il se précipite vers la porte et l'atteint avant nous, c'est pour vérifier que le journal en vaut la peine, nous dire que le gaz fuit vu que ça sent bon dehors, ou encore que le fond de l'air n'est pas si frais qu'on croit.

Il couine avec peine lorsque nous le battons et s'en ouvre poliment aux quadrupèdes du voisinage. Inégalement traités, suivant les rites observés par les uns et les autres, tous devisent des bassesses dont ils sont témoins : caniches pédicurés, fiers dobermans, sans compter les cockers des filles de docteur. Craignent le repentir des maîtres. Se contentent en attendant Carême d'un tout petit légume.

Julien

Je ne le dirai pas autrement : Julien n'aurait pu vivre sans la représenter chaque jour, sans une image. Et chaque jour appelait à lui une nouvelle facette – posture, mouvement, allure –, la personnalité de Camille se trouvant ainsi configurée de manière partielle et schématique sur le modèle des différents aspects de son comportement extérieur.

Souvent, lorsqu'il découvrait l'un de ces aspects qu'il prenait par erreur pour son moi tout entier, l'envie prenait à Julien de revenir en arrière, mais le courrier était déjà parti et Camille avait reçu trop tôt le portrait, l'esquisse, le poème ou la dédicace – ce qu'elle appelait « la chose de Julien », car il ne manquait jamais de signer en bas sur le côté droit avec un *j* en minuscule au début du nom. Il s'en voulait alors de ne pas l'avoir observée avec plus de précaution, d'avoir manqué tel ou tel détail qui aurait pu paraître insignifiant au profane mais qui aurait dû le consumer, lui, par le feu et avec lenteur.

Julien vivait dans le confort de cette admiration de l'être aimé, nécessaire à l'élaboration du sentiment amoureux lorsqu'il naît chez ceux qui croient que la passion se verse comme un philtre et se boit seul. Dès le premier jour, il avait décidé une bonne fois pour toutes de décliner toute responsabilité et s'était ainsi figuré que, puisque la cause de l'erreur était obscure, l'évolution du sentiment qu'elle avait fait naître devait l'être aussi.

Il s'ingéniait à entretenir son sentiment de façon à en accroître l'intensité sans jamais lui permettre d'atteindre la pleine maturité ; arrivé à mi-chemin, il s'arrangeait pour l'affaiblir de manière à repartir en sens contraire, assuré en coulisse que cette intensité pouvait reprendre son ascension sous l'effet d'une nouvelle humeur. Le jour où il eut l'impression confuse mais profonde que cette admiration ne nourrissait plus sa volonté, elle quitta définitivement son esprit, à vrai dire sans même qu'il s'en rendît compte.

*

«Tu n'as rien observé de nouveau chez Camille?» lui demandai-je à l'époque où l'évaporation se produisait sous mes yeux.

Il ne répondit rien.

«C'était, je te prie de me croire, tout à fait par hasard que je passais devant le Bonaparte. Enfin, rien... rien dans le vêtement?

— Je ne l'ai pas vue aujourd'hui, répondit-il.

— C'est impossible. Elle était juste à ta droite. À deux tables, exactement.

— Rien, fit-il l'air absent.

— Eh bien, mon cher, elle portait du vert, une couleur qu'elle a toujours évitée. Non pas eu égard à *toi*. Car, après tout, comment aurait-elle pu deviner? Elle devait ne jamais en porter *avant* tout simplement parce que le vert ne lui plaît pas. (Silence vaguement désapprobateur de l'intéressé. Pause.) Ce vert était d'une espèce particulière. Personne à cent lieues ne... Enfin, bon... amandé, velouté, découvrant des avant-bras sur lesquels, je te le rappelle, tu m'as dit t'être épanché la semaine dernière.»

J'attrapai sa main qui, à mon grand agacement, collait des étiquettes sur des boîtes à timbres.

«Et alors, continuai-je, elle l'a fait *exprès*. Elle a passé tes lettres en revue, remarqué que les cachets proviennent de la poste de la rue du Bac, trouvé la bonne robe – ou, mieux: l'a fait faire dans la couleur indiquée – puis elle est venue exposer ces avant-bras dont elle possède un nombre conséquent de croquis sur papier couleur. Elle a établi une liste empirique des terrasses *en angle*, a essayé toutes sortes de poses, etc.»

Julien repoussa la dernière boîte du bout des doigts sans que j'eusse à intervenir.

«Remarque quand même qu'elle est tombée juste.»

*

J'allais prendre de ses nouvelles chaque matin. La chute était lente, la mélancolie surnaturelle. Camille attendait chaque jour la chose qui ne venait plus. Julien écoutait mes rapports d'un air indifférent, ajoutant parfois des commentaires inopportuns. Je m'exerçai à ce va-et-vient pendant deux mois. Il fallut prendre une décision. Allai-je me précipiter chez lui ou chez elle?

Chez lui en fin de compte, et vous verrez que j'ai toutes les raisons de m'en féliciter.

«Camille part dans une heure. Ses valises sont prêtes.

– Tiens donc... Elle ne m'a rien dit.

– Elle ne t'a *jamais* rien dit, que je sache.

– Loin?

– Oui. Je crois qu'elle ne reviendra pas.

– Bon.

– Il vaut sans doute mieux que je te dise tout de suite la vérité.»

J'hésitai un instant. J'hésitai encore, puis:

«Camille est morte.

– Morte?

– Ce matin à neuf heures.

– C'est pour cela que tu portes un costume noir? Tu ne perds pas de temps.»

Il aurait pu facilement ajouter «ça alors» ou quelque chose d'autre de tout aussi niais, mais s'en abstint. Il s'arrêta un moment – de lire, de tourner en rond, j'ai oublié de quoi – et me demanda d'apporter des fleurs à sa place à l'enterrement. Il me donna une dernière lettre à poster – par bravade ou dépit, qui sait?

Je sortis de chez lui un peu défait. Je gardai l'enveloppe avec moi jusqu'à la gare. J'hésitai un instant puis la jetai dans la première corbeille venue. Le train affiché était à l'heure, la liste des arrêts prévus parfaitement en ordre – Paris, Vernon, Fécamp –, la destination certaine, l'avant-bras levé au loin déjà délicieux, les manches courtes d'une tout autre couleur. Ô Camille...

Mademoiselle Salinas

J'ai partagé beaucoup de choses avec Ricardo, notamment des heures de lecture pour lesquelles nous étions allongés chacun dans notre transatlantique avec un gros roman, à la plage ou au bord d'une piscine. Il avait une manière détestable de tourner les pages en les cornant en haut à droite. Ce mépris des livres et cette volonté d'aller vite ne me trompaient pas. Ricardo lisait sans plaisir. Je ne pense pas qu'il ait jamais mesuré la véritable importance de ses lectures imparfaites. Je prenais parfois l'ouvrage qu'il venait de commencer sur les conseils de mademoiselle Salinas pour remarquer qu'il avait déjà corné ces pages par paquets de dix et même plus. Lorsqu'il a commencé à s'intéresser aux filles, à vrai dire plus pour tester les pouvoirs de son charme que pour le plaisir de les consommer, la qualité des livres a baissé. Ricardo avait l'esprit ailleurs. À l'époque où il est devenu une petite pute pour messieurs, il avait feuilleté Conrad et Chateaubriand. Mais avant cela, avant de vendre ses fesses merveilleuses et de collectionner des magazines de sport, Ricardo a été un lecteur plutôt honnête et un envoûteur fabuleux. Il a aussi connu un nombre remarquable de femmes. Parfois bibliquement, mais parfois aussi platoniquement, car Ricardo ne méprisait nullement la possibilité de l'amour méditatif. Je n'essaierai pas de faire le catalogue de ses conquêtes. J'insisterai simplement sur le fait que l'une de ces femmes n'était pas – il faut faire la différence – *comme les autres.*

Nous étions à Los Angeles dans les années quatre-vingt du vingtième siècle. Ricardo était encore jeune et pauvre. Cette femme a disparu depuis et j'ai retrouvé un portrait d'elle chez ma mère à Santa Fe en classant des photos jetées pêle-mêle dans une boîte en carton de chez Czar, chausseur à Barcelone. Ma mère garde tout, surtout ce qui peut rappeler le passé le moins glorieux, alors Dolores était là, naturellement.

Sur la première de ces photos, Dolores Salinas est allongée sur une serviette éponge bleu ciel à la plage publique de Barcelonette. Elle porte des lunettes de soleil et tient au-dessus de sa tête un volume de poèmes de Federico García Lorca. Elle lit en se protégeant du soleil ; pas sur la photo, où elle tourne au contraire la tête en direction de l'objectif et sourit au photographe, mais dans la réalité, le moment de cette pose constituant une parenthèse. Peut-être résulte-t-il d'une objection à sa lecture. On s'en rend compte grâce à une autre photo prise au même endroit un instant plus tard et sur laquelle Dolores lit cette fois-ci pour de bon, allongée sur le dos, en tenant le livre au-dessus de sa tête pour faire obstacle au soleil. Personne n'aurait pu faire autrement, même avec des lunettes teintées tellement l'astre brillait fort à l'époque. Dolores lisait beaucoup, plusieurs livres par semaine, et tenait celui du dimanche également assez haut au-dessus de ses yeux pour faire écran. Elle les dévorait, comme on dit. C'est d'ailleurs la première chose qu'a remarquée Ricardo lorsqu'il l'a rencontrée trente ans après. (Elle lisait tout autant et rarement à l'ombre.) Celui ou celle qui a réussi à la distraire de sa lecture et à la faire sourire n'est pas n'importe qui. Un homme considérable

– ou une femme, qui sait? Même sur une plage où l'on est serviette contre serviette – je l'ai vérifié sur le Net où l'on peut trouver un petit historique de Barcelonette, c'était déjà comme ça du temps où ces photographies ont été prises –, même là, Dolores lisait, certains jours de la semaine après le travail, avec une concentration peu commune : Cervantes (le *Don Quichotte)*, les *Essais* de Montaigne, Bossuet. Des livres difficiles, sérieux, abscons. Réputés. Des classiques, et même ce qu'il y a de plus classique dans cette catégorie. En Espagne, à la plage municipale de Barcelone. Cela paraît à peine croyable de lire des oraisons funèbres avec des gens tout autour qui jouent au ballon et courent sur le sable, mais Dolores avait ses raisons. Ces raisons profondes qu'elle avait de s'abîmer dans la lecture pour oublier ses pensées les plus noires, je les ai comprises pour ma propre gouverne à l'occasion d'un voyage en Amérique centrale que nous avons fait, Ricardo et moi, alors que le souvenir de Dolores était encore très présent dans nos esprits. Alors, parlons un peu de cela – je veux dire de la plage, du sourire de cette femme et des pages tournées, recouvertes de mots savants et sans cesse repoussées sur le côté gauche car, je l'ai dit, Dolores Salinas lisait avec avidité (sans corner).

Cette passion de la lecture était en fait une passion de la relecture. Dolores reprenait volontiers les mêmes livres en fonction d'une liste close établie à l'avance, et cela fascinait Ricky. À vrai dire, elle ne pouvait se résoudre à en abandonner aucun et tournait en rond avec eux comme un chat dans sa cuisine. Elle finissait un ouvrage, en commençait un autre et revenait impatiemment au bout de deux ou trois à celui qu'elle avait terminé la semaine précédente – à celui qui attendait son retour dans la pile pour être ressuscité. Peut-être pas au *Don Quichotte,* qu'elle n'aurait pu lire aussi vite, mais à un autre moins difficile qu'elle retrouvait jusqu'au dimanche suivant, le jour du Seigneur étant consacré à la poésie pour couper le rythme. À du Lorca, par exemple, comme sur la première photo, bien que Lorca soit souvent complexe et parfois même obscur. Dolores n'aurait pu s'y lancer par goût de la facilité. Alors ?

Poeta en Nueva York : un volume surréaliste très latin, gominé, résolument anti-américain, plein de drame et de feu, où il est question des Noirs à un moment donné. Dolores ne fait pas que le lire. Elle l'agite dans les airs. Elle l'élève en le tenant du bout des doigts pour attirer l'attention. En regardant de près, on peut distinguer le portrait de Federico qui illustre la couverture, sa bouche dessinée, son regard grave et inquiet. Dolores, quant à elle, ne peut avoir plus de vingt-cinq ans. Elle porte un maillot une pièce, comme aux dernières années du franquisme. Noir de geai. Presque bleu. Très décent, mais avec un dos entièrement décolleté (on ne fait ici que le deviner puisque Dolores pose de face, mais on le sait ensuite parce qu'elle est prise de dos sur une troisième photo conservée par maman). Sa jeunesse est irréelle, non pas de notre point de vue ou parce qu'elle doit être aujourd'hui une femme âgée, mais au contraire parce qu'elle savoure cette jeunesse devant nous au moment précis où on l'a surprise et qu'elle l'exhibe comme une chose qu'elle-même juge déjà extraordinaire. La jeunesse n'est pas si simple. Nous devons nous étonner de ce qu'elle nous est offerte. Bon nombre de gens le font savoir aux autres avec considérablement moins de pudeur et de sincérité. La jeunesse est un étrange animal, une mésange, ou alors une belette. « C'est moi, dit la femme dont la jeunesse est un animal, c'est moi Dolores Salinas, je suis ce que je suis, ni plus ni moins, je lis du Lorca sur la plage et j'emmerde le monde. » Si je me souviens bien de ces années où Dolores était encore loin de nous, rien n'était poétique. Nous nous baignions en caleçon de coton à la grande plage publique de Los Angeles. Nous ne lisions rien. Nous ne savions même pas ce qu'était un livre et nous n'étions pas encore assez vieux pour avoir oublié les leçons qu'ils enseignent.

Ricardo l'a rencontrée lorsque nous avions quinze ou seize ans, ce genre d'âge impur. Mademoiselle Salinas – on l'appelait encore comme ça bien qu'elle eût déjà la cinquantaine – était descendue à un hôtel de Santa Monica où Ricky avait trouvé un petit job d'été par l'intermédiaire de Ben, son futur maquereau : changer les serviettes de la piscine, vider les cendriers, apporter les boissons, ramasser les papiers. Il avait un carnet à spirales dans la poche arrière de ce short vert cru qui lui serrait les fesses. Pour noter le numéro des chambres. Cela donnait un air décontracté au jeune employé chargé de faire le tour du rez-de-chaussée – une idée de la direction – et puis ça tombait bien parce que Ricardo n'avait pas la mémoire des chiffres. On lui a dit un matin que la 26 voulait un jus de pamplemousse : la dame en maillot noir, dernier transat de la première rangée côté petit bain. Ricardo y est allé avec ce pas traînant qu'il affectionnait encore, principalement parce qu'il lui donnait l'air de quelqu'un qui se fiche éperdument de ce qu'il est en train de faire. Dolores l'attendait. Un autre jour, qui est comme le négatif de celui-là – nous étions justement en train de faire le voyage en Amérique centrale dont j'ai parlé tout à l'heure, nous étions dans les Chiapas –, Ricardo s'est arrêté de chalouper, m'a pris par la main en plein pays Tarahumaras et a qualifié cette attente de métaphysique. (Je veux dire par là qu'il s'est arrêté de chalouper *pour toujours*, préférant le balancement des épaules dès l'instant de sa confession, façon marin ou boxeur.) Dolores l'attendait-elle vraiment ? Ricky le pensait et elle fit tout ce qui était en son pouvoir pour le lui laisser croire. En surface, mademoiselle Salinas était une cliente qui avait besoin d'un serveur pour étancher sa soif. En profondeur, il en allait tout autrement. Cette profondeur avait à voir avec l'Espagne et ses colonies, l'histoire avec un grand H, les indigènes, les conquérants et leur descendance pour autant qu'elle fût libre de tout élément impur. Dolores était espagnole, issue de la classe moyenne, Ricardo mexicain d'origine et issu de la classe laborieuse, mais blanc. Tous les deux étaient d'une blancheur virginale. Laiteuse. Sans tache.

On remarque autre chose sur la photo numéro un. Un cartable assez gros, plein comme celui d'un écolier qui doit transporter le manuel de géographie, le cahier d'exercices de mathématiques et la trousse à aquarelle. Il y a quelque chose d'impubère dans son côté enflé, dans ses lanières usées qui rebiquent, râpées, terriblement sérieuses. Quelqu'un l'a installé tout au bout sur la serviette bleu ciel, probablement pour qu'il ne prenne pas le sable. Dolores aurait pu poser ses pieds dessus si elle avait voulu surélever un peu ses jambes, mais don Isidro aurait certainement désapprouvé. Don Isidro est celui qui a établi très minutieusement la liste des livres lus par mademoiselle Salinas. Il s'agit des ouvrages de sa bibliothèque. Il possède une maison à Barcelone dans les environs du parc Güel et le travail de celle qu'il a embauchée consiste à classer sa correspondance, installée avec lui dans une pièce haute de plafond, antique et poussiéreuse. Dolores n'a pas été longue à tout avouer, à nous confier que ce don Isidro qu'elle a laissé loin derrière en partant aux Amériques lui conseillait de temps à autre une lecture. C'est pure gentillesse de sa part. Autant il tient à ses lettres, autant il se fiche éperdument de ses livres. C'est ce que croit Dolores à cause de l'extrême minutie avec laquelle il entend classer sa correspondance, alors que les livres sont posés sur les étagères au petit bonheur la chance, les gros avec les

minces, la littérature avec la botanique. Si Dolores a mis
une lettre de côté pour la simple raison que la chronologie
ne suit pas et qu'il faut encore chercher la pièce manquante,
la lettre intercalaire, don Isidro s'en inquiète immédiatement, d'une manière qu'on pourrait aisément juger ridicule.
Où est donc la feuille relue il y a seulement un instant ?
Mademoiselle Salinas a-t-elle pris soin de la numéroter
dans le coin en haut à droite ? Il lui rappelle sans cesse qu'il
ne faut pas oublier de la remettre dans la bonne pile et
dans le bon ordre, en considérant ces deux paramètres : la
date et le destinataire. Côté livres, en revanche, elle peut lui
rapporter un ouvrage un mois plus tard et même oublier de
le faire sans avoir à s'excuser. Comme si les livres étaient en
circulation libre, comme s'ils n'appartenaient à personne,
comme s'ils étaient le bien inaliénable de l'humanité tout
entière même quand elle est trop pauvre pour s'acheter des
livres. Il en sera de même avec Ricardo, passé les premières
semaines, lorsque Dolores commandera ses jus de fruits de
sa chambre et non plus du transatlantique de la piscine,
une chambre quasi monacale où nous verrons que des livres
ouverts traînent un peu partout au hasard, comme sur les
étagères de don Isidro, mais avec plus de désordre encore :
sur le lit, la table de chevet, le bureau et même le rebord de
la baignoire, aussi peu rancuniers que les vieux ouvrages de
la période espagnole de mademoiselle Salinas. C'est ainsi
que Ricardo, à l'époque post coloniale où la Californie
est américaine depuis un siècle et où les couples métissés
sont assez nombreux, lira des pages dont il n'avait même
pas idée : des histoires, des conjectures, des théories, des
quatrains et des traités d'agronomie, des rapports et toutes
sortes de rêves pareillement consignés qui lui viennent de la
vieille Espagne catholique. Dolores lui expliquera les passages les plus difficiles, fera de son mieux pour rendre drôle

et léger ce qui est triste et sérieux, mélangera les genres en observant sans insistance les épaules, les jambes et les mâchoires de son élève. Ô Dolores! À présent rangée chez maman dans une petite boîte en carton de chez Czar le chausseur. Que dire? C'est ainsi.

Comment Ricardo s'y était-il pris pour m'en parler la première fois? Car l'éducation, lorsqu'elle est véritable et profonde, est comme un chagrin d'amour. Il est difficile d'en dire quelque chose, même aux intimes, et en parler salit ce qu'on voulait garder intact dans la saumure du ressentiment. On aime cela : aimer seul, souffrir sans les autres, admirer sa conscience dans le reflet du miroir, constater combien le regard et la posture ont changé avec ce que d'autres ont relégué pour nous aux étagères des bibliothèques. Il est pourtant naturel de vouloir se vanter. Je crois bien que nous étions en train de faire les boutiques de disques d'occasion à Venice Beach et que nous avons rencontré Ben qui traînait par là avec un drôle de type beaucoup plus jeune que lui. Ben s'est mis à charrier Ricardo à propos de « la vieille ». « Elle a de la thune ? » répétait-il avec une certaine insistance. Puis il m'a regardé de travers. Je me souviens très bien de ce premier regard. Ben s'est redressé. Son visage était jaunâtre. Ses lèvres se sont légèrement entrouvertes. Son œil était inquiet comme celui des oiseaux, excessivement mobile. Il a passé un doigt dans la boucle de son ceinturon. « Ton pote a pas l'air au courant, tu devrais peut-être le brancher. » Ricardo est devenu rouge de honte et de colère, et n'a pas desserré les dents.

Il m'a appelé le lendemain pour que je vienne le rejoindre à l'hôtel à l'heure de la pause. J'ai frappé à l'heure dite à la porte de la chambre 26 et el señorito Ricardo est venu m'ouvrir. Dolores était assise tout au fond dans un grand fauteuil en rotin avec un dossier très haut. La situation était comme une scène inaugurale et rituelle : Ricardo debout et Salinas sous un dais de tulle invisible. Il aurait pu y avoir une accumulation de nuages vaporeux et même un rayonnement spirituel purement abstrait. Dolores tenait dans ses mains *Les Solitudes* de Góngora et Ricardo était comme transfiguré. Non. Il n'en avait pas seulement l'air. Ce n'était pas du tout comme dans une peinture, mais plutôt comme dans la vie. *Il l'était.* Le blanc de ses yeux commençait à gagner du terrain. On aurait dit un mystique en état d'extase. Dolores me pria de m'asseoir et lut d'une voix divine des hendécasyllabes et des heptasyllabes dans lesquels il était question des fleuves de l'Arcadie. Lorsqu'elle eut fini, elle donna des précisions sur la Grèce, l'Alphée et le Styx pour notre gouverne de petites putes en herbe. Elle connaissait, je crois, notre destin. Ricardo n'avait toujours pas dit un mot et se tenait dans l'ombre comme un fantôme. Je me suis tourné vers lui pour chercher une explication, mais il ne daigna faire aucun signe. Ses yeux, à la différence des yeux de Ben, ne posaient aucune question, ses bras étaient collés le long de son corps et sa figure tout entière était pénétrée de la constance du marbre, si l'on peut dire que le marbre est une chair momentanément figée par la seule force-et-volonté de l'esprit.

Dolores avait dû sentir mon étonnement, car elle posa son livre à côté d'elle sans le refermer, sur la boîte à chaussures de chez Czar, laquelle contenait alors une paire de sandales de cuir décorées d'une marguerite en bakélite noire sur le dessus. Elle m'invita à m'asseoir avec un petit sourire de connivence qui signifiait que nous connaissions notre Ricardo chacun à notre manière et qu'il fallait passer outre ces étranges manifestations de transport intérieur. Elle me posa quelques questions, s'excusant au passage de la présence de guitares volantes, car elle avait sottement laissé la porte ouverte toute la matinée sans tirer la moustiquaire. C'est ce moment-là que Ricardo choisit pour desserrer les dents, expliquant avec onctuosité que Góngora parlait ainsi des insectes. Les oiseaux, continua-t-il pour mieux se justifier, sont des «cloches de duvet sonore» et les bergères dans les champs alentour des «roses habillées». «N'est-ce pas merveilleux?» renchérit Dolores en croisant les jambes. Puis elle prononça ces mots de conclusion comme si Góngora lui-même les avait écrits dans un rare moment de sobriété: «À la prochaine fois.»

C'est ainsi que, chaque mercredi soir, mademoiselle Salinas tenait salon pour nous deux dans sa chambre. Elle en avait fait retirer les éléments décoratifs. Son lit était recouvert d'une jetée blanche, il y avait une table de chevet avec une chaise en bois et une lampe, une commode assez banale pour ses vêtements et ce grand fauteuil en rotin dans lequel elle prenait des poses. Rien de plus. Des livres ouverts traînaient un peu partout et, lorsque Dolores partait pour la journée, Ricardo passait par la chambre 26 dès qu'il le pouvait pour s'enfermer à clé. Il lisait – lisait toute la bibliothèque de don Isidro avec une égale avidité et reposait le dernier livre à la page où il s'était arrêté. Dolores commandait quelque chose à boire à son retour et lui posait des questions sur ce qu'il avait retenu: les personnages, les situations, les sentiments, les contradictions, les énigmes. Ricardo attendait ces moments avec impatience: le moment où Dolores laisserait sa clé au concierge en donnant l'heure exacte de son retour, celui où il pourrait s'installer seul dans le fauteuil en rotin et celui où il devrait cogner à sa porte avec un plateau pour passer l'examen. Elle en vint ensuite aux métaphores, aux figures de style, et même à des points de critique littéraire assez ardus. Ben posait beaucoup de questions à propos de ces rendez-vous. Certaines étaient embarassantes, car nous avions signé une sorte de pacte avec Dolores, qui nous obligeait à la respecter. D'autres étaient naïves, simplement parce que le monde livresque de don Isidro lui était parfaitement étranger. Ben ne pouvait comprendre qu'on pût lire des livres et encore moins qu'on pût en écrire. Mais il y avait aussi des questions pièges. Ben avait le nez fin et savait nous mettre en défaut au moment où nous nous y attendions le moins. Il commençait en réalité à s'intéresser à mon cas, celui de Ricardo étant déjà réglé dans son esprit. C'est à moi qu'il s'adressait donc le plus souvent, sa tête immobile vissée de travers sur son torse pâle. Il me demandait de lui décrire Dolores *physiquement* et, plus j'étais précis, plus il m'écoutait avec attention. Je l'étais d'autant plus volontiers que la beauté de mademoiselle Salinas ne me semblait pas entrer en ligne de compte dans notre semblant de conversation. Je pensais au contraire abonder dans le sens de Ben-le-futur-maquereau sans rien compromettre en lui parlant de ses épaules, de ses bras, de ses lèvres, de ses dents. J'étais persuadé qu'il faisait fausse route en s'intéressant à ces détails, certain de préserver l'intimité que nous avions gagnée avec elle en me prêtant si innocemment à son jeu. En ce qui nous concernait, mademoiselle Salinas aurait aussi bien pu être un souffle. « Et ses jambes ? » demandait Ben qui ne l'avait jamais entendue lire et n'avait aucune idée du timbre si particulier de sa voix – un mélange grave et cuivré. « Est-ce qu'on voit sa culotte quand elle les croise ? » Peut-être. Nous observions quant à nous ses yeux noisette, et les mots qui sortaient de sa bouche étaient à la fois solides et chimériques. « Tu veux dire que la vieille ne porte pas de culotte quand elle vous reçoit dans sa chambre ? » Une amie de la sœur de Ricardo nous avait fait le coup une fois à l'occasion d'une fête d'anniversaire et chacun avait eu un avis sur la question. Mais nous n'aurions jamais pu imaginer cela avec Dolores. Mademoiselle Salinas venait d'un autre monde et sa beauté, puisqu'il faut bien utiliser ce mot à son égard, pour être charnelle, n'en était pas moins impalpable. L'idée qu'elle était inaccessible nous rendait fiers. Nous savions où nous cacher un soir par semaine.

Sur la deuxième photo où elle se présente de dos – encore une autre dans la boîte de chez Czar conservée à Santa Fe –, Dolores a relevé ses cheveux. Son cou est un miracle d'élégance. Ce sont les mots de maman qui regarde la photo avec moi un dimanche matin après la messe. «Tu aurais dû trouver une fille avec un cou comme ça», dit-elle en riant de bon cœur. Maman est très décontractée à l'approche de la mort. Elle aurait voulu des petits-enfants et je n'ai jamais pu satisfaire ce désir. Elle soupire en dodelinant de la tête et me demande de lui faire un café. «Tu ne vas pas dormir», lui dis-je en posant ma main sur la sienne. «Mais pour quoi faire, dormir? dit maman, je vais bientôt dormir pendant tellement longtemps.» Alors je fais un café surdosé qui réveillerait un régiment et nous restons des heures à boire et à farfouiller au fond de la boîte marquée DOLORES SALINAS au crayon à papier. La dernière photo a été prise avec un déclencheur dans la chambre d'hôtel de Santa Monica. Dolores est assise dans son grand fauteuil en rotin et nous nous tenons debout à côté d'elle. Une grande valise noire est posée contre un mur de la chambre. Je suis à droite. Elle tient le volume *Poeta en Nueva York* de Lorca sur ses genoux, Ricardo a ouvert son carnet à spirales devant son torse à la page où il a marqué au stylo-bille *Numéro 26: trois gin tonic*, et je ressemble à un illuminé dans une peinture religieuse de l'âge d'or. Maman pouffe de rire et secoue la tête. «*Que mierda, el gin tonic!*» Elle mélange les photos comme les cartes d'un jeu auquel on ne jouera plus, le poker ou la canasta, pire que la drogue parce qu'elle y a perdu son mari pour une sombre histoire de dette, et les jette en vrac dans la boîte. La première photo que nous avions regardée se retrouve de nouveau en haut de la pile défaite. C'est Dolores allongée sur une serviette éponge bleu ciel à la plage de Barcelonette, avec son livre et ses lunettes de soleil. Je n'arrive plus à me rappeler ce que le cartable fait là.

J'ai posé la question à Ricardo une semaine plus tard – une semaine pleine, précisons-le, car maman ne me laissait pas partir, elle voulait encore boire du café et parler des souvenirs, des vrais, bien sûr, mais aussi de ceux qu'elle regrette de ne pas avoir, des souvenirs de petits-enfants qui grandissent et font trop de bruit dans son appartement minable. (Maman a toujours refusé que je lui achète une maison, même modeste, à cause de la malhonnêteté avec laquelle je gagne mon argent.) Alors, pourquoi une jolie fille comme Dolores se promenait-elle à la plage de Barcelonette avec ce cartable hideux et ridicule?

«Pas du tout», a rectifié Ricardo, qui n'écoute jamais attentivement quand on lui pose une question. (À moins que le charme de Dolores n'eût fini par le troubler pour de bon, en quelque sorte rétrospectivement. Il serait juste de reconnaître après toutes ces années que nous aurions voulu qu'elle nous invitât dans son lit et qu'elle nous prît dans ses jolis bras.) «C'est don Isidro qui avait posé le cartable sur la serviette de bain, a continué Ricardo. C'est lui qui a pris la photo. Dolores lisait ce livre parce que Federico García Lorca nourrissait une affection particulière pour Góngora et qu'elle cherchait à convaincre don Isidro de quelque chose.

– De quelque chose ?

– Don Isidro ne comprenait pas qu'on fît tant de cas d'un poète maudit après la chute de Franco. Il aimait Góngora, mais Lorca était trop moderne à son goût. Une sorte de communiste. »

J'avais comme une envie de rire et je me dis encore aujourd'hui que, si Ben avait été là, il se serait plié en deux et se serait peut-être même étouffé dans ses propres larmes de proxénète de bas étage, ce qui d'ailleurs n'aurait pas été une mauvaise chose au vu de ce qui allait nous tomber dessus par la suite.

« Alors ?

– Alors, dit Ricardo, Dolores le lisait à voix haute pour le convaincre de sa valeur. Elle avait choisi pour cela un recueil de poèmes choquants, dont un sur les Nègres – c'est-à-dire choquants pour l'esprit académique de Don Isidro, expliqua-t-il non sans emphase –, mais un recueil écrit par un poète qui admirait grandement Góngora, chose rare à l'époque. »

Et moi, Ricky boy, n'aurais-je pas dû être choqué par cette sérénade grave et sinueuse échappée de tes lèvres ? Enfin, comme je ne voyais pas où il voulait en venir, n'ayant qu'une idée approximative de ces choses à la fois lyriques et historiques, n'ayant pas, moi, suivi le cursus complet de la Salinas, Ricardo m'apprit que Lorca était un membre du groupe de la Génération des 27, que ce chiffre avait été choisi exprès pour célébrer le tricentenaire de la disparition du poète du siècle d'or en mille six-cent *vingt-sept – got it ?* quatre siècles d'écart ! – et que Lorca s'était même arrangé pour se rendre dans la maison de Góngora le jour de l'anniversaire de sa mort. Voilà pourquoi le cartable était là. Et derrière l'appareil, ajouta-t-il, il y a don Isidro, sûrement ridicule dans un vieux costume trop chaud pour la plage, qui écoute Dolores, ou s'y essaye, et la mitraille avec son Leica gainé de cuir acajou.

Ricky était monté sur ses ergots et en passe de devenir le prince des cartables remplis d'ouvrages de grande qualité, tellement fier et insondable qu'il en était sublime à voir et à respirer car, oui, une sorte d'odeur de sainteté émana en cet instant de sa personne blanche comme la craie, heureuse et maladroite.

Le téléphone a sonné. C'était le médecin de maman qui appelait en urgence de Santa Fe. Très lentement, avec une patience proche de la démence, les yeux de Ricardo se sont arrêtés de bouger. Ils avaient l'air de billes de verre, leurs iris se sont mises à remonter vers les paupières en entraînant à leur suite leurs pupilles dilatées, et le blanc pâteux qui s'étalait entre ses cils délicieusement recourbés a pris l'aspect du lait caillé.

Lorca, si jeune, avec ses vers durs et sans pitié, s'était rendu dans la maison du vieux poète, chez l'homme le plus précieux et le plus affable du monde. J'avais envie de lui demander si le fantôme de Góngora avait une fraise autour du cou, mais Ricardo, à ce moment-là, avait des siècles d'avance et, à l'instar de Dolores, jugeait les choses d'un point de vue résolument moderne qui donnait sans hésiter la priorité à Lorca. J'étais plus maladroit que lui encore, bien moins au fait de l'importance des lettres. « Peut-être Federico avait-il suivi une cloche de duvet sonore jusqu'à sa porte », suggéra-t-il avec candeur en fouillant au fond de ses pensées. L'âge d'or était loin, bien sûr. Il n'était plus, tout simplement. Ce furent là ses derniers mots sur la question. J'y pense souvent et c'est toujours une joie de les retrouver.

Cérémonies

Il devait en être ainsi avec la plus grande régularité : pas de nouvelle journée sans geste ou esquisse de geste, laquelle pouvait bien consister à bouger furtivement l'œil ou le pied, le signe lui-même tenant souvent dans une grimace et même une sorte d'inertie, ce qui rendait la quête plus difficile encore. Nous étions trois et devions en assumer la responsabilité à tour de rôle.

L'un de nous jetait son dévolu sur quelque objet ou personne pris au hasard à un moment secret choisi par lui seul. Les deux autres se chargeaient d'en découvrir l'identité. Objet et personne pouvaient changer à tout instant sans que les intéressés soient prévenus, sinon peut-être par de nouvelles indications tout aussi dociles. Il leur fallait repérer ces marques qui devaient conduire sur la bonne piste sans jamais oublier la possibilité de déviations, de boucles et de retours. Comme au jeu de go, les coups scellés étaient permis.

Un après-midi, sans prévenir, Jean se rendit à un enterrement. Nous l'attendîmes à la sortie aux endroits prévus par le jeu. Il ne réapparut que le lendemain matin, de façon inopportune car nous avions changé de règles.

Nous ne posâmes aucune question et il en parut étonné. À vrai dire, nous ne sûmes que longtemps après qu'il s'était rendu aux obsèques de son oncle. Il n'osa pas en parler et inventa un banal incident familial. Nous fûmes inflexibles. La fuite était un acte, et l'acte accompli dans une période qui faisait fi du règlement. Il était revenu à nous avec la mauvaise conscience sur le visage et porta la faute un mois entier. Nous veillâmes à ce qu'elle fût d'une lourdeur extrême et l'écartât de notre jeu.

C'est encore endeuillé qu'il demanda notre pardon au café où nous tenions nos réunions – devant une tasse vide, sans oser nous regarder. Son écharpe pendait comme un chiffon autour de son cou et il fit un long récit de son absence ; entièrement faux, donnant toutes sortes de détails inutiles auxquels nous ne prêtâmes aucune attention. Quand il eut terminé, nous annonçâmes notre prix : pour une durée indéfinie, le jeu reprendrait avec de nouvelles règles qu'il aurait pour tâche de découvrir seul. Peut-être y aurait-il désormais autre chose que des gestes. Jean redressa la tête. Il avait un sourire qui ne nous remerciait en rien, le sourire affranchi du vainqueur.

Au fur et à mesure des semaines, nous inventâmes toutes sortes d'astuces plus difficiles encore que les précédentes, des règles secrètes et contournées. Nous fûmes sans pitié et Jean, confondu, s'y perdit. Il s'évanouit sous nos yeux à un croisement, comme prévu par le jeu. Non seulement s'engagea-t-il en toute confiance dans la rue Descartes, mais encore disparut-il pour de bon du quartier et du monde. Nous n'avions rien laissé paraître de ce piège et son effacement nous sembla la conclusion naturelle de notre histoire. Nous l'avions fait jouer seul assez longtemps. C'était un ravissement, bien sûr, que son beau sourire de septembre cette rentrée-là. Si naïf et troublé mais ô combien transitoire.

Vampire

Ricardo a eu sa période vampire. Non pas gothique ou macabre, mais nocturne et sanglante. Il ne s'habillait pas en noir, ne charbonnait pas ses yeux. Pas de chaînes cloutées au cou ou à la ceinture. Pas de Bela Lugosi avalé patiemment dans l'arrière-salle de quelque bar mal éclairé le temps que sonnent les douze coups de minuit. Chávez faisait les choses à fond et en vrai. Il dormait le jour derrière des rideaux épais comme une moquette et sortait la nuit pour mordre. Sa pâleur n'était pas cireuse. Ses joues étaient pleines et même un peu dodues à l'âge où elles auraient dû se creuser et se couvrir de poils de barbe. Du coup, il trompait son monde, d'autant plus qu'il y a toujours des filles pour aimer les types un peu ronds et glabres. Ricardo tournait autour, roulait un joint, les invitait à danser, et plantait ses crocs au moment le moins attendu. Au fond du jardin, appuyé contre le frigidaire de la cuisine, dans la voiture de la victime.

C'était l'époque où sa mère est partie au Nouveau-Mexique avec un joueur de banjo. Elle a commencé à servir le soir à Upper Crust Pizza, au bord de l'autoroute, et à faire des ménages la journée pour lui envoyer de l'argent. En fait, les choses n'allaient pas si mal, à croire les photos qu'elle envoyait par la poste. Ronnie... Roadie... (quelque chose comme ça), le musicien, avait une petite maison à lui. Proprette, avec des rideaux froncés, et qui n'avait pas besoin d'être repeinte, tout au moins à l'extérieur. Il a fini un jour par décrocher un contrat avec une maison de disques, alors la mère de Ricardo a pu se permettre de travailler à mi-temps.

Toute l'année qu'a duré cette escapade, Ricardo a évité les pièges faciles, tout ce qui aurait pu compromettre sa tranquillité de suceur de sang.

Il n'amenait jamais aucune de ces filles chez lui (le frigidaire de la cuisine était le frigidaire de *ma* cuisine). Il les rencontrait au hasard, à l'extérieur, sous un faux nom, ne donnait jamais son numéro de téléphone.

Et puis, du jour où Ricardo a été obligé d'acheter un rasoir mécanique et de la mousse mentholée pour sentir bon, sa période vampire lui est passée. Ses joues se sont creusées. Il a perdu la petite bouée de gras au-dessus de l'élastique de son caleçon. Sa voix s'est cassée, sa mère est revenue à Santa Fe sans le joueur de banjo, et tout est rentré dans l'ordre.

Je suis passé un soir à l'improviste, une semaine, un mois après, et nous nous sommes vite retrouvés dans un bar aux alentours d'Echo Park. J'ai voulu commander deux Lugosi – trois doses de pamplemousse, une de root beer et une cuillère d'encre de seiche. «T'es con ou quoi?» a fait Ricardo. «J'ai jamais bu cette saloperie.» Vexé. «J'suis pas en toc... Qu'est-ce que tu crois?»

Ricky a renvoyé la commande. Il a posé ses jolies fesses à côté de moi sur le tabouret et nous a pris deux Bloody Mary. Déjà une autre époque.

Le banquet

Avec quelle impatience mal contenue et malgré tout respectueuse le grand salon d'Emma attendait ses invités, ses portes généreusement ouvertes sur le jardin ! Son parquet frissonnait sous l'effet d'un vent dont le souffle glacé courait le long des nervures du lambris et soulevait les lourdes draperies cramoisies. Le tapis frémissait comme une mer avant l'orage. Ces craquements, cette allégresse, ces basses températures ! Il y avait là comme l'effet naturel d'une puissance sourde d'origine inconnue. Les bois chuintants, le cliquetis des verres terrifiés par l'attente du spectacle, la cheminée prise de vagissements, ouvrant tout grand sa gueule affreuse ! L'étrange murmure qui s'en échappa en fin d'après-midi !

J'avais peine à croire que rien de tout cela ne dérangeait la vieille Berthe, occupée aux cuisines seulement un étage plus bas. Se pouvait-il que toute cette agitation fébrile lui échappât entièrement ? Il est vrai qu'aucun de ces événements, *ténus* pour ceux qui se tenaient à distance, et même *invisibles*, ne s'offrait à elle directement. Je pensais à l'époque qu'elle aurait pu conclure à leur existence par une simple déduction de l'intelligence, qu'elle avait fort vive. Le fait est que rien n'aurait pu la distraire de l'entêtement qui l'avait saisie depuis la disparition inexplicable de son jeune fils, un franc gaillard qui, pas plus tard que la semaine dernière, parcourait la région en long et en large pour faire œuvre de distribution, glissant sous ma porte à cette occasion un carton d'invitation au libellé lapidaire.

Emma F., qui, au moment précis où se déroulaient ces événements, se déplaçait à grandes enjambées entre sa coiffeuse et son armoire un étage plus haut, est à l'origine du petit carton.

Une sorte de célébration organisée par ses soins l'occupe chaque année à la même époque : un souper auquel ne manquent jamais de se rendre le greffier du tribunal civil accompagné de sa femme, le duc et la duchesse de Reck, les plus importants propriétaires terriens des environs, le docteur Drufle, Charlotte, la jeune cousine d'Emma, et Émilie, amie de collège de Charlotte ; moi, enfin, qui viens m'ajouter aujourd'hui à la liste depuis quelques années en qualité d'héritier du presbytère de mon oncle. Mon jardin jouxte la propriété d'Emma. Cet oncle était l'ami intime de la famille Drufle, dont l'unique représentant reste à présent le docteur depuis la mort de sa femme, et puisqu'Emma est l'amie du docteur, elle en a conclu, par un raisonnement dont j'hésite encore à dire s'il est logique ou moral, que je devais être le sien et ne pouvais par conséquent refuser de faire partie du petit comité très choisi.

Je reçus donc ceci de sa part sans plus d'explications :

VOUS ÊTES INVITÉ
À VENIR SOUPER AU MANOIR
À ONZE HEURES
ET À PARTICIPER
AUX RÉJOUISSANCES
QUI SUIVRONT

N'OUBLIEZ PAS L'ANIMAL

*

Nous y voici. Ce soir, Emma se repose. Berthe se frotte les yeux de ses poings rosis par la groseille écrasée et regarde fixement l'herbe mouillée du parc par la fenêtre de l'office, comme si son fils allait rentrer à l'instant, descendre les marches et imprimer sur les tomettes les losanges de ses semelles crottées. Berthe, je dois l'avouer, me rassure. Depuis notre première rencontre, je la conçois sous l'espèce de l'immortalité. Elle reste droite comme une vierge d'église. Ses yeux sont d'un bleu doux et naïf. Cette couleur normande les rend si bons et maternels qu'ils m'ont tout de suite ravi, au point qu'au début c'était pour elle que je me rendais aux invitations d'Emma. Son regard contraste étrangement avec sa figure, maigre et abrupte comme une falaise. Je retrouve dans ce regard marin l'infini de l'horizon. Il me raconte des histoires de tempêtes.

Quant à moi, au même instant, je m'exerce à nouer mon nœud papillon, pensant qu'Emma, ce soir, sera splendide et que tout son être rayonnera sans effort, tant son talent de mondaine lui est inné et la dépose sans artifice au centre des cercles les plus étroits.

*

Quand j'arrivai au manoir, un peu en avance comme à mon habitude, j'allai immédiatement embrasser Berthe. Elle m'accueillit assez froidement et me fit signe des yeux qu'on venait de lui rapporter une casquette à carreaux. Elle l'avait posée au bord de la table. L'étrangeté de son regard m'indiqua que cet objet accaparait toute son attention et que ma présence dans cette cuisine était indésirable, qu'elle était même *incompatible* avec celle de la casquette. Je remarquai tout aussi vite qu'elle était chiffonnée, comme si quelqu'un l'avait tordue ou qu'elle était restée pliée de travers dans une poche. Se pouvait-il qu'elle l'eût serrée dans ses mains pour conjurer l'absence de son fils ? L'avait-elle froissée à défaut de pouvoir passer ses doigts, écartés et tendus comme des dents de peigne, dans la tignasse tant aimée ?

Toujours est-il qu'elle gisait là, inerte et misérable sur la table de la cuisine, à une distance calculée des épluchures de légumes entassées sur les papiers journaux, comme si Berthe avait décidé ce soir-là de rassembler son univers sur le coin d'une table : ces pelures, ce vêtement ridiculement incongru.

Pendant qu'elle me tournait le dos, courbée au-dessus de l'évier, j'en profitai pour prendre l'objet et remarquai une déchirure dans le tissu, au milieu de la partie supérieure, juste au-dessus de la visière. Qu'est-ce qui avait bien pu trouer l'étoffe à cet endroit ? Une chute ? Quelqu'un s'était-il agrippé à son fils ou avait-il voulu le frapper ? Avait-elle été tout simplement piétinée ? Était-ce l'œuvre de ses mains ? Berthe restait penchée, résolument muette, et refusait ostensiblement de se retourner. J'avais vu ce qu'on m'avait ordonné de voir et on me signifiait maintenant qu'il fallait partir. L'eau de l'évier ruisselait le long de ses mains. Le bruit de son écoulement me devint insupportable. Elle s'occupait interminablement à faire tourner les pommes de terre sous le jet. Leur bruit d'objets lavés et cognés contre l'émail n'allait cesser qu'avec mon départ. Je l'abandonnai sans rien dire et remontai au rez-de-chaussée la mort dans l'âme.

Je revins à moi une fois dans le hall. Emma n'apparaîtrait que bien plus tard dans la soirée, une fois ses invités installés, me laissant le soin de les accueillir afin de ménager les effets de son entrée. J'avais accepté cette stratégie avec amusement. Elle me donnait l'illusion que nos relations, ce soir, allaient prendre une tournure en quelque sorte officielle. Ce privilège d'être au grand salon avant tout le monde me mettait à part des autres. Je pensais alors qu'il m'était accordé tacitement de par la nature de nos rapports illicites et éphémères. Mais c'était avant tout de Berthe que je tenais cet avantage, comme si Emma, en dépit des apparences, n'avait été depuis ma première visite que l'instrument d'une mise en scène et ce, peut-être même à son insu.

Je me laissai glisser dans l'un des fauteuils qui faisaient face à la cheminée après avoir fait le tour du salon afin d'en vérifier l'arrangement. La table était dressée dans la pièce contiguë. Berthe m'apporta un apéritif que je n'avais pas demandé et repartit sans ouvrir la bouche.

Tout ici était fait pour me ravir. Le tapis vibrait doucement. Le dos allongé de mon siège Voltaire se creusa et s'étira un peu plus encore pour mieux m'envelopper. J'acceptais ce confort avec confiance. Il me donnait l'impression que cette maison était déjà à moi. Les avant-bras étaient sculptés, imitant assez bien ceux d'humains contrefaits, moignons difformes terminés par de minuscules pattes de griffon. Je tapotais affectueusement les petits doigts crochus qui s'amusaient à me chatouiller la paume de la main. Berthe ne tirerait-elle pas toujours d'aimables ficelles du fond de son office ? Mais non. C'était plutôt le contraire. Il était triste de penser que tous ces détails de la décoration, tous ces chichis minutieusement arrangés échappaient à l'âme travailleuse de l'endroit. Combien de fois avait-elle dû épousseter ces meubles, les passer à la cire, tirer les doubles rideaux, nettoyer l'âtre, depuis des années, sans jamais rien remarquer d'extraordinaire ? Il fallait en conclure que l'élément fantastique du manoir s'était dissocié de son élément domestique et que la communication était définitivement rompue. Je me plaisais pourtant à espérer qu'elle saurait un jour en percer les mystères par une révélation naïve et immédiate.

Je profitai du retard des invités pour marcher un peu. Je dus forcer la patte du griffon à lâcher prise. Elle s'y résigna, mais en laissant la trace d'une coupure dans la paume de ma main. Je passai dans la salle des portraits. Les tableaux rectangulaires, tous de taille identique, étaient accrochés trop haut. J'étais en train de reculer pour mieux apprécier la ressemblance d'Emma avec ses ancêtres lorsqu'on frappa à la porte. Je me raidis, sans raison particulière, par un drôle d'instinct que je ne me connaissais pas. La porte s'entrouvrit et Émilie passa une tête ronde et joviale.

«Ah! Vous êtes déjà là!» fit-elle aussitôt.

Elle sautilla à ma rencontre comme une enfant flattée d'être invitée aux dîners des grands et m'embrassa sur la joue.

«Cette vieille sorcière a bien voulu me laisser entrer. Cela fait dix minutes que je sonne à la porte et que je tape au carreau. Vous n'avez donc rien entendu? Mais dites-moi... laissez-moi vous féliciter, ajouta-t-elle en s'écartant un peu. Vous n'êtes pas toujours aussi élégant quand on vient vous rendre visite au presbytère.»

Elle s'éloigna à reculons et ajouta:

«C'est très réussi. Vous allez faire votre impression. Emma sera ravie. Vous savez, ils font ça tous les ans depuis, voyons... J'ai oublié. Enfin, Charlotte vous dira ça mieux que moi si ça vous intéresse. C'est un grand honneur d'être invité, conclut-elle avec un rien d'espièglerie dans la voix. Alors, vous ne me servez rien pendant qu'on attend les autres?»

À cet instant précis, Émilie se moquait délicieusement. Sa voix haut perchée et la confection d'un martini améri-cain étaient tout à fait appropriées pour me faire oublier la lourdeur gothique du salon et la mauvaise humeur de Berthe. Je lui tendis son verre.

« Et son fils, vous le connaissez ? continua-t-elle en le levant à hauteur d'yeux.

– Le fils de qui ?

– Le fils de Berthe. Berthe... la cuisinière.

– Non. Enfin, pas vraiment. Je l'ai vu rôder dans le coin une ou deux fois. Il est passé chez moi m'apporter le carton d'invitation. »

Je risquai :

« Il porte toujours cette affreuse casquette à carreaux. Elle ne lui va pas du tout, vous ne trouvez pas ?

– Plus maintenant ! répondit-elle presque en criant.

– Comment ça, plus maintenant ? »

J'avais l'intention de la dévisager pour découvrir un indice, mais elle avait déjà baissé la tête et regardait fixement ses pieds. Elle la releva soudainement et me regarda droit dans les yeux :

« Parce que je lui ai volée !

– Volée ? Mon Dieu, mais pour quoi faire ? Elle est affreuse ! »

J'étais au bord du fou rire. Un court instant, le chagrin de Berthe me sembla ridicule.

« Comme ça. Pour jouer », fit-elle en minaudant.

Ce dernier mot me glaça. Il était sorti d'une autre bouche que la sienne. Il n'y avait aucune innocence dans le ton sur lequel il avait été dit.

« Mais vous n'êtes pas sans savoir qu'il a complètement disparu depuis trois jours et que tout le monde le cherche. Partout. Berthe en est devenue muette !

– Quand même pas à cause d'une casquette ! répondit-elle avec mépris.

– Non, bien sûr... pas à cause d'une casquette », concluai-je.

Elle se renfrogna et pencha de nouveau la tête. On sonna à la porte et elle en profita pour se précipiter vers l'entrée. Je l'entendis ouvrir et chuchoter à voix basse. J'avais l'intention de continuer à l'interroger mais elle revint accompagnée de Charlotte.

Charlotte était réservée, presque froide, comme si son amie avait pris le temps de la prévenir de quelque chose.

«Alors, qu'allez-vous être ce soir? lui demandai-je.

– Être? Mais rien que moi-même, dit-elle avec une prétention qui me fit comprendre qu'elle n'avait pas du tout compris ma question.

– Vous pouvez me le confier. Je ne le répéterai à personne.»

Charlotte cherchait Émilie du regard pour trouver de l'aide, mais Émilie était passée dans la pièce aux portraits. Comme je restais debout devant elle pour obtenir ma réponse, elle me dit:

«Mais enfin, je ne vois pas du tout où vous voulez en venir. Je ne comprends pas. Excusez-moi, je dois sûrement être bête.

– On finira bien par le savoir tôt ou tard», répondis-je.

Je compris à son regard que mes paroles ne signifiaient rien pour elle.

«Ça suffit maintenant! Qu'est-ce qui vous prend? D'ailleurs, il paraît qu'on ne peut pas vous confier grand-chose, ajouta-t-elle en se reprenant. Je ne vous le dirai pas... Là!»

Émilie était derrière nous. Elle avait entendu cette dernière phrase et s'excusa pour Charlotte qui quittait la pièce précipitamment en tapant des pieds. Elle la suivit et elles s'enfermèrent toutes les deux dans la salle à manger pour parler en tête à tête.

L'atmosphère du salon m'était devenue irrespirable. Je sortis dans le jardin. J'avais l'intention de marcher un peu pour mettre de l'ordre dans mes idées. La nuit venait juste de tomber. Son humidité donnait une odeur de fraîcheur au gravier. Je longeai l'allée en repassant les mots d'Émilie dans ma tête. Ils n'avaient aucun sens. Tout était extrêmement confus. La fenêtre d'Emma était allumée au premier étage. Celle de la cuisine donnait une faible lueur au niveau du sol. Je voulais espionner Berthe dans son antre, la surprendre en train de commettre je ne savais quoi d'ailleurs, lorsqu'un objet brillant attira mon attention vers un parterre de fleurs.

Je m'approchai et tirai une chaussure de taille quarante-deux ou quarante-trois, fort bien cirée, dont les lacets étaient encore noués. La couture arrière avait lâché, comme si son propriétaire avait dû l'enlever précipitamment, ou comme si quelqu'un la lui avait arrachée. Mais dans quel but? Il y avait des traces de lutte dans le parterre, des fleurs écrasées et des traînées profondes dans le gravier en direction de la maison. Pourquoi Berthe et Charlotte étaient-elles aussi distantes ce soir? Pourquoi Émilie avait-elle été si énigmatique? Que signifiaient ce vêtement dépareillé et ces traces de lutte dans le jardin? Et la casquette, la disparition inopinée du fils dans un lieu si éloigné de tout?

En me relevant pour examiner la chaussure de plus près, je vis Emma qui me regardait, debout sur le perron éclairé par les lumières du salon. Je ne savais depuis combien de temps. Elle était seule et, malgré la distance qui nous séparait, me tendait les bras. Je ne pouvais discerner que sa silhouette. Je jetai la chaussure dans un massif de fleurs et m'avançai vers son ombre. Je montai les marches jusqu'à elle. Elle me lança:

«Mais alors, qu'est-ce que vous fabriquez? Vous n'êtes même pas monté me dire bonsoir. Vous n'accueillez pas non plus mes invités.»

Lorsque je fus à sa hauteur et que je pus voir le rouge de ses lèvres, elle me dit : « Cessez donc de faire votre ténébreux. Cela vous va très mal. »

Elle ajouta tout de suite avec le sourire : « Allez, tout le monde est arrivé et *en plus* ils vous réclament. »

*

Le souper commença à onze heures. Emma fit fermer toutes les portes. J'étais placé à sa droite en bout de table. Tous les regards se portèrent naturellement sur moi lorsque je m'assis. Elle laissa traîner le sien très loin, à la fois pour me signifier sa réserve en présence des invités et parce qu'elle était persuadée qu'on ne le remarquait que porté haut et que ce n'était qu'une fois sa hauteur constatée qu'il lui assurait l'intelligence d'une situation arrangée par ses soins. Si elle avait pris mon bras quelques instants plus tôt pour passer du perron au salon, elle ne s'intéressait plus à moi maintenant que nous étions à table. Les rôles étaient distribués et la comédie que nous venions de jouer en extérieur ne pouvait être soumise aux mêmes règles que celle qui se préparait.

Seuls ses doigts, qu'on aurait dit en cet instant animés par un principe étranger à celui qui faisait fonctionner les autres parties de son corps, manifestaient de l'attention à mon égard. Elle creusait la nappe avec ses ongles de manière à strier le tissu dans ma direction. Je n'avais droit à table qu'à la partie d'un corps que chacun pouvait serrer ou baiser avec réserve : le dessus d'une main, peut-être l'avant-bras s'il avait fallu s'approcher d'elle pour lui confier un petit secret à l'oreille. Ses ongles, en revanche, m'étaient bel et bien destinés. Ovales et sans pitié, ils traçaient infatigablement de petites figures géométriques, des arabesques de batik ou de mandala.

Elle s'arrêta brusquement, réunit ses mains à hauteur de la bouche et les frappa comme deux cymbales, annonçant *urbi et orbi* l'ouverture des hostilités.

« Nous commencerons dès la fin des hors-d'œuvre, déclara-t-elle solennellement. Il nous faut des forces. »

On entendit quelques murmures de désapprobation.

« Vous grognez, mon gros Drufle ? Déjà impatient ? Vous nous réservez une surprise, quelque chose de *spécial* ? »

– Ma chère Emma, je *trépigne* d'impatience. »

Reck acquiesça de sa voix de baryton : « Oh ! Oh ! », et tous tapotèrent du couteau sur leur coupe pour manifester leur accord. Et les verres de cliqueter, les bijoux aussi, les étoffes de froufrouter, la duchesse et la greffière de glousser et le mobilier tout entier d'approuver à grand renfort de craquements.

Berthe servit impeccablement cet abominable dîner de chairs insoupçonnées, jeunes et fétides. Chaque convive y goûta comme si nous étions montés dans l'Arche pour y sacrifier le sang des derniers rejetons. Je tentai encore de les interroger du regard, mais rien n'arrêtait leur frénésie. Berthe se tenait en retrait, toujours prête à les resservir, tant leur appétit était insatiable.

Je poussai le greffier du coude. Je regardai le duc de l'autre côté de la table. Mais rien à faire ! Leurs visages étaient impénétrables. Leurs regards torves évitaient le mien avec toujours plus de morgue. Berthe, le teint livide et les lèvres exsangues, passait le premier plat comme une païenne en proie à la démence de son culte. Quand elle eut fini son premier tour de table, Emma la congédia.

« À vous ! » ordonna-t-elle à la femme du greffier.

On vit alors cette paroissienne épaisse et maladroite se lever de sa chaise et, sans lâcher ses couverts, se concentrer de toutes ses forces, tendre son cou bardé de graisse vers le plafond et, plissant les yeux tant l'effort lui coûtait, pousser un sifflement strident qui nous perça les oreilles. Son mari le greffier, lui-même grand connaisseur du chant de la pie, la congratula tant et si bien qu'elle s'y remit. Elle renversa la tête plus en arrière encore pour lui imprimer un mouvement pivotant parfaitement ornithologique et jacassa triplement. *Prouit, prouiit, prrrouiiit!* On applaudit de nouveau et Emma porta un toast en son honneur. La greffière, décoiffée et radieuse, leva son verre bien haut.

« Impossible! répliqua le duc, droit comme la Justice. Impossible de vaincre à ce prix! Ridicule! Je piétine la pie! Je la réfute! Je m'y oppose de toutes mes forces! Mieux, je la nie! Je l'annule! Je l'anéantis! Je la raye! »

Et lui-même de s'abîmer dans un cri effrayant de rapace, genre aigle ou condor. Emma, rayonnante, glissa un ongle sur la commissure de ses lèvres. J'allais lui demander d'intervenir pour faire cesser ce manège odieux, mais l'ongle s'empressa d'aller se cacher dans un pli de la nappe pour en confectionner tout aussitôt un nouveau, affluent du premier.

Et... comble de l'horreur! Ils l'*observèrent* tous confectionner ce mini-petit pli! Rien ne leur échappa et c'en fut fait en un rien de temps de notre intimité. Ils n'avaient rien vu de ceux qui l'avaient précédé, mais celui-ci! Le petit dernier! Ce fossé champêtre qui s'inclinait vers moi! Et son ongle qui traçait un sillon toujours plus profond! Cette crevasse! Ce ravin! J'aurais voulu m'y jeter corps et biens. Elle me sourit aimablement pour me rassurer et prit ma main dans la sienne avec une grande douceur. Elle aussi se serait bien volontiers engouffrée dans ce pli mesquin.

Quelqu'un lança de l'autre bout de la table:

« Bravo! Quelle hauteur! Quelle superbe! L'aigle! Bien plus haut que la pie! Beaucoup plus haut! Sur les cimes, tu respires, ô Aigle! Ah, l'Aigle! Respirez vous aussi cet air raréfié, noble, sain, délivré de tout mélange! Et la pie! Mais quel ridicule! La pie évoque une musique mesquine, une petite flûte de rien du tout. Ah non! C'est un cor qu'il nous faut, un cor de chasse qui nous émeut et nous rassemble! L'aigle apporte à nos esprits assoiffés le vaste panorama d'une vision inhumaine et démesurée, divine! Répétons-le encore: vive l'Aigle!»

Tout le monde d'applaudir et de reboire à grands traits. Encore de l'aigle. Ils exigeaient que la pie soit anéantie pour de bon. Moins de pie. Plus d'aigle! Emma les arrêta d'un geste qui signifiait: chaque chose en son temps. Mais le greffier ne l'entendit pas de cette oreille et exprima le désir de venger sur-le-champ sa femme la pie. C'est à cette fin qu'il s'appropria le bras de sa voisine, la duchesse de Reck, avec la ferme intention de ne plus s'en séparer. Le duc, sûr de sa force et de son bon droit, fier de sa raideur antique, s'esclaffa tout fort:

«Ha ha! Quel acte ridicule et mesquin! Quelle rancœur, mon greffier! Quelle petitesse de sentiment de s'attaquer à la femme de l'aigle qui pond dans son nid sur les hautes montagnes!»

Et tous de reprendre en chœur:

> *Dans les hautes montagnes!*
> *Oh, la vilaine rancœur!*

Mais le greffier ne voulait pas céder pour autant et serra le bras toujours plus fort jusqu'à ce que la duchesse renversât le contenu de son verre sur sa robe.

«Par exemple! Je vais vous apprendre! hurla le duc. Mais calmez-vous d'abord et portez comme nous tous un toast à l'aigle. Concédez, je vous prie, que votre pie est ridicule. Inexistante, entendez-vous? Définitivement *out*! Hourrah!»

Le greffier était écarlate sous l'effort et s'enroulait comme un boa autour du bras de la maigre duchesse. Elle se débattait, mais il la força à se pencher en arrière et, dans un triomphe ophidien, l'obligea à exhiber ses genoux à toute l'assemblée. Tous furent alors contraints de reconnaître la supériorité du serpent sur la femme de l'aigle. Charlotte, en face d'Emma, était blême. Émilie lui fit signe de ne pas bouger. La pie était en pleurs devant cette victoire et le gros Drufle lui tendit son mouchoir. Je me retournai vers Emma, mais elle désirait savourer seule le court silence qui pesait sur nous tous d'un poids d'enclume. Elle se leva.

«Ça suffit, Reck, vous êtes vaincu. Pauvres imbéciles. Tous les deux! Vaincus!»

Emma savourait. La greffière pleura.

«Comment osez-vous? s'insurgea le greffier. Comment osez-vous parler d'elle en ces termes?»

On le voyait drapé dans sa dignité de fonctionnaire du tribunal. Il voulait nous rappeler à tous que nous étions à un dîner, mais il était déjà trop tard. Emma ne prit pas la peine de lui répondre et le somma de se rasseoir. Charlotte, en larmes, allait pour se lever. Émilie la retint avec fermeté et Emma – j'eus peine à le croire – se mit à hurler.

«Taisez-vous tous! Et vous, là! Oui, vous! cria-t-elle en s'adressant au gros Drufle. Ne restez pas là avec votre air de veuf éploré! Allez, mon gros, butez-moi ce greffier! Hop! Je me charge du duc!»

Elle replit sa place, alluma une cigarette et attendit qu'on exécutât ses ordres en creusant toujours plus la nappe. Drufle ne bougeait pas. Qu'espérait-il, le nez enfoui dans sa serviette? N'y tenant plus, elle se leva et le força à relever la tête en cognant sur sa pomme d'Adam.

«Allez, hop! Une! Deux!»

Elle prit sa voix la plus douce et se mit à taper dans ses mains comme une petite fille. Et alors, surprise! Une force invisible renversa le gros docteur de sa chaise et le fit glisser à quatre pattes sur le tapis. Ses yeux rapetissèrent, s'enfoncèrent dans leurs orbites et de longs cils épais poussèrent derechef au bord de ses paupières. Il se mit à grogner et à frotter son groin sur le poil du tapis. Sa petite langue rose attrapait les miettes. La pie, tout anéantie qu'elle était, lâcha par terre un morceau de pain trempé dans l'eau. Le combat avec le greffier risquait fort d'être inégal. Qui aurait pu certifier que l'homme de loi n'allait pas devenir un animal féroce et n'en faire qu'une bouchée? Il fallait qu'il prenne des forces. Emma écrasa sa cigarette et le poursuivit en le poussant du pied.

«Allez, mon petit cochon. Il va aller lui faire peur maintenant, hein, hein?»

Elle le fit avancer de quelques centimètres d'un coup au derrière et ils firent ensemble le tour de la table. Les boutons de sa chemise sautèrent un à un, découvrant un poitrail velu et rose. Il faisait des *gron-grons*. Emma était fabuleuse en gardienne de cochons, lui plus vrai que nature, le paradigme du cochon, le Cochon-en-soi. «*Der Schwein an sich*», murmura Reck avec discrétion.

Il passa derrière Charlotte qui recouvrit son visage de ses mains, terrifiée à l'idée d'avoir à lui lancer quelque chose : un quignon, un bout de gras qu'il aurait pu happer goulûment. Mais il grognait derrière elle, le bougre, car il avait faim et se frottait contre les barreaux de sa chaise. Alors Émilie prit une tranche de couenne dans son assiette et la glissa de force dans sa paume. Charlotte était blême. Allait-elle lui donner? Trop tard! Cochon lui retira lui-même d'un grand coup de langue. Charlotte poussa un cri. Emma lui décocha un coup de pied si violent dans les fesses qu'il en devint rouge de douleur et se mit à couiner. Charlotte voulut s'interposer mais Emma la gifla violemment en la traitant de petite sotte.

Applaudissements. Je me levai aussi – il fallait faire quelque chose –, mais Emma était incontrôlable. Elle tapait toujours plus fort et Drufle continuait à couiner. Le greffier se précipita sur lui et s'enroula comme une couleuvre autour de son cou pour l'étrangler. Plus fort il grognait, plus fort il serrait et s'enroulait.

« Porc ! hurlait Emma. Porc ! Porc ! Porc !»

Elle écrasa le visage de Drufle à coups de talon. Le sang se répandit sur le tapis. Le greffier en prit aussi pour son grade. Le spectacle était atroce et on resservit à boire. Hourrah !

Alors Emma hurla après Berthe, comme si celle-ci avait pu l'entendre de l'office. Elle arriva comme par magie, portant à bout de bras un plat à la profondeur démesurée qui lui brûlait les doigts. Elle le déposa bien au milieu. Et tout le monde d'admirer ce récipient au cuivre brillant. Emma rappela chacun à sa place d'un nouveau coup de cymbales : le greffier et son épouse, le pourceau et le couple Reck. Tous regardaient le chaudron de campagne avec admiration. Leurs yeux tournaient à grande vitesse dans leurs orbites. Ils nouèrent sagement leur serviette autour du cou comme les enfants à l'heure du goûter. Ils attendaient, les coudes serrés, la langue pendante. Sur l'injonction du doigt d'Emma, je dus également me préparer.

En grande prêtresse, elle arracha la louche des mains de Berthe et souleva le couvercle. Une odeur âcre se répandit dans la pièce. Les yeux roulaient très vite, les babines pendaient et bavaient sous l'effet de l'insupportable fumet. Emma faisait tourner les assiettes creuses comme un jongleur de cirque au bout d'une tige. Et tous d'humer avec délices les volutes torsadées qui s'en élevaient. J'eus envie de quitter la table. Je reposai mon assiette devant moi, mais elle me servit comme les autres. Nous attendîmes. Emma leva sa cuillère.

De petits morceaux de viande rôtie flottaient à la surface de mon bouillon. Le goût en était infect. Je ne pouvais interroger Emma, pas même du regard, tant elle était occupée par sa dégustation. Pourquoi avalaient-ils leur soupe si bruyamment? Chacun continuait à être pourceau, aigle, serpent, pie. Chacun, respectivement, grognant, sifflant, jacassant et ingurgitant salement dans une cacophonie épouvantable. Seule Emma tenait son rang. En véritable dompteuse, elle avait dressé sa ménagerie à l'avidité. Ils sauçaient leur assiette et en redemandaient. Elle souleva le couvercle une deuxième fois. Pendant qu'elle nous resservait, j'en profitai pour me pencher au-dessus.

Je me rassis aussitôt et la regardai droit dans les yeux. Comme cette femme avait changé! Comme tous avaient changé! Le vieux Drufle, ami de mon oncle, les Reck, Émilie, le greffier et sa femme, et même Charlotte! Tous étaient gais et méconnaissables de par l'aliment. Et moi? Je plongeai à nouveau mon regard dans le chaudron, aussi noir qu'une vieille grotte. Cette tourbe saumâtre! Et là, mais oui, tout au fond, maintenant à peine recouvert par le bouillon qui nous avait déjà nourris une première fois tous les neuf et faisait comme un voile mince et ondulant...

Je regardai Emma, horrifié. Elle me sourit. Qu'avais-je donc fait? Qu'avais-je participé à ce rite abominable? Et pourquoi moi? Pourquoi cette faute impardonnable m'était-elle infligée? J'étais glacé d'horreur par l'extravagance du sacrifice auquel j'avais participé à mon insu. Je voulais me réveiller intact après avoir enfoui ce passé dans un rêve pour qu'il ne m'atteigne plus! Mais il était trop tard. Cette chair passait déjà dans mes entrailles. Elle nourrissait mon corps. Elle en assurait déjà la survie. Elle allait le fortifier. Ô cuisine immonde! Devant eux, je fourrai un doigt dans ma bouche, puis deux. Emma riait aux éclats et les encourageait à se joindre à elle. Tous s'esclaffaient de me voir ainsi tordu de convulsions, ridicule, farfouillant dans ma gorge. Ma bouche refusait mais mon estomac digérait tranquillement. Ils me resservaient à boire pendant que je trifouillais toujours plus profond. Leur rire était inhumain et sans pitié. Ils me félicitaient et me tapotaient l'épaule. C'était en moi. Confortablement en moi. Rien n'y ferait.

Où était Berthe? Je devais la prévenir! Je voulus me précipiter aux cuisines mais, en me retournant pour me lever, je compris qu'elle était avec nous dans la même pièce, un peu à l'écart derrière le rideau. Elle attendait dans l'ombre que nous ayons fini pour débarrasser. Quelle démence l'avait donc prise elle aussi? Elle mastiquait sans s'arrêter. Je refusai de toutes mes forces de le croire. Je voulus l'embrasser, la consoler, mais elle aussi avait la bouche pleine. Elle était là, courbée, muette, éternellement penchée sur un ouvrage invisible, et ne disait rien. Je la secouai, je m'accrochai à ses manches mais rien ne semblait pouvoir distraire son regard bleu et fatigué.

Je quittai le salon en courant. Je le traversai tout droit sans regarder en arrière et sortis dans l'allée centrale pour respirer. Je m'allongeai par terre sur le dos et laissai mes doigts traîner dans l'herbe. Le ciel était noir. Emma vint me rejoindre plus tard dans la nuit. Elle s'allongea à mes côtés et prit ma main dans la sienne, mais le goût et le regard bleu ne partaient pas, ni l'amertume dans ma bouche et l'affreuse image de ces yeux vides.

Énigme dans le désert

Trois protagonistes : Ahmed, Ali et Azab.
Le lieu : ensablé. Beaucoup de vent. Peu d'eau.
Quelques routes très belles, larges et tachées de jaune.

Les habitants d'ici sont soit des nobles, soit des chasseurs. Personne ne peut y vivre et remplir ces deux offices. La différence tient à ceci : les nobles ne mentent jamais et les chasseurs ne disent jamais la vérité.

Un matin, les trois hommes marchent côte à côte sur l'une de ces routes. Comme prévu, il y a du vent et du sable et la route est jaunie par le soleil. D'abord, Ahmed dit quelque chose. Nous ignorons ce qu'il dit. Une seule chose est certaine : soit il dit qu'il est un noble, soit il dit qu'il est un chasseur.

Ali entend ce que dit Ahmed. Quelqu'un le croise sur la route un peu plus tard et lui demande ce qu'Ahmed a dit. Ali répond qu'Ahmed a dit qu'il est un chasseur. Il ajoute qu'Azab, lui aussi, est un chasseur. Azab, le troisième homme, dit quant à lui qu'Ahmed est un noble. Lequel est quoi et comment le saurons-nous ?

Légende du cercueil de verre

D ans une campagne reculée de l'empire du Milieu, en
l'an mille deux cent vingt-trois, il y eut un soulèvement populaire très violent, que les milices locales eurent
grand mal à contenir, qui fit de nombreuses victimes et
laissa dans son sillage des villages dévastés, des hommes
estropiés impropres aux travaux agricoles et des jeunes
femmes souillées par les rebelles. Fu-Li, grand maître de la
province de Shô, avait mis le feu aux poudres en annonçant
que le premier jour de chaque mois serait consacré à la
commémoration de la naissance de ses ancêtres. Jamais le
désir dévorant et ostentatoire des seigneurs pour le luxe et
la puissance n'avait atteint une telle démesure.

Depuis des mois, Fu-Li n'avait de cesse que la généalogie qui devait confirmer son lien consanguin avec le
premier père, Lo-Pa, fût enfin établie. C'était Lo-Pa qui,
depuis le commencement des temps, portait la terre dans
la paume de sa main. Le râle qui était sorti de sa bouche
au moment du grand bonheur, lorsqu'il lui avait semblé
toucher les entrailles brûlantes de la sereine Lo-Mei, avait
engendré les dix-huit étoiles du premier ciel et les douze
géants aux pieds de bronze. Tous deux reposaient maintenant dans le séjour azuré des morts. Pour tuer le temps,
Lo-Pa faisait sautiller le globe comme une petite bille de

liège dans le creux de sa main et Lo-Mei penchait la tête avec mélancolie sur un interminable ouvrage en laissant retomber ses longs cheveux sur les étoiles. Elle songeait avec tristesse aux temps où les élans fougueux du père des hommes pouvaient changer la face de l'univers.

Lorsque les érudits séquestrés dans le grand palais eurent enfin terminé leur travail, Fu-Li fit apporter le grand rouleau. Il vérifia lui-même que son nom était bien inscrit sur la dernière ligne et celui de Lo-Pa sur la première, et vit que les historiens de la cour avaient recensé trois cent cinquante-huit empereurs et géants. Il fut satisfait de ce travail et fit étrangler tous ceux qui avaient participé à l'établissement de sa glorieuse généalogie avant de faire jeter leurs cadavres dans le fleuve.

Conformément aux indications du rouleau, on divisa les journées en trois cent cinquante-huit heures de durée égale. Mais Fu-Li ne s'arrêta pas en si bon chemin et fit décréter publiquement que chaque heure de la première journée de chaque mois serait consacrée au souvenir d'un des membres de son illustre famille et qu'on procéderait par ordre chronologique. On devait commencer dès l'aube par la commémoration de la naissance de Lo-Pa et finir à l'aube du jour suivant par une cérémonie en son honneur. Chacun des sujets réquisitionnés devait défiler devant lui dès le début de la première heure pour lui présenter ses offrandes. C'est ainsi que tous ses vassaux se virent contraints, non seulement d'assister, mais de participer activement aux chasses, concerts, banquets et tournois qui devaient occuper le premier jour de chaque mois du nouveau calendrier.

Un certain soir d'un mois d'hiver particulièrement rude où l'on commémorait pour la cinquième fois la gloire des ancêtres, les choses tournèrent mal. Les hommes de main des vassaux prenaient un court répit tant ils avaient eu de peine à recruter les femmes et les enfants qui dansaient et portaient les flambeaux depuis la tombée de la nuit. Les hommes, vêtus de peaux cousues autour de leurs corps, battaient la campagne en imitant le cri des bêtes destinées à la curée. On entendait de toutes parts les hurlements furieux des pillards et les sabots tapaient la terre comme une peau de tambour.

De sa tente, Fu-Li, que l'on baignait dans du lait d'ânesse tiède parfumé aux pétales de lotus, écoutait avec contentement les grognements de ses sujets qui foulaient le sol gelé de leurs mains mauves en attendant que leurs cris se confondissent avec ceux des animaux mystifiés. «N'est-ce pas le chant de la hyène?» demandait-il en respirant un pétale délicatement posé sur le bout de ses doigts. «Oui, Très-Honorable, répondaient les courtisans, c'est le chant de l'affreuse hyène que tes sujets passent par le fer.» Et Fu-Li était heureux. «N'est-ce pas le cri du chacal?» demandait-il ensuite en laissant retomber négligemment le pétale comme un flocon sur la surface du lait. «Oui, Très-Honorable, répondaient les courtisans, c'est le cri du chacal que tes sujets dépècent pour t'en rapporter la peau.» Et Fu-Li était plus heureux encore. «N'est-ce pas le cerf qui se lamente?» demandait-il enfin en soufflant sur le pétale pour le faire avancer en direction de ses pieds. «Oui, Très-Honorable, répondaient les courtisans, c'est bien le cerf qui se lamente que tes chasseurs ne l'aient encore point trouvé». Alors Fu-Li s'inquiéta et demanda l'heure qu'il était.

La nuit était fort avancée et on célébrait maintenant la naissance de son père. Les derniers moments approchaient, où l'on devait abattre un animal aux bois démesurés avant de les arracher de sa tête décapitée pour les jeter vers le ciel. En retombant, ils feraient trembler la terre et, en ce cinquième anniversaire, arracheraient Lo-Pa à son ennui millénaire. Au moment du réveil, le père des hommes lèverait le bras gauche et le garderait tendu au-dessus de sa tête. Il ouvrirait la main et présenterait la sphère au soleil. Puis il la resserrerait comme autour d'une pomme d'or pour plonger les hommes dans la grande nuit. Sous l'effet du plaisir donné par les baisers fougueux de Lo-Mei, il écarterait involontairement le pouce et l'index et seul l'empire du Milieu ferait face à l'astre de feu. Lo-Pa resterait dans la même posture, les deux doigts écartés sur la boule sublunaire, laissant l'Empire dans la lumière éternelle. Les autres peuples connaîtraient la honte de la nuit jusqu'à la fin des temps.

Fu-Li sortit de son bain. On l'habilla de rouge et on l'assit en pleine forêt sur un trône porté par des esclaves accroupis. Un messager vint annoncer que des bandes armées avaient profité du soulèvement populaire pour piller les villages avoisinants. Il en parut attristé et demanda des précisions. Avait-on célébré convenablement la naissance de son père ? Avait-on fait des offrandes en nombre suffisant pour le satisfaire ? Il exigea qu'on lui apportât les bois du cerf pour qu'il les lançât lui-même. Les vassaux durent lui avouer l'un après l'autre en baissant la tête que personne n'avait encore réussi à abattre un tel animal, que chacun entendait bien sa plainte, mais que, où que l'on se tournât, elle semblait toujours venir d'ailleurs et que la bête s'éloignait dès qu'on tentait de s'en approcher. Alors que Fu-Li allait ordonner qu'on châtiât tous ses vassaux pour l'impudence de leur réponse, le murmure continu des sujets battant la campagne cessa d'un seul coup. Fu-Li prit peur. Sa peur se transforma en une nouvelle colère. Il exigea que les cris recommençassent. Le murmure reprit sur-le-champ et, tout à coup, on entendit distinctement le bruit des sabots et le cliquetis des armes. Des flambeaux éclairèrent l'épaisse forêt et Fu-Li se trouva face à une bande de brigands à cheval suivis par une foule noire et hostile de paysans misérables. Il se leva de son trône et exigea qu'on le craignît comme un dieu. La foule proférait des menaces et ses gardes s'avançaient déjà pour repousser les rebelles, quand un vieil homme voûté par les ans marcha lentement vers lui sans qu'on osât le toucher tant il paraissait faible, et demanda à lui parler.

« Que veux-tu ? » lui demanda Fu-Li en se rasseyant. « J'ai découvert la demeure de Lo-Pa, dit le vieil homme, il repose près d'ici. Son corps est intact, allongé dans un cercueil de verre. » « C'est impossible, répliqua le premier conseiller. Tu blasphèmes. Il est écrit sur les rouleaux que Lo-Pa repose dans l'azur aux côtés de la mélancolique Lo-Mei. » Il donna l'ordre qu'on lui fasse subir sur-le-champ le supplice des mille lamelles, mais Fu-Li arrêta ses gardes d'un geste de la main. « Dis-moi, vieil homme, où se trouve ce cercueil ? » lui demanda-t-il. « Derrière ton trône, Très-Honorable Maître. Il suffit que tu en descendes, que tu te retournes et fasses quelques pas dans la forêt pour te trouver face à lui. » Fu-Li fit ce que le vieil homme lui avait dit. Il descendit de son trône, le contourna et marcha quelques mètres dans la forêt jusqu'à ce qu'il rencontrât un petit monticule de terre. On avait gratté et dégagé, sur quelques centimètres seulement, une dalle de verre, suffisamment pour qu'on pût voir la tête d'un homme allongé dans un cercueil. Fu-Li fit apporter son siège à cet endroit. Les bandits descendirent de leurs chevaux et la foule forma un cercle autour de lui, près de la fosse où était enfoui le mort. Le maître de Shô ordonna au vieillard de creuser avec ses ongles jusqu'à ce que la dalle fût entièrement découverte.

À l'aube, le cercueil était entièrement dégagé et l'on put voir une chose extraordinaire. Les premiers rayons du soleil éclairaient l'intérieur d'un sarcophage rectangulaire en verre transparent, enfoui à quelques centimètres sous terre. Un homme vêtu de noir et coiffé d'un petit chapeau plat, dont la tête et les mains étaient intactes, gisait au fond sur un tapis d'or. Il tenait un globe dans sa main. Fu-Li fit ouvrir le cercueil. Lorsque le couvercle fut soulevé et reposé sur le côté, il écarta le vieillard, ordonna à ses gardes de contenir la foule qui s'agitait et se pencha vers le mort de manière que tout le monde pût voir qu'il l'embrassait. Il s'allongea sur lui. Les larges manches de sa tunique recouvrirent entièrement le corps du défunt. Il appliqua sa bouche sur son front et desserra à l'insu de tous les doigts gelés qui agrippaient la sphère de façon que seule l'étendue de ses propres terres restât dégagée entre l'index et le pouce et que le reste fût entièrement caché par la paume. Puis il se releva, pencha la tête en direction du cadavre en signe de révérence et retourna s'asseoir sur son trône d'un air confiant et assuré. Il ordonna à ses gardes de laisser la foule s'approcher. Il y eut une vive agitation suivie d'un grand silence. Bandits et paysans tombèrent face contre terre et se prosternèrent devant le mort, puis devant celui qui l'avait embrassé. Le soleil montait maintenant à l'horizon. Fu-Li ordonna qu'on refermât la dalle et déclara solennellement qu'elle resterait scellée pour toujours à cet endroit. Debout, drapé dans son manteau pourpre, il hurla ses ordres. Ses gardes tirèrent leurs sabres et piétinèrent la foule prosternée. Ils mirent en pièces les bandits et leurs chevaux. Ils arrachèrent les yeux du vieillard. Ils coupèrent les bras, les jambes et les têtes jusqu'à ce que le sol fût jonché de troncs mutilés et recouvert de sang gelé, et que celui des bêtes se mêlât à celui des hommes. Après quoi, on ramena Fu-Li dans son palais, non sans l'avoir transporté en grande pompe par toute la province.

Il y eut encore bien des massacres sous le règne de Fu-Li, gouverneur de la province de Shô. Ses enfants, plus cruels encore que leur père, mirent à profit les prérogatives que leur conférait leur origine divine pour s'assurer un pouvoir absolu et arbitraire sur tous leurs sujets. Les enfants de ses enfants les surpassèrent dans cette entreprise et les annales rapportent que, de génération en génération, cela dura encore quelques siècles.

Solution de l'énigme

Si Ahmed était un chasseur et le disait, il dirait la vérité, ce qu'un chasseur ne fait jamais. S'il était au contraire un noble et disait qu'il était chasseur, il mentirait. Mais un noble ne ment jamais. Ahmed a donc dit : « Je suis un noble. » Il s'ensuit qu'Ali a menti lorsqu'il a répondu plus tard sur la route qu'Ahmed lui avait dit qu'il était un chasseur. Ali, quant à lui, doit bien sûr être un chasseur puisque seuls les chasseurs mentent. Et puisqu'Ali est un menteur dans ce pays de sable et de routes jaunes, il ment encore en prétendant qu'Azab est un chasseur. Azab est donc un noble.

Et Ahmed ? Nous savons ce qu'il a dit, mais nous ne savons toujours pas qui il est. Azab, qui ne peut mentir, a dit qu'il était un noble. Azab dit le vrai. Il faut le croire. Ahmed est un noble, comme lui.

Le mauvais ange

C'était l'automne. Octobre. Je ne dirais pas qu'il faisait doux, mais on allait droit devant soi le cœur léger et il y avait encore de beaux décolletés. Pour l'ouverture de la saison 1786-1787, le directeur du théâtre municipal de Naples se cru bien avisé d'inviter monsieur de Casanova à jouer son propre rôle dans *Scènes choisies de la vie de Casanova*. L'homme venait de s'échapper des geôles de Venise à l'âge respectable de quatre-vingt-un ans. Qu'il fût en disgrâce dans la Sérénissime et en cavale de par l'Europe galante suffisait à lui donner l'estime de monsieur Contini. Les routes n'étaient pas sûres. On alla le chercher par bateau dans une auberge de Gênes pour le conduire à Naples. On se moquait éperdument, ici, du jugement des Doges, grave et hautain. Leur petit chapeau rouge faisait bien rire. On voulait voir de près ses prouesses amoureuses, les applaudir, se faire un avis avec ses yeux sans avoir à lire les monumentales *Mémoires*.

On prétendit à des fins publicitaires qu'il avait écrit cette pièce lui-même de sa prison, ce qui était faux. On congédia les acteurs qui s'étaient proposés pour le rôle, les meilleurs comme les pires. On indemnisa leurs imprésarios sans distinguer les grands des véreux. On ignora l'âge du protagoniste et jusqu'à sa goutte et son asthme, ce qui aurait pu mener à la catastrophe, mais n'eut pour finir aucune espèce d'importance. C'est que l'on jugea qu'un homme pour qui le monde était une scène et l'Italie son décor porterait au théâtre mieux que quiconque les épisodes les plus marquants de sa propre vie. Le directeur le pensait. Le public en était persuadé. Tous ignoraient à quel point ils voyaient juste.

Il faut pourtant avouer que les augures étaient assez mauvais. Le bateau sur lequel Casanova s'embarqua faillit ne jamais accoster. Son capitaine le dirigea à l'aveuglette, guidé par une lune pleine et jaune qu'on avait prévue blanche et diminuée d'un quart. Le Stromboli faisait du bruit. Les malles prirent l'eau et il fallut sécher lentement les perruques avec des éventails pour ne pas risquer de casser leurs cheveux en les refrisant trop vite au fer chaud.

Contini ne vit rien de ces signes étranges tant il était à ses affaires et à sa roublerie, absorbé tout entier par son travail d'organisation et ses manœuvres d'homme fier et habile. Il accueillit Casanova chez lui. Le soir même, au moment du souper, ils observèrent tous deux le mauvais ange de la ville se lever dans un ciel d'encre. Ils continuèrent à boire leur vin et ne firent aucune remarque.

Avec la même légèreté, monsieur Frari, le directeur du théâtre royal, qui ouvrait lui aussi la saison, accueillait le marquis de Sade chez lui le même soir avec de belles idées en tête. Ils en étaient pareillement au souper lorsque la lune se leva. Ils entendirent comme les autres les grondements du volcan et aperçurent un nuage menaçant se glisser du Stromboli vers la rade de Salerno. Ils ne s'en soucièrent pas plus que leurs concurrents. L'invité de monsieur Frari vit avec soulagement son bateau quitter sans lui la baie de Naples. Le marquis était fatigué par le voyage, mais calme et détendu. Ses habits étaient secs et repassés. Il devait jouer dès le lendemain dans la première de *Scènes choisies de la vie du marquis de Sade.*

Sade avait soixante-huit ans. Il n'avait pas écrit une seule réplique de cette œuvre, pas plus que Casanova n'avait conçu la plus petite indication scénique de sa prétendue comédie. Le bruit courait qu'il avait lui aussi conçu cette pièce en prison. On disait qu'il s'était échappé de la Bastille par un tunnel creusé avec une cuillère en argent frappé aux armes de sa belle-famille. On ne s'arrêtait pas à si peu. Si Casanova avait multiplié les aventures et caché jusqu'à trois femmes sous son lit, Sade en avait fait enlever vingt dans la même journée, qui avaient disparu en Bretagne dans les caves de son château. Casanova en prenait dix par soirée, Sade en consommait trente et plus. Casanova les embrassait. Sade les empalait. La séduction et la sodomie gagnaient tous les esprits.

Ils avaient à eux deux écrit et fait bien des choses qui marquaient l'esprit du temps. L'un comme l'autre s'étaient plaints en prison de la mauvaise qualité des chandelles et de ce qu'on repassait mal leurs habits. Cela les rapprochait plus que ce dont on les accusait et qui forçait l'admiration. Le siècle était vieux et l'on entrait dans l'époque où tout, pour plaire, devait être scandaleux.

On finit de souper de part et d'autre vers une heure du matin et l'on fut assez vite réveillé. Les spadassins de monsieur Contini vinrent brûler l'effigie de Sade sous les fenêtres de monsieur Frari vers les deux heures et ceux de monsieur Frari celle de Casanova à peu près au même moment. Il y eut des coups de part de d'autre, des bouteilles renversées, des oreilles tranchées et une forte odeur de poudre. On transperça en tous sens ces poupées de paille et de chiffon. Le froid nocturne figea la cire fondue de leurs visages sur le pavé.

Casanova applaudit de son balcon. Sade, du sien, fit de même. Leurs chemises de nuit claquaient au vent comme les drapeaux dans les batailles navales. Personne ne fut inquiété. Chacun rentra chez soi. Naples était prête et remercia son mauvais ange.

Visites

Je me demande encore ce qui a pu te décider la première fois. Avais-tu peur que j'oublie ? J'ai souffert à cette idée. J'ai eu peur que tu me soupçonnes d'ingratitude. Je t'en ai même voulu pour ce manque de confiance. Comme si le flux incessant du quotidien, la force de tous les jours qui nous dit d'avancer, avait pu me faire fléchir. Cette seule pensée suffisait à me tourmenter, l'idée que tu aurais pu croire que j'étais moi aussi avec les autres en route pour la lutte contre le chagrin. Pourquoi a-t-il donc fallu que tu reviennes, d'abord une fois ou deux par mois, puis chaque semaine à intervalles réguliers, jusqu'au jour où tu m'as imposé ce rêve incessant ?

Tu n'as sans doute pas oublié que tu t'es appliquée à me jouer chaque nuit l'annonce de ta mort.

Cinq fois de suite.

Le jour qui précéda ces nuits consécutives, j'eus la pensée de l'horreur de ta disparition et de la douleur diffuse qui lui avait succédé, ou plutôt la mémoire de ces deux choses, le grain de ta voix, l'odeur du citron sur tes mains – assis sur un banc de la rue du Four. Cette peur ou cette pensée, quel qu'en soit le nom, vint de nouveau le soir à ma rencontre et disparut à l'instant où la blancheur de tes dents a éclairé l'espace vide au-dessus du lit, à mi-chemin entre les rideaux tirés et le manteau de la cheminée.

Ce soir-là, nous conclûmes un pacte pour soulager ma crainte. Tu reviendrais me voir le plus souvent possible, et le jour d'avant les formalités, le jour où ils devaient appeler à la maison pour annoncer que tout était fini et où nous irions te voir allongée sous le drap blanc, les paupières déjà baissées par les mains de l'infirmière, ce jour où tu allais m'apparaître comme une chose, nous avons décidé ensemble de le différer indéfiniment.

Je vécus dès lors dans l'attente confiante de la nuit tombée ; ta visite quotidienne m'offrait la garantie d'un recul indéfini de l'heure fatale. Cette première peur que j'avais éprouvée, la peur du retour du passé, n'était rien au regard de celle qui allait bientôt s'installer : la peur que, désormais, mon attente pût être trompée. Chaque nuit par toi manquée me rapprochait de ton dernier jour. Doutais-tu de moi dans ces moments nouveaux ? Éprouvais-tu ma patience, la vérité de mes sentiments ? Peut-être. Ou alors est-ce par faiblesse qu'une nuit tu disparus sans prévenir ?

J'observais la pénombre de ma chambre pour la troisième nuit consécutive et ce ne fut pas la blancheur de tes dents qui m'annonça ta visite. Ce fut le blanc sans éclat de tes yeux entrouverts, jaunis aux coins, fatigués. Assise devant moi à distance du sol, tu appliquais doucement une pommade citronnée sur tes mains. J'eus envie de les toucher et, en posant ma paume sur tes doigts, je sentis combien ton geste était faible et lent. Les courts mouvements concentriques sont devenus plus incertains et, soudainement, tu n'étais plus là.

J'avais peur, ensuite, que le sommeil m'emporte, me fasse manquer ton retour et m'assaille des rêves monstrueux qui laissent en paix l'âme des brutes. La nuit suivante, un nouveau sourire indécis flottait sur ta bouche. Je vis ton corps debout devant moi, enveloppé dans un grand linge.

Tu avais rangé tes mains sur le pilou fané de ta robe de chambre. J'étais amer. Tu avais joué à mon insu le jeu de l'attente, tu m'avais fait croire que nous allions nous retrouver chaque soir, tu avais manqué notre rendez-vous. Tu le savais. Tu évitais mon regard. J'avais formé l'espoir que nous aurions pu nous retrouver en plein jour. Que signifiait donc cette promesse non tenue ? J'y décelai une épreuve inutile, une trahison.

Je ne dormis pas mieux le lendemain et tu trompas à nouveau mon attente. Je n'eus que la douceur abstraite de ta peau, l'odeur imaginaire du citron, ton sourire effacé sur une photographie un peu floue. Et alors que toutes ces choses à peine tangibles commençaient à s'évanouir dans le sommeil, qu'une lumière faible passait dans le trèfle du volet, la porte s'ouvrit et on m'annonça la chose crainte et attendue.

Je savais que la suite de ces nuits passées, l'attente, la déception, l'abandon et, pour finir, l'entrebâillement de la porte au travers de laquelle une voix blanche annonce que tu n'es plus, était appelée à revenir sans cesse dans le même ordre jusqu'à ma propre fin. J'imaginais qu'avant l'instant de mon repos, ces événements identiques se répéteraient de plus en plus vite de sorte qu'il n'y aurait non plus cinq nuits, mais quatre, puis trois, puis deux. De sorte que le répit serait interdit et qu'il n'y aurait pas la plus petite place pour un espoir qui pût encore me donner l'envie d'attendre dans le noir. Il n'y aurait plus qu'une dernière nuit à répéter, puis la dernière heure de cette nuit qui fait place au matin, le moment si court où le sommeil se mêle au réveil et le moment d'après qui les empêche de se confondre. Comme il est attendu et habituel que cela revienne toujours : la lumière qui glisse par le trèfle du volet, la porte qui s'ouvre à peine et les mots de maman pour dire que tu es morte sans dire adieu, seule sans nous dans la nuit.

Vidéos

Neil avait disparu depuis six mois sans laisser de trace lorsque le facteur remit le premier colis en mains propres à madame Pendergast. Il s'agissait d'un paquet rectangulaire enveloppé dans du papier kraft, affranchi au tarif lent, sans adresse de retour, avec le nom des destinataires écrit au milieu en petits caractères d'imprimerie.

Bernie l'ouvrit machinalement après avoir posé le reste du courrier sur la console de l'entrée et y trouva une cassette VHS sans étiquette. Elle s'étonna de ce que le club lui envoyât maintenant des vidéos sans publicité, sans dépliant, sans titre, simplement glissées à la va-vite dans un étui en plastique translucide. Elle esquissa une moue sans conviction devant le miroir pour marquer son mécontentement, soupira bruyamment en longeant le mur du couloir d'un pas mesuré et la déposa sur le lecteur du salon au-dessus du poste de télévision.

Le mieux était d'appeler tout de suite Myriam pour mettre les choses au point. À ce train-là, elles risquaient de perdre des clients et, qui sait, d'avoir à rembourser leurs nouveaux abonnés. Quelle idée incongrue avait bien pu lui passer par la tête ?

Huit heures trente était une heure raisonnable. Myriam devait être en train de faire chauffer l'eau pour son thé diurétique à la sauge après sa première séance de gymnastique. Toutes ses amies, d'ailleurs, buvaient le Thé-Diurétique-Du-Docteur-Salem™ après trois quarts d'heure en compagnie de Jane Fonda sur la chaîne 36 (vingt minutes pour sculpter les avant-bras, vingt autres consacrées aux abdominaux, cinq pour la pause sourire).

L'appel de Bernie Pendergast tombait à pic. Myriam était drapée dans une sortie de bain Neiman Marcus imprimée dans le dos aux tournesols de Van Gogh et sobrement unie sur le devant. Elle s'apprêtait justement à lui faire signe avant sa douche pour lui parler d'un coup en or. Elle évalua la longueur de ses ongles : laisserait-elle pousser celui du pouce pour y faire incruster une perle ? Elle hésita à lui dire qu'elle aimait sentir l'odeur de son corps après l'exercice, qu'elle gardait toujours un moment la moiteur acide de la nuit, la poisse de sa transpiration ; mais elle se ravisa et l'avertit qu'un type de Glendale, collègue de Ted, leur proposait un stock de mille cinq cents cassettes au quart du prix magasin : des classiques, du film noir, des dessins animés, des documents et même – Myriam se risqua en allumant sa cigarette sans faire de bruit – du porno soft.

« Oublie, répondit catégoriquement Bernie pour couper court à cette dernière suggestion. Les gens n'ont qu'à faire les sex-shops s'ils en veulent. Je n'ai rien contre, mais nous offrons du bon temps et de la culture à nos clients, Myriam, pas des cochonneries.

– C'est du soft.

– C'est du *cul*, ma chérie. Ou bien alors tu en fais ton business personnel et tu les écoules de ton côté en utilisant un autre circuit. À propos de vente, justement, il faut éviter de...

– Bernie, *darling*, tu veux insinuer que j'ai un circuit pour le cul ? Non mais tu rêves ?

– Je n'insinue rien du tout. Je dis simplement que, si le prix est vraiment bas et que les autres vidéos sont de bonne qualité, on prend le lot sans crédit à ton type de Glendale et tu te débrouilles pour refourguer le porno à un pro. Ou bien tu les jettes à la poubelle. C'est là que ça devrait finir, à mon avis.

– OK. »

Bernie se racla la gorge avant d'en venir au fait.

« En tous les cas, n'envoie plus jamais de cassette comme ça. Je veux dire, sans rien dessus. Qu'est-ce qui te prend, bon sang ? On a passé la dernière réunion à rédiger la lettre du mois pour nos clients et la vidéo n'a même pas d'étiquette... Tu crois que les gens vont glisser ça dans leur magnétoscope ? On ne sait même pas d'où ça vient !

– Je ne vois pas du tout de quoi tu veux parler... dit Myriam en faisant rouler sa tasse de droite à gauche entre ses seins.

– Du paquet de ce matin. Au tarif livre ! Même pas enveloppé dans du papier bulle et sans le tampon du club... J'espère que personne d'autre que moi n'a eu droit à un truc pareil ! C'est un coup à couler la boîte !

– Mais... rien n'est parti, Bernie, absolument rien. De toute façon, rien ne part jamais sans ton accord », répondit calmement Myriam, sûre de n'avoir rien à se reprocher côté affaires.

Elle laissa quelques secondes bienfaisantes s'écouler. Le beige du plafond lui parut trop foncé. En réalité, la cuisine dans son ensemble lui parut trop foncée, sans parler de la salle à manger en enfilade avec la baie vitrée donnant sur la plage de Malibu. Le sable, tout là-bas, avait l'air curieusement marron clair, le ciel du matin violacé du côté des collines. Les premiers surfeurs passaient au bord de l'eau avec leur planche sous le bras. Il fallait décidément qu'elle entreprenne Ted sur la question du verre teinté. Ça n'allait vraiment pas. Tout a l'air tellement feutré, se dit-elle pour préparer la scène... C'est-à-dire... Un peu trop. Il faudrait, Ted chéri...

Elle regarda le vernis de ses ongles de pied; les reflets du rose pâle nacré lui rappelèrent l'édredon de sa mère, la seule affaire personnelle qu'elle avait tenu à emporter en partant pour l'hôpital. Myriam l'avait fait incinérer avec le corps au crématorium. Elle but une gorgée de sauge, resserra la ceinture de son peignoir et choisit sans transition un ton plus amène pour continuer.

«... Et puis, en ce qui concerne la lettre, je voulais justement qu'on parle ensemble de ce type de Glendale – Jens – et voir si on s'accorde un peu de temps pour refaire la liste des titres. Loin de moi l'idée de dénigrer ton talent... Tu fais tout ça à la perfection. J'ai rendez-vous chez lui mardi. Je passe te prendre et on en parle dans la voiture, OK?

– OK, répondit Bernie en regardant derrière elle du côté du couloir. Mardi... C'est bon...»

Myriam écrasa sa cigarette en couvrant le récepteur avec sa main. Le deuxième silence de son amie lui parut suspect.

«Bernie... Ça va?

– Oui.

– Scott est avec toi?

– Non.

– Il travaille aux studios ce soir?

– Non.

– Tu veux qu'on se fasse un ciné toutes les deux cet après-midi? Des courses sur Melrose?»

Bernie ne répondit pas.

«Ou alors, je ne sais pas... On pourrait peut-être monter jusqu'à Zuma faire un tour sur la plage...

– Non.

– Tu *dois* sortir, Bernie, surtout dans la journée quand Scott est au bureau. C'est mauvais de tout remâcher seule dans son coin... Je m'habille et j'arrive.

– Vraiment, Myriam, non... C'est gentil. Tu fais ça tout le temps. Franchement, je crois que je préfère rester à la maison aujourd'hui. J'ai des trucs à ranger... Et puis Scott a prévu de rentrer plus tôt. On va dîner en amoureux au petit resto thaï de la troisième. Une autre fois...

– Alors prenez le temps de penser à ma proposition de week-end. Tous les quatre à Palm Springs avec Ted. Jacuzzi géant, margaritas, massages. Il suffit de dire oui.

– C'est promis.

– Promis.

– *Love you, Bernie.*

– *Love you too. You're the best.*

– Mardi ?

– Mardi.

– Vous allez vraiment au resto ce soir ?

– Absolument. *See you on Tuesday.* »

*

C'est Scott Pendergast qui, de retour vers cinq heures pour éviter les embouteillages de la 10 en direction de Santa Monica, introduisit le premier la cassette dans le lecteur.

« Scott ? demanda Bernie pour la énième fois en arrêt devant le frigidaire. Réponds-moi. Tu veux un jus ? Un thé... ? Ouh ouh... »

Scott ne répondait toujours rien.

« Du chaud, du froid... ? » ajouta Bernie en haussant la voix.

Elle traversa l'entrée, à la fois excédée par son indifférence et épuisée par les insomnies. Elle fit un pas dans le salon et vit, dans l'écran du téléviseur, son fils assis à une table de cuisine, face à une assiette.

Elle resta bouche bouée. Scott, lui aussi, regardait l'image, voûté comme un retraité devant son poste, le torse projeté en avant. La télécommande pendait mollement de sa main.

« *Hi, mom and dad*, dit Neil en attrapant sa cuillère. Je vais bien. C'est l'heure du dîner, alors je vais manger ma soupe. »

Il souleva son couvert ostensiblement, le trempa lentement dans un liquide jaunâtre sans épaisseur et le releva perpendiculairement à sa bouche. Il avala le contenu en faisant une toute petite grimace.

« *Soup is good for you* », dit une voix off.

« Qu'est-ce que c'est que ça ? demanda Bernie en tremblant.

– La cassette qui traînait sur le lecteur », répondit Scott sans la regarder.

Bernie courut jusqu'à la poubelle de la cuisine et revint dans le salon avec le papier kraft. Elle s'assit sur le canapé à côté de son mari comme si elle posait ses fesses sur des œufs ou sur une matière particulièrement précieuse et fragile qu'il aurait fallu ne pas froisser, sans interrompre son mouvement, comme une femme éphémère et sans poids.

Elle déplia le papier sur ses genoux. Scott choisit l'arrêt sur image et lut, l'adresse pour lui-même à voix basse :

Monsieur et madame Scott Pendergast
6992 Doheny Drive
Beverly Hills
B.H., CA 90213-0616

« Je continue ?

– Bien sûr, dit Bernie en se levant. Il le faut. »

Elle lui retira la télécommande des mains et partit la déposer loin d'eux, hors d'atteinte, à l'autre bout de la pièce, sur l'étagère la plus haute de la bibliothèque.

Lorsqu'elle revint s'asseoir à sa place, une main déposait une nouvelle assiette devant Neil – plate, cette fois-ci – garnie d'une unique petite saucisse marron foncé, pointue et rebiquant drôlement sur les côtés.

« *Food is good for you* », dit la voix off.

Neil acquiesça, découpa et mâcha avec application ce qu'on lui proposait, puis il reposa ses couverts sur les côtés et fixa bêtement la caméra.

« Et maintenant qu'on a fini, reprit la voix off, *what about another scotch on the rocks ?* »

La main posa un verre vide devant Neil et le remplit à ras bord de Jack Daniel's. Scott et Bernie regardèrent les glaçons tourner en rond à la surface, se poursuivre inutilement et carillonner gaiement comme des pétales de cristal.

« Mon Dieu ! » cria Bernie.

Neil leva lentement le bras et passa le reste du temps qui lui était imparti à vider son verre de bourbon, à savoir quinze minutes de cassette double standard VHS-BETACAM. Puis il reposa le verre vide devant lui, agrippa le rebord de la table d'une main mal assurée, écarta l'encolure de son tee-shirt comme pour mieux respirer et déglutit péniblement en s'efforçant de garder la tête droite. Ses paupières étaient presque collées. La voix off dit :

« *Good boy.* »

Celle de Neil conclut sur un ton neutre :

« *Good night, mom and dad.* »

L'image s'arrêta tout net de défiler. Il y eut des striures grises sur l'écran, un BBZZZTTT d'appareil qu'on débranche, les chiffres décroissants des bobines de professionnels,

4-3-2-1-0, des zébrages en pointillé, de petites étoiles brillantes qui clignotèrent en tous sens et enfin plus rien. Le noir.

Bernie Pendergast glissa du canapé et s'effondra en serrant la tête dans ses mains. Elle se mit à gémir comme un animal qui agonise. Scott éjecta la cassette du lecteur, la prit dans ses bras, monta les escaliers jusqu'au premier étage et la déposa sur le lit de leur chambre. Il lui offrit un somnifère avant de s'allonger à ses côtés, immobile et droit comme une statue. Il caressa ses cheveux jusqu'à ce que son ronflement fût parfaitement régulier, puis il se leva pour attraper sur la commode l'album de leurs dernières photos de vacances.

C'était à Monterey un an plus tôt. Neil venait d'avoir onze ans. Ils étaient là, tous les trois, devant l'océan, Neil avec son jogging aux couleurs de l'équipe de base-ball de Los Angeles, Bernie collée contre lui, une main posée en biais sur son épaule. Une touriste française avait pris la photo pour eux. Elle avait affiché un air ridiculement concentré pour appuyer sur le déclencheur.

Il éteignit sa lampe de chevet, desserra les mâchoires et resta longtemps dans le noir à diriger toute sa pensée sur son fils, les yeux grands ouverts, sans un mot de compassion pour Bernie, sans même l'ombre d'une pensée pour elle. Rien d'autre que Neil et lui. «*My men*», comme disait sa femme pour plaisanter avant la disparition. L'idée de la féminité lui parut d'ailleurs résolument infecte : l'effondrement progressif de celle qu'il avait épousée, la compassion mielleuse de sa sœur, les coups de téléphone interminables de sa belle-mère, tous les miaulements, les effrois, les nuits blanches. Depuis six mois les pêle-mêles se multipliaient d'eux-mêmes dans la salle de bains comme les pains du Christ. La maison dégageait une odeur de rance. L'absence de sa propre famille était l'unique bienfait de l'année. Les hanches généreuses de mademoiselle Jupin, cette touriste ridicule avec ses grosses lunettes et son guide vert, méritaient également qu'on les oublie.

Il s'assit sur le rebord du lit, calcula que la moitié d'un somnifère lui permettrait de se réveiller avant Bernie, de lui préparer un plateau pour son thé et d'arriver quand même à l'heure au bureau. Il tâtonna en direction de l'autre table de chevet, écrasa un sein au passage, coupa une pilule en deux avec l'ongle, l'avala. Puis il donna de grands coups de poing dans le vide avant de s'allonger à nouveau, les bras rangés le long du corps. Il sentit ses pectoraux se détendre, ses cuisses se mettre impeccablement en ligne.

Scott ferma les yeux avec volonté pour contempler ce qui lui tenait à cœur : Neil faisait pivoter son torse, la batte levée en diagonale derrière l'épaule, le genou plié, le corps en alerte. Il tapa à pleine volée et resta figé les jambes écartées sur le gazon coupé à ras, l'œil perçant et froid. Rotation parfaite. 5 à 3 dans la première manche. Avantage aux Dodgers. Le stade de base-ball hurlait debout comme un seul homme. Il n'en fallut pas plus pour que Scott Pendergast s'endormît à son tour.

*

« Tu t'es remise à fumer ? demanda Bernie, très étonnée, en sortant de chez Jens Bodine avec Myriam.

– Pourquoi pas ? » répondit Myriam d'un air désabusé ; vexée, en réalité, d'avoir oublié de cacher son paquet au fond de la boîte à gants et d'allumer des cigarettes machinalement sans pouvoir se retenir.

Elle ouvrit la portière arrière de la voiture et laissa son chien trottiner jusqu'à une pelouse. Bernie la regarda ramasser la crotte : un petit boudin marron foncé, parfaitement pointu, rebiquant sur les côtés. L'étron disparut dans un sac en plastique transparent. Une pince fixée au bout du manche de la pelle scella le sachet par pression calorifique et le dissimula dans un récipient vert pétant fixé dans la partie médiane, une réplique parfaite de poubelle parisienne en miniature.

« Crottopelle. Bouffe bio pour la bête. C'est sec. Propre... Qu'est-ce que tu penses de Jens ?

– Plutôt sympathique. Les vidéos sont bien, les prix imbattables. »

Myriam rangea l'engin dans le coffre de la voiture et jeta le sachet dans un autre un peu plus grand en papier kraft.

« On trouve les mêmes en mauve chez Mind Your Dog à Santa Monica.

– Ah...

– On déjeune chez moi ? suggéra Myriam en affectant un air casanier.

– OK.

– Je crois que c'est une bonne pêche, ajouta-t-elle en s'asseyant au volant. Je n'ai aucune idée où il dégote tout ça.

– Il a pas l'air de sucer de la glace, fit remarquer Bernie en mettant sa ceinture de sécurité. En tout cas, je suis ravie qu'il nous ait épargné le rayon porno.

– Vraiment ? On en regarde, parfois, avec Ted. Y a de ces trucs.

– Aha...

– Il aime bien.

– Mmmhh... »

Myriam alluma la radio en prenant la rampe d'accès au freeway en direction des plages : K-EARTH 101, la station des tubes années 1960.

« Au fait, chérie, demanda Bernie après deux passages consécutifs de *Sixteen Candles* appuyés de commentaires éclairés sur la différence entre la version blanche et la version noire, qu'est-ce que tu fabriques avec ces sachets?

– Les sachets...?

– Les sachets de merde.

– Ça, ma cocotte, c'est le travail de Ted. Je les rapporte tels quels à la maison et je me fiche pas mal de ce que *lui* en fait. Quant on veut un chien, on assume.

– On assume», répéta Bernie en se retournant vers le siège arrière.

Le fox-terrier, attaché dans son panier en osier, sembla lui aussi approuver cette remarque de bon sens.

*

Bernie reçut un deuxième paquet identique au premier le surlendemain du rendez-vous avec Jens. C'était un jeudi. Scott devait rester à la Paramount jusqu'à dix heures du soir pour une réunion de travail. Un dîner allait suivre inévitablement, que Scott n'aurait pas la possibilité de refuser. C'était lui qui avait mené les négociations depuis le début pour la série de télévision. Il avait eu l'initiative du projet. Ses collègues allaient insister pour que Bernie vienne les rejoindre chez Spago sur Sunset, surtout Dwight Bodine.

Dwight avait comme Scott un garçon de douze ans. Il comprenait mieux que quiconque la situation: ne pas savoir où était passé son petit gars, attendre pour rien le coup de fil de la police, conjecturer sans fin.

Scott se rappela de ce garçon lorsque Dwight fit réserver une table au moment de la pose. Il l'avait vu, une fois, aux studios. Le chauffeur était venu le déposer au bureau de son père après l'école.

La mère était morte d'un cancer du foie quand l'enfant avait six ans. Scott avait tout de suite envié l'entente du père et du fils, la connivence qu'il avait prise pour un modèle d'amitié virile face à l'adversité. Il avait été jaloux de leur vie de célibataires, de leurs escapades sur la côte en direction de San Francisco, de la confiance et de la réserve qui leur avaient permis de surmonter l'épreuve. Et puis, surtout, il y avait cette maturité inattendue dont Dwight était lui-même tellement fier. Un petit bout comme ça, tout frisoté, qui faisait fi du passé sans broncher, avec des résultats scolaires impeccables. Le garçon aurait dû faire un bon copain pour Neil. Scott avait œuvré dans ce sens lorsque Dwight le lui avait présenté à cette seule et unique occasion. Il avait suggéré le base-ball, le Nintendo... les filles. Dwight avait souri par-dessus l'épaule de sa progéniture en approuvant cette audace. Tout ça en pure perte. Dwight junior ne quittait la forteresse familiale de Bel Air que pour aller à l'école ou au stade. Neil n'y avait jamais été invité.

« Bernie ne viendra pas ce soir. Sa mère est arrivée hier, glissa Scott à voix basse en se penchant vers Dwight. Elles ont besoin de rester seules toutes les deux, ajouta-t-il pour donner une explication.

– Bien sûr, répondit Dwight en modifiant la réservation. Je comprends ça. Moi aussi, j'ai beaucoup vu ma mère quand Kate s'en est allée là-haut. C'est normal. Bien sûr. »

Pourquoi n'avait-il jamais voulu que son fils rencontre le sien ? Scott y repensa au moment des applaudissements et du champagne, avant que tout le monde quitte la salle de réunion. Puis Dwight insista pour qu'ils restent un moment seuls tous les deux. Il attendit que la salle soit vide et le bâtiment silencieux pour se lever et faire ses remarques en marchant de long en large les mains dans les poches. Son dos était impressionnant, une sorte de masse énorme et compacte évasée vers le haut. Il portait pourtant son costume avec une certaine grâce, comme si le sport, au lieu de le faire craquer dans ses habits bien coupés, avait fini par lui donner une sorte de légèreté et de nonchalance et que son torse et ses cuisses habitaient le lin sauvage depuis toujours.

Ils quittèrent le bâtiment ensemble.

«Tu sais, Scott, dit Dwight en traversant le parking, je crois qu'on va vraiment retrouver le salopard qui a fait ça et lui faire la peau. Tu peux me croire. Je le sens, Scott, et je veux que tu le saches.

– Merci. Je l'espère aussi. Depuis le début.

– On est tous avec toi, ici. Tu le sais, n'est-ce pas ?

– Je le sais, Dwight. Je sais cela... Merci.»

Dwight déverrouilla les portières de sa voiture. Le toit ouvrant se déplia au-dessus de leurs têtes et se rangea sans bruit derrière eux comme une étole de fourrure. Comme si Dwight – c'est drôle – invitait Scott à s'asseoir sur les genoux d'une femme qui leur offrait à tous les deux ses épaules. À moins qu'il n'y eût aucune femme et que le rôle de Scott fût de jouer madame Bodine installée sur un siège en cuir blanc à côté de son mari. Scott hésita entre ces deux solutions. Il regarda la nuit étoilée, gigantesque, miraculeuse et parsemée d'étoiles, pleine de l'effluve des eucalyptus.

«En fin de compte, ajouta Dwight après un moment de réflexion, c'est peut-être rien. Juste un connard qui veut du fric, qui s'amuse à faire une blague... Une blague de merde qui met les nerfs à vif. Si c'est ça, Scott, on sera tous là. La compagnie sera là. Je tenais à t'en assurer au nom des collègues. Maintenant. Dans la voiture. Parce qu'ils ne le feront pas au restaurant. C'est ta victoire, ce soir, et ils veulent la fêter, faire comme si tout était normal, ne plus parler d'argent.»

Dwight alluma une cigarette et mit le contact.

« Mais en tout cas... Bravo, gars. Rien n'était gagné d'avance. C'était difficile. La concurrence... Surtout à l'intérieur de la compagnie. C'est là où c'est le pire... Les budgets, tu sais... On se bat comme des lions pour les avoir. Je peux t'assurer que personne aux studios n'a essayé de te faciliter la tâche en prenant en compte ta situation avec Neil. On a tous joué franc jeu. Dans les règles. Comme si de rien n'était. »

Dwight tapa avec le plat de ses mains sur le volant recouvert d'une gaine de cuir beige perforée.

« Ouais... Comme des pros. C'est toi seul qui as gagné, *Scottie boy*. C'est à toi qu'on doit le succès et à personne d'autre.

– Merci, Dwight. Vraiment, je te remercie.

– *Sure*. Ce que je voulais dire, c'est qu'il n'empêche qu'on a tous eu Neil en tête... Pas une minute n'a passé sans lui. Il ne nous a jamais quittés.

– Alors on laisse ça de côté pour ce soir, O.K. ? Fais-moi ce plaisir, Dwight.

– Bien.

– Mais on est là jusqu'au bout, quoi qu'il soit arrivé à Neil, OK ?

– OK. »

Dwight ralentit devant la guérite du gardien et lui souhaita bonne nuit comme tous les soirs avant de passer la grille. Los Angeles s'étalait devant eux à perte de vue, un tapis de lumières de Noël qui n'en finissait pas. Scott se dit que Neil était quelque part là-dedans.

« Des enfoirés, murmura Dwight entre ses dents en tournant vingt minutes plus tard dans Sunset, des putains d'enfoirés. »

Scott savait qu'il conduisait lentement pour arriver le dernier au restaurant. Dwight aimait faire des entrées remarquées. Il fallait toujours qu'on l'attende, qu'on le guette, qu'une tournée de martinis précède son apparition. Scott observa ses mains manucurées, souples et sans veine. Dwight lui sourit tout à coup en tapotant doucement son genou du bout des doigts, d'un drôle de sourire en coin à la fois mièvre et carnassier.

« Et puis, la nounou française, ça, c'est une idée bien trouvée. C'est quoi, son nom, déjà ?

– Mademoiselle Jupin.

– *All right... Mam'zelle Djoopin...* Je sais pas pourquoi, mais ça sonne drôlement juste... »

Dwight s'arrêta à un feu rouge.

« Et la fugue ? Tu as pensé à l'hypothèse de la fugue ? continua-t-il sans transition. J'y pense à cause du scénario. J'aurais jamais imaginé que le mari parte avec la fille au pair au deuxième épisode.

– La fugue... répéta Scott sans conviction pour répondre à la question. Quoique... La police nous en a sûrement parlé. On nous a tellement cuisinés, Dwight... J'ai oublié.

– C'est sûr, Scottie. Ils font leur boulot et puis c'est bien d'oublier. C'est constructif. Mais penses-y quand même, ajouta-t-il en apercevant l'enseigne du restaurant un croisement plus loin. Penses-y, gars. Ça fait du bien. »

Il s'arrêta pour laisser la voiture au Mexicain du parking. Le portier les accompagna dans le lobby et Dwight glissa un billet de dix dollars à la fille du vestiaire pour rétribuer son aller-retour inutile entre l'entrée en teck naturel et sa caverne à pardessus.

« T'as jamais fugué, Scott ? Pas même pour faire chier tes vieux ? fit Dwight en suivant le maître d'hôtel. Moi si. Je te raconterai ça un jour.

– OK.

– Quand tu veux, Scottie, quand tu veux », conclut-il en filant tout droit sur la moquette insonore, blanche comme du lait.

*

Bernie tira les rideaux du salon, respira un grand coup la tête renversée en arrière et mit le magnétoscope en marche.

« *Hi, mom and dad* », dit Neil, installé sur la même chaise, prostré devant la même table.

Il était torse nu et portait ses baskets sans chaussettes. Bien qu'il fût assis, Bernie remarqua que son short en viscose bleu ciel tombait sur ses hanches. On apercevait le bas de son ventre, dur et rond à la fois, une bande de chair blanche qui luisait juste au-dessous du plateau en Formica. Bernie glissa une main sous son tee-shirt et sentit la peau de Neil se tendre sous ses doigts. Elle respira l'odeur de sa transpiration et celle du savon qui aurait pu la dissiper.

« J'ai faim, m'man. On a fait beaucoup de sport aujourd'hui. J'ai la dalle. »

On entendit un filet d'eau couler régulièrement juste à côté de lui, le débit s'amenuiser, les dernières gouttes tomber une à une. Neil regarda droit devant sans sourciller, sans même donner l'impression qu'il était tenté d'observer ce qui se passait sur sa gauche. Une main identique à celle de la première cassette déposa une assiette à soupe remplie du liquide habituel.

Bernie observa la rougeur brillante de ses joues, la sueur qui dégoulinait le long de ses tempes, ses jambes lisses, parfaitement glabres, potelées aux chevilles. Il portait les chaussures qu'il avait mises pour l'école le jour de sa disparition. Bernie pensa qu'elles devaient lui brûler la plante des pieds sans la protection des chaussettes. Elle n'avait jamais pris le temps d'acheter les semelles en fibre que Scott avait recommandées sur les conseils de son instructeur de tennis.

La main déposa une deuxième assiette avec une sorte de saucisse assez semblable à la précédente, peut-être un peu plus grosse, quoique marron clair et arrondie sur les côtés. Neil finit son repas d'un air hébété, but son verre de scotch, dit poliment au revoir au public fantôme. La même voix neutre le félicita. Il y eut seulement quelques images de plus avant que l'écran ne devînt noir comme de l'encre, quelques minutes pendant lesquelles Neil n'eut même pas la force de s'essuyer.

La bouche de Bernie se mit à trembler. Elle serra les lèvres, les desserra puis les serra de nouveau, ne sachant si elle respirait mieux avec ou sans air. Le repas de Neil lui brûlait les entrailles. Elle vit la douleur envahir le blanc de ses yeux, la candeur s'effacer de son regard.

Elle aurait voulu vomir elle aussi, détruire le poste en jetant quelque chose de très lourd dessus : un cendrier, le presse-papiers de la table basse. Elle aurait pour un peu appelé la police. Quelqu'un serait venu s'installer avec elle sur le canapé pour lui poser des questions. Car Bernie Pendergast aurait donné son âme pour des mots, pour la douceur d'une conversation et le regard bienveillant de l'autorité, quels qu'auraient pu être les termes convenant à la description de ce qu'elle venait de voir. Mon Dieu... simplement pour que la main d'un officier se posât sur son épaule et lui demandât doucement de tout reprendre de zéro. Un collègue de cet homme bienveillant aurait mis des gants en plastique transparent pour sortir la vidéo du lecteur. Elle lui aurait confié les emballages en papier kraft pliés dans le tiroir de sa commode. Ils auraient fouillé ensemble la maison à la recherche d'autres indices et cette souillure de l'intimité pour la bonne cause aurait été douce et bonne, aussi apaisante que les caresses de Scott du temps qu'il songeait encore à lui en donner.

Bernie repensa à l'emballage anonyme qui l'avait si injustement mise en rage contre Myriam une semaine plus tôt et aux deux étuis en plastique. N'avait-elle pas plié avec méthode ces feuilles marron pour protéger l'adresse et le cachet de la poste? Tout était encore lisible. Elle imagina les empreintes digitales sur les étuis, les traces invisibles des mains qui possédaient Neil en ce moment même. Elle hésita à prendre son téléphone, mordit la chair de son bras jusqu'au sang et attendit sans dormir, jusqu'à l'aube, le retour de Scott.

*

Myriam composa le numéro des Pendergast en début d'après-midi le vendredi de la semaine suivante pour savoir s'ils avaient, oui ou non, l'intention de passer un week-end à Palm Springs dans la maison de Ted. Son idée était, entre autres, de les utiliser en bouclier pour aborder la question de la baie vitrée en verre teinté.

«Je ne crois pas, répondit Bernie. Scott est tellement débordé.

– Il peut nous rejoindre dimanche.

– C'est trop court. Tout ce trajet pour une seule journée... Enfin, même pas, le temps d'arriver.

– Alors viens sans lui.

– Impossible. Pas en ce moment. Il a dû retourner au bureau tôt ce matin.»

L'image se figea sur Neil qui avalait son verre de bourbon à la fin de la deuxième cassette. Bernie posa la télécommande sur la table du salon et se remplit un verre de Jack Daniel's. Elle vérifia les indications de l'écran: à ras bord, deux glaçons.

« *I'm with you, Neil,* dit-elle en posant ses lèvres sur le bord du verre.

– Comment?

– Rien, fit Bernie.

– Qu'est-ce que tu dis?

– Je te dis que Scott passe sa vie aux studios pour cette nouvelle série en ce moment et que ça me semble extrêmement difficile.

– Non, mais là... Tout de suite... Tu viens de parler de Neil.

– Mais pas du tout.

– Qu'est-ce que tu fabriques, Bernie?

– Mais rien. Je suis là, Myriam. Je te réponds.

– Tu ne viens pas de parler de Neil?

– Non.

– Bernie, je comprends pas. Tu as l'air complètement absente.

– Je t'écoute. Je ne vois simplement pas comment caser ça dans l'emploi du temps.

– L'emploi du temps?

– L'emploi du temps.

– Mais quel emploi du temps, Bernie? Ton fils a disparu depuis six mois! Tu n'as aucune nouvelle! La police pédale! Ton mari est marié avec la Paramount et tu ne peux pas venir avec nous prendre l'air pendant deux jours?

– J'ai terriblement sommeil, Myriam, tu ne peux pas t'imaginer ce que j'ai sommeil.

– Sommeil?

– Oui. Et pour Neil aussi j'ai sommeil. Je voudrais tant qu'il dorme. Qu'il se repose. Il le mérite, tu sais. Je le bercerais dans mes bras et il s'endormirait, Myriam, tout doucement comme un petit enfant. S'il était là, je ferais cela et nous dormirions tous les deux.

– Bernie, qu'est-ce que tu me racontes ?

– J'irais le déposer là-haut sur son lit pour qu'il soit à son aise et je tirerais la couverture sur ses épaules pour qu'il ne prenne pas froid.

– Bernie...

– Il ferait pipi avant d'aller se coucher pour ne pas se réveiller au milieu de la nuit. Pour être tranquille. Et alors moi aussi je pourrais me reposer en laissant ma porte ouverte. Je fermerais la maison à clé et la nuit pourrait tomber sur nous. Ça n'aurait plus aucune espèce d'importance. Elle serait aussi noire que Dieu le déciderait – je m'en fiche pas mal – et même épaisse comme de la poix. La nuit, Myriam, la nuit. Tu ne sais simplement pas ce que ça veut dire.

– J'arrive », dit Myriam en raccrochant.

Bernie eut tout le loisir de regarder en boucle la fin de la cassette en vidant un verre à chaque fois. Elle cachait les vidéos dans le garage sous un tas de chiffons lorsqu'on sonna à la porte.

« *Jeeesus Christ...! You're fucking drunk!* » s'écria Myriam en la poussant à l'intérieur.

Elle lui fit monter les escaliers en la tenant par la taille, l'allongea sur son lit et décida d'attendre patiemment sur place.

Scott allait peut-être arriver avant qu'elle ne se réveille.

*

Les conjectures stériles de Myriam sur l'origine de la stupeur qui frappait sa partenaire n'y changèrent rien, le rythme de Scott non plus. Tout, y compris au premier chef les manœuvres de Jens et Dwight Bodine, concourut à la réalisation d'un seul et même but : Bernie reçut seule la troisième cassette. Il en fut ainsi d'une part parce que Myriam devait quitter la maison des Pendergast pour réceptionner la livraison de Jens, d'autre part parce que la messagerie de Scott, saturée de dépêches urgentes et professionnelles, renvoyait froidement à la secrétaire de son patron.

En réalité, Bernie *attendit* seule ce troisième paquet comme un enfant attend une claque : pour s'assurer de l'épaisseur et du bon ordre de la réalité. Elle le reçut en mains propres du facteur, plia le papier d'emballage, le rangea à l'endroit habituel et se servit la même ration de scotch avant d'introduire la vidéo dans le lecteur. Elle commença à la regarder assise de travers sur le canapé avec les précautions du rite : Neil, ou plutôt son corps blanc sous l'ampoule nue de la cuisine, la chaise maculée, la table luisante de gras, le repas d'immondices, un carillon qui sonne et Neil qui ne bouge pas d'un pouce. Mais le carillon sonna à nouveau alors que son visage commençait à se figer et la bave à couler le long de son menton ; et, comme les cloches continuaient à sonner dans son dos, Bernie se leva machinalement pour aller ouvrir la porte.

La fraîcheur de la nuit pénétra dans le vestibule. La stridulation des grillons et l'humidité de la pelouse la tirèrent un instant de sa torpeur. Une lune de carton-pâte éclairait vivement sa voisine, madame Andrews. Bernie n'eut pas la présence d'esprit de la saluer.

« Vous avez crié, madame Pendergast ?

– Non.

– J'aurais pourtant juré que ça venait de chez vous. C'était comme un cri d'en... de... Enfin, on aurait dit que ça venait d'un poste de télévision, mais ce n'était pas tout à fait comme dans un film, alors...

– Je n'ai rien entendu.

– Vraiment ? C'était tellement fort. Et puis... Plusieurs fois de suite...

– Non, vraiment, vous vous trompez, je vous assure que je n'ai rien entendu du tout.

– Vous êtes pâle. Est-ce que... Enfin ça ne me regarde pas, mais... monsieur Pendergast est-il avec vous ?

– Oui, bien sûr.

– Je n'ai pas vu sa voiture ce soir, alors je me suis dit qu'il valait quand même mieux que je passe quand j'ai entendu les cris.

– C'est très gentil à vous, madame Andrews, mais Scott a laissé sa voiture au travail. Je suis allé le chercher aujourd'hui et je le raccompagne demain au bureau avec la mienne. Je dois me rendre chez une amie qui habite près de la plage. Il se laissera conduire, pour une fois.

– C'est bien d'aller vous détendre. J'étais inquiète de vous voir toujours chez vous. »

Bernie serra le col de sa robe de chambre.

« Vous avez des... enfin... des nouvelles ?

– Non, aucune. Rien.

– Excusez-moi... Je ne voulais pas vous... c'est naturel de le demander. Je l'ai connu tout petit, alors...

– Bien sûr. C'est naturel, madame Andrews. Mais, non, nous ne savons absolument rien. »

Bernie se demanda si elle avait arrêté le magnétoscope ou si la cassette continuait au contraire de tourner. Avait-elle seulement pensé à baisser le son avant de se lever ?

« Vous devriez rentrer, ajouta madame Andrews en montant de manière insistante sur la première marche du perron pour se donner une contenance. Vous allez prendre froid. »

Elle chercha en vain à croiser le regard de Bernie.

« Vous êtes sûre que vous ne voulez pas que je reste quelques instants ? Je peux prévenir mon Henri de chez vous. Il comprendra, vous savez. Je peux quand même le laisser seul un quart d'heure. »

Bernie n'eut pas la force de lui répondre. Elle recula comme une petite bête, buta avec ses talons contre le paillasson, remercia sa voisine pour sa gentillesse et referma la porte. Elle constata avec soulagement que l'image était à l'arrêt lorsqu'elle remit les pieds dans le salon.

*

Il y avait un message de la secrétaire de Scott sur le répondeur lorsque Bernie se réveilla le surlendemain vers quatre heures du matin. Scott ne devait rentrer que le lundi suivant à cause de divers problèmes compliqués à régler avec monsieur Bodine. Myriam avait appelé cinq fois de Palm Springs. Jens prenait directement contact avec elle pour de futures affaires.

Bernie ouvrit la fenêtre pour respirer l'air du jardin. La lumière était allumée dans la chambre de madame Andrews. Bernie se dit qu'elle devait être en train de lire ; à moins qu'elle ne s'occupât de son mari invalide. Elle remarqua que Scott avait ouvert l'album de photos mais décida de ne pas le regarder. Elle le referma et le reposa à sa place sur la commode. Elle s'aspergea d'eau fraîche au robinet du lavabo et s'allongea sur le carrelage. Elle pensa un moment prendre sa voiture et conduire dans la nuit dans la direction du désert ou, au contraire, au hasard, le long des rues vides. Elle aurait également pu aller dans un bar ou une boîte de nuit, mais elle s'endormit à nouveau.

À vrai dire, Bernie aurait été incapable de dire si elle s'était allongée par terre dans la salle de bains ou dans la cuisine lorsque Scott la réveilla en jetant un verre d'eau glacée sur son visage. Il lui sembla qu'elle était descendue grignoter quelque chose de bon matin en se réveillant et que la porte du placard au-dessus de sa tête était celui des produits de ménage. Elle se dit qu'elle avait pourtant dû avoir la force de retourner se coucher à un moment ou à un autre ; le vertige qui l'avait prise dans l'escalier la mit sur cette piste.

Une lumière bleu et rouge passait rapidement en alternance par les barreaux de la fenêtre en striant le plafond circulairement de droite à gauche. Bernie reconnut la porte du frigidaire. Scott était penché au-dessus d'elle et lui donnait des claques.

« Neil est là, Bernie. Ils l'ont retrouvé.

– Retrouvé ?

– La police a appelé au bureau. Ils ont laissé des messages partout. »

Bernie ferma les yeux et se couvrit la bouche avec sa main.

« Il t'attend au salon.

– Il est là ?

– Oui, là. À côté. Il veut te parler. Il faut te lever, maintenant.

– Je ne peux pas, Neil, et si jamais ils voient...

– S'ils voient quoi... ? Il veut juste te parler, Bernie. Il est crevé, lui aussi. Après nous irons nous coucher et tout ira mieux demain. Il faut faire cet effort. »

Le portable de Scott vibra dans la poche de sa veste. Scott se leva et parla quelques minutes à voix basse en se tournant vers le mur. Le gyrophare de la voiture de police continuait à éclairer la cuisine. Bernie entendit des murmures et des pas derrière la porte.

« C'était Dwight. Il vient d'entendre les nouvelles locales à la radio. Il te salue. »

Bernie s'assit en appuyant son dos contre les pieds d'une chaise et hocha la tête comme un pantin.

« Est-ce que Neil peut venir ?

– Non. C'est à toi d'y aller. Ils vont repartir, maintenant. *For Christ's sake*, Bernie... »

*

Bernie se dit qu'elle avait fait bonne figure lorsqu'elle laissa Scott et Neil seuls au salon pour aller se coucher une heure plus tard. La pièce était propre, le lecteur vide, la télévision éteinte. Il y avait des fleurs dans le vase et des chocolats M. & M. dans la coupe en cristal, ceux que Neil avalait par paquets entiers. Elle avait pleuré, ce qui était normal, et ses larmes l'avaient réveillée. Sa peau était détendue comme après un soin. Elle n'avait pas questionné Neil ; l'officier de police lui avait demandé de ne pas le faire quand elle l'avait croisé dans l'entrée. Pas tout de suite.

Elle les entendit monter tous les deux, se brosser les dents ensemble, cracher en même temps dans le lavabo et rire en essayant de ne pas trop faire de bruit.

Scott entra dans la chambre et s'allongea sur la couverture sans se déshabiller.

« Tu ne viens pas ? demanda Bernie.

– Si. J'ai juste besoin d'une minute pour récupérer.

– Il a parlé ?

– Nous avons parlé du lycée.

– Il va y retourner, maintenant.

– Bien sûr, il va y retourner. C'est fini.

– Tu crois ? demanda Bernie en remontant le drap sur son menton.

– Comment ça, je crois ? »

Le vent léger de l'été souleva les voilages de leur chambre. Bernie aperçut un morceau de la maison de madame Andrews dans un coin de la fenêtre : le bord de son toit, qu'elle n'avait jamais remarqué auparavant, et les étoiles de la nuit claire très loin au-dessus. Elle se dit qu'elle aurait dû appeler sa mère avant de se coucher; et Myriam, et sa sœur.

« C'est drôle, maintenant qu'il est là, à côté, je n'arrive pas non plus à dormir.

– Ça reviendra, Bernie. Peut-être même tout d'un coup, qui sait?

– Je ne sais pas. Je n'arrive pas à m'y faire. C'est tellement bizarre. C'est comme si ce n'était pas vraiment fini.

– C'est fini, dit Scott en se tournant sur le côté. Il suffit de le vouloir. Il faut y croire, Bernie. Y croire. *It's all history, now.* »

Les fourreurs

J'écoutais leurs chansons d'automne debout sur le trottoir dur, chaudes, légères, un peu grises. Ils passaient des journées entières derrière leur vitrine, leurs belles mains mouchetées d'ambre reposées sur leurs fourrures. Leurs doigts fatigués aux ongles ovales et réguliers caressaient comme des doigts de femme les cols et les manchons. La petite sonnette grêle tintait deux fois et je me glissais chez eux comme sous ces globes de verre qui protègent les horloges. Il y avait une odeur entêtante de papier et de poussière. Je touchais la loutre, l'ocelot et le phoque. Ils m'enveloppaient pour rire dans les peaux ouvertes au ventre. Je les croisais de l'intérieur en les repliant sur mon torse pour rester au chaud. Je sentais la douceur de leur poil soyeux contre mes mains et mon visage. Assis à côté d'eux dans un vieux fauteuil de cuir rouge, j'avais l'air d'un trappeur miniature. J'écoutais leurs histoires. Je goûtais leurs gâteaux. Ils me montraient des photographies, des livres reliés, des jouets articulés, des rouleaux de phonographe. Ces objets étaient intacts depuis le jour où ils les avaient rangés. Ils portaient les traces d'une usure déjà ancienne que les boîtes et les cartons avaient conservée en l'état. Les photographies étaient à peine jaunies, glissées sous le papier paraffiné qui les avait protégées de la lumière. Les livres portaient, inscrits à la plume, des dédicaces, des mots, des notes, des croquis, que leurs destinataires maintenant disparus avaient lus et regardés en d'autres temps et d'autres lieux. Les rouleaux de cire étaient rangés côte à côte dans de longs étuis écornés. Il y avait, dans un tiroir, un Pinocchio en bois verni ; le nez du petit garçon de Collodi pouvait se télescoper sur presque trente centimètres.

J'étais un ignorant devant ce qu'on me présentait. Je ne voyais rien de plus que des statues droites, figées dans le temps, qui n'attendaient plus rien ; déjà mortes et destinées à l'oubli, conjurant et invoquant tout à la fois ce qui avait été.

Ils buvaient lentement leur thé et se disaient entre eux de courts mots feutrés, ronds comme de grosses billes. Leur conversation, parfois, m'endormait et j'allais m'allonger sous les peaux. Au réveil, je les voyais pendre au-dessus de ma tête, sereines compagnes douces et muettes. J'avais comme eux les yeux rougis aux coins. Souvent, un ami les avait rejoints pendant mon sommeil. J'écoutais le nom qu'on me disait comme le roulis d'une vague légère et sans écume. Ils avaient tous depuis longtemps renoncé au travail. Leurs pensées s'en étaient retournées vers leurs femmes défuntes, leurs sœurs, leurs anciennes boutiques, leurs visites aux lieux de culte enneigés. Leur périmètre se réduisait à quelques rues. Ils sortaient peu. Certains ne passaient le seuil de leur porte que pour venir au magasin. Si nous avions dû nous retirer du monde, ils auraient pu faire eux-mêmes leur pain et des choses plus difficiles encore. J'imaginais leurs placards et leurs caves encombrés d'instruments précieux. Je ne doutais pas qu'ils eussent pour projet de m'en dévoiler un jour le contenu et qu'ils débattissent dans leur langue du jour et de l'heure. Je devais en être digne, attendre l'âge.

L'heure sonnait. Je me relevais. Après m'être défait de ma fourrure, j'allais rejoindre leur cercle. Je faisais le tour des accoudoirs. Il posaient leur tasse l'un après l'autre sur un rebord de table ou un journal déplié. Ils m'embrassaient sur les joues et le front et gardaient un court instant ma tête entre leurs paumes. Je sentais sur mes tempes la tiédeur de leurs doigts chauffés par la porcelaine. Leurs veines vertes et gonflées faisaient d'étranges rivières. Je sortais sans me retourner. Du trottoir, je collais mon visage contre la vitrine pour un dernier au revoir. Leurs yeux brillaient dans la pénombre. Des paires de bijoux profonds. Des feux d'oiseaux de proie. Pleins d'amour, éternels, invincibles.

Invitation à un démontage

J'étais si mal assis dans ce train, avec cette grosse femme collée contre moi, son sac à main de forme oblongue, mat sur le dessus, lisse sur les bords comme un calisson, à moitié posé sur mes genoux... Je croisai et décroisai les jambes pour manifester mon besoin légitime d'espace et c'est ainsi que la semelle de ma chaussure effleura son mollet grassouillet. L'inévitable gomme à mâcher, mieux connue sous le nom de «chewing-gum», ramassée très certainement à la gare de départ, accrocha son bas épais de couleur chair. En s'écartant par politesse de sa rotule, mon pied droit déroula un fil élastique d'une longueur épouvantable. «Veuillez m'excuser», dus-je dire en le dévissant au niveau de la cheville.

Je me levai en sautillant sur la jambe gauche. J'attrapai mon bagage à main pendant qu'elle se collait derrière moi et enfonçait ses mains dans les poches de mon veston pour m'aider à maintenir mon équilibre. Je rangeai soigneusement mon pied, toujours chaussé, dans sa boîte, un magnifique coffret en acajou fait sur mesure à Cracovie, matelassé d'une belle soie mauve.

«Merci encore», ajoutai-je, espérant clore l'incident par deux mots de politesse.

Elle se remit à la lecture d'un ouvrage de grand format dont les pages avaient l'air difficiles à tourner. Le vent qui soufflait par la fenêtre les gonflait comme les voiles d'un navire. Je me penchai par-dessus son épaule pour satisfaire ma curiosité. Elle me demanda avec froideur si je pouvais, soit l'aider à les tourner, soit fermer la fenêtre. Aurais-je eu, en bref, l'obligeance d'être utile ? Pour toute réponse, je passai un bras derrière son dos.

« Tsst-tsst ! » fit-elle en claquant la langue pour manifester son désaccord. Je retirai donc mon bras droit et le déposai sur la banquette d'en face, résolu à tourner les pages de l'autre main.

Il s'agissait d'une partition d'une vingtaine de feuillets, pour voix et piano. Elle commença à chantonner (*la-la-la*) et moi à battre la mesure avec le pied restant (*pom-pom-pom*) sur la moquette de la compagnie des chemins de fer.

C'est à ce moment précis qu'un monsieur, lui aussi assez gros, fit irruption dans notre compartiment et s'assit de tout son poids sur mon bras. J'étais tellement pris par la mélodie, elle toute savoureuse et moi stupéfié par les entrelacs presque arabes des portées où elle s'inscrivait dans deux clés distinctes, de sol et de fa, que je ne ressentis aucune douleur. La voix de cette femme était divine. Elle venait de l'Est – était très certainement russe ou polonaise, à la fois maternelle et rompue aux rigueurs de la steppe.

Nous en arrivâmes enfin aux deux barres qui marquent la fin d'une composition, l'apogée d'un règne, le début d'une attente. Elle se retourna vers moi pour manifester son contentement. Il était fort grand. Elle avait oublié le vent qui passait par la fenêtre et crut devoir donner libre cours à sa joie en me tirant les oreilles. Lesquelles lui restèrent dans les mains. Pouvait-elle les remettre à leur place dans le sac à oreilles rangé dans la poche intérieure de ma malle de voyage ? Elle s'exécuta sur-le-champ sans se faire prier.

«Je vais vous aider avec votre sandwiche», dit-elle pour se faire pardonner. «Là! On va se débarrasser de ce bras encombrant. Je vous mets la petite serviette. Permettez que je la noue bien serré derrière le col. Et voilà! Une bouchée pour le monsieur... Hop!»

Le vieux en face me faisait signe de mordre dedans et c'est ainsi que je fus conduit à mastiquer sous leurs ordres. Elle ramassait les morceaux de jambon qui tombaient sur mon pantalon, ceux que sa main ne parvenait pas à rattraper assez vite, et lançait partout des regards concupiscents.

Leur conversation s'animait. Je ne l'entendais que faiblement, rapport aux oreilles, mais le sentiment grandissait en moi qu'ils n'en étaient pas à leur première rencontre. Il y avait quelque chose dans leur attitude qui trahissait l'entente, la farce, et même le complot.

En guise de dessert, elle m'enfourna une pomme bien verte et brillante dans la bouche, une pomme comme il faut, un vrai fruit de chez le fruitier. Sur quoi, le vieux se mit à tirer sur ma jambe restante comme un dératé et, dans un accès d'hilarité démentielle, la fit tourner en l'air telle une majorette son bâton.

Elle le pria de se calmer, décolla avec ses ongles les morceaux de fruit pris entre mes dents et m'essuya la bouche avec son mouchoir à elle, toujours avec cet air d'avoir de l'appétit.

Nous approchions de la gare d'arrivée. Sans prévenir, elle me plaqua contre la banquette comme au stade le jour du match. Pendant que mon tronc se débattait de toutes ses forces, le vieux en profita pour me fondre dessus, me dévissa la tête et la lança comme au basket dans le filet à bagages. Je me cognai le nez contre la paroi en Formica. Le reste de ma personne, un peu hagard, resta pantois sur la banquette. Le train s'arrêta. De là-haut, je les observai enfiler leur manteau et ramasser leurs effets.

C'est lui qui, dûment chapeauté, sortit le premier du compartiment. Lorsqu'il eut disparu dans le couloir, elle sortit en douce une carte de visite de son sac, griffonna rapidement quelques mots à mon attention et la glissa derrière la pochette de mon veston. Dans l'angle de la porte, elle souffla un baiser sur son gant en veau retourné et me dit en détournant la tête: «Venez au concert demain soir. Cette ville-ci. Il n'y a qu'une salle. Huit heures. Je compte sur vous.» Je ne répondis pas. Elle rajusta ses gants en tapotant le cuir entre chaque doigt, comme on fait pour vérifier la taille.

Je restai muet. Elle s'arrêta tout net, croisa les bras, me regarda droit dans les yeux et ajouta: «*Douchka*, je serai très déçue si vous ne venez pas.»

«Je viendrai. Je n'y manquerai pas», lui répondis-je le plus aimablement du monde. Elle put vérifier dès le lendemain que j'avais décidé de tenir ma promesse.

La clé

Qui l'eut en premier ? À cette seule question, un doute plus profond m'arrête : existe-t-elle ailleurs que dans notre mémoire ? Mais je me dois de continuer et de donner confiance aux autres. J'y reviens donc : qui l'eut, au départ ?

Après tout, cela peut remonter très loin depuis le temps que l'armoire est dans la famille. Tous maudissent le serrurier qui porte la responsabilité de cette machinerie méchante et défectueuse. Et depuis combien de temps est-il impossible de l'ouvrir ? A-t-on même la preuve que la porte ait jamais tourné sur ses gonds ? Mon fils, lui, pourra-t-il savoir un jour ce qu'elle contient ? Peut-être n'essaiera-t-il même pas. Peut-être la fera-t-il tout simplement déménager au grenier ou à la cave, où on l'oubliera pour toujours. Peut-être, dans un accès de colère, défoncera-t-il la porte d'un grand coup de pied en lâchant une grossièreté et les choses en resteront-elles là.

La clé, encore et toujours. Elle pourrait très bien être en la possession d'un inconnu ou d'un étranger. À moins que par une curieuse ironie du sort elle ne se trouve dans les mains d'un aïeul ou d'un parent éloigné que nous ne connaissons pas. Mais, plus vraisemblablement, personne ne l'a. Je veux dire qu'une *chose* pourrait très bien l'avoir recueillie : un trou, un vase, une fissure dans le parquet, la poche d'un pantalon abandonné dans une malle.

Hier encore, comme chaque soir après le dîner, nous nous sommes réunis dans la chambre et nous avons bu la tisane assis au bord du lit. Puis nous avons appelé Alicia à l'hôpital. Elle avait une bonne voix, claire, attentive, pleine de chaleur. Elle m'a dit qu'il était déjà plein de forces avec de jolies proportions de tête (le choix de ses mots, parfois, m'étonne), qu'il s'accrochait à son index avec force, qu'il prenait tout avec appétit et dormait plus que le nombre d'heures requis par le docteur.

J'ai raccroché le combiné et j'ai répété pour les autres ce qu'elle m'avait appris. Tante Mathilde s'est crue obligée de rappeler qu'on avait dit exactement la même chose à ma naissance, avant l'hémiplégie, le fauteuil, le lit. Puis elle est sortie de la pièce, le dos courbé, en boitant plus qu'à son habitude. Ils l'ont tous suivie et ont défilé, la tête basse, en claudiquant en direction de leurs quartiers respectifs.

J'ai refermé la porte derrière eux et j'ai regardé la serrure en face. J'ai répété devant elle à voix haute pour moi seul les paroles d'Alicia. Ces mots de miel m'ont soulevé de terre. Ils m'ont donné une confiance sans limites dans l'avenir. Je me suis rapproché de l'armoire en glissant sur le parquet. Je l'ai observée de près. Cette serrure, finalement, m'est apparue comme n'importe quelle autre serrure, une serrure bien banale sans rien de très particulier. Je ne l'ai pas forcée. Je ne l'ai pas touchée. Ce n'est pas un devoir qui me revient. C'est la tâche de mon fils de se battre pour retrouver la clé.

Assis par terre, je me suis rappelé mes leçons d'écolier. Nous étions il n'y a pas si longtemps un peuple de guerriers qui avait conquis des mers lointaines et des terres hostiles. C'était dans nos manuels. Après de rudes épreuves, nos rois et nos princes dormaient profondément dans leurs tentes de croisés. Les flambeaux, à l'extérieur, éclairaient faiblement le passage des vigiles. J'ai éteint la lumière comme eux dans la tente, je me suis couché et j'ai enfin dormi du sommeil du juste.

Invitation à un remontage

Vous imaginez avec quel mal le chef de train me sortit de cette impasse. Je le priai de remettre ma tête en place et de la coiffer de son chapeau. Il me porta jusqu'au taxi et c'est le chauffeur qui me déposa sur la banquette du hall de l'hôtel. Je dus donner trois forints au garçon d'étage pour qu'il me prenne dans ses bras jusqu'à mon lit avec tous mes paquets. Il m'apporta les journaux de l'après-midi comme je le lui avais demandé et je lui donnai vingt fillérs supplémentaires pour qu'il aille me réserver une place d'orchestre. Le lendemain soir, un taxi me déposait devant la salle Sloty.

Le tronc posé à même le sol, dans un hall tendu d'une vieille soie rouge qui le faisait ressembler à un salon d'attente de maison close, je brûlai une dernière cigarette avant la sonnerie. Il y avait sur l'affiche deux noms décorés d'accents retouchés au pinceau. Je savourai le dernier moment avant d'entrer. Une fois le public installé, je poussai tant bien que mal mes valises devant moi et donnai un coup de tête dans la porte. Une ouvreuse récupéra mon billet et m'indiqua ma rangée. C'était peine perdue. J'avais étudié le plan de la salle depuis ma chambre et j'y allais déjà en roulant pendant qu'elle me suivait avec mes bagages d'un air suspicieux. «Désolé», dus-je dire à l'endroit de ma malheureuse voisine qui regardait d'un mauvais œil cet amoncellement de paquets entre son siège et le mien. Je finis de m'installer juste à temps pour l'extinction des lumières.

Il arriva le premier, très applaudi, fit ses révérences et attendit sagement debout à côté du piano. Je le reconnus immédiatement. Il flottait dans son habit et avait l'air ridiculement petit sur cette scène, un peu perdu.

Elle fit son entrée et ce fut un tonnerre d'applaudissements. Elle repéra immédiatement ma rangée et m'adressa un sourire satisfait, un sourire lumineux bien qu'à peine perceptible, avant d'aller se placer à côté de l'instrument.

Il releva sa queue-de-pie avant de s'asseoir et ils entamèrent Schubert. *Das Wandern.* Un merveilleux *Am Feierabend* suivit. L'impuissance – *Que n'ai-je mille bras à mouvoir!* – juste avant le renoncement, voire l'apathie – *Ah, que mon bras est faible! Ce que je soulève, ce que je porte, ce que je coupe, ce que je bats, tout apprenti pourrait le faire.* (Ces derniers mots répétés – *Jeder Knappe tut mir's nach* – pour marquer l'incertitude des premiers transports. Quel art, vraiment!)

J'en profitai pour demander à ma voisine d'ouvrir mon premier sac. La fermeture éclair fit un bruit affreux et la salle tout entière la conspua pour cette ignominie. C'était mon seul sac à fermeture bruyante et je me félicitai de ce qu'elle fît elle-même les frais de cette opération. Mes oreilles en ressortirent en parfait état.

Puis ils se lancèrent dans *Die liebe Farbe*, suivi de son inévitable complément, *Die böse Farbe*, pendant lesquels je poussai ma voisine de l'épaule en lui indiquant la valise où se trouvait mon bras droit. Elle fit semblant de ne rien entendre, détourna la tête et se rapprocha affectueusement de son mari. Ma voisine de gauche, compatissante, se pencha pour l'ouvrir et m'aida même à le remettre. C'était une opération compliquée, exigeant des contorsions qui privèrent nos voisins de derrière d'une vue de la scène pendant un petit quart d'heure.

Je pouvais maintenant revisser sans mal ma jambe droite ainsi que le pied qui lui revenait. Ce dernier n'avait pas quitté sa chaussure depuis la veille. J'eus soin d'ouvrir délicatement la serrure de la boîte, celle-là même faite spécialement pour la circonstance à Cracovie. Elle ne fit aucun bruit et je ne manquai pas de faire remarquer à ma voisine que je m'étais réservé les honneurs de ce silence. Elle me foudroya d'un regard qui signifiait «Comment avez-vous osé?», «Quel odieux personnage!» ou quelque chose de pire encore qui laissait finalement supposer sa bonne volonté. Quel plaisir de retrouver ses chaussures! J'en fis tout de suite profiter l'autre pied.

Nous en arrivâmes enfin aux deux chansons d'automne de Béla Bartók, aux belles allitérations de *Az Öszi Lárma* et de *Az Agyam Hivogat*, puis au merveilleux chant de la mer, *Egyedül A Tengerrel*, brave et nostalgique, avec ses douces et suaves répétitions de «*dalol*» et du minuscule «*dalolo*», perdus là comme des gouttelettes à l'avant-dernière strophe alors que les vagues grondent et se font sauvages. La recollection fut alors consommée.

Vous vous en doutez déjà, c'est entier que je ressortis de cette petite séance, non seulement reconstitué mais assez bien armé contre les vicissitudes de la vie. Je quittai la salle d'un pas léger, non sans avoir fait fleurir la loge de mon égérie. Je repartis dans un tel état de contentement que j'en oubliai mon bras gauche par terre dans son sac. Le garçon d'étage me fit remarquer cette lacune quand j'arrivai à l'hôtel, voyant certainement là l'occasion d'une course rémunérée, mais je ne me laissai pas impressionner.

Pour toute réponse, je désignai ostensiblement de la tête, d'abord ma jambe et mon pied droits, ensuite ma jambe et mon pied gauches, avec un petit sourire à chaque fois, comme on ferait pour montrer à un enfant deux cartons représentant, disons une pomme et une poire, et sur lesquels s'inscriraient, au-dessus de chaque fruit, le mot «POMME» et le mot «POIRE». Voyez, mon brave : le nom d'une part, la chose de l'autre. Et s'il en manque, eh bien! nous irons en chercher. Des pommes ou des poires, comme vous voudrez.

C'est donc en vitesse que je retournai au vestiaire du théâtre avant de rejoindre la gare. Le sac s'y trouvait, trônant sur une planche du réduit des objets trouvés, assurément le plus étrange de tous ceux qu'on ait jamais collectés en ce lieu. Je repris mon bien en méditant sur l'honnêteté proverbiale des autochtones. C'est en sifflotant une marche militaire que je repartis de cette ville délicieuse et décidément mélomane.

J'y reviendrai un jour.

Le chat cuisinier

Heureux chat! Vous maniez la cuillère comme d'autres de votre espèce la pelote de laine ou le tissu des fauteuils. Vous épluchez, coupez en cubes, tournez les sauces. J'attends là-bas derrière mon panier. J'en sors à l'odeur du fumet et déguste votre veau marengo à quatre pattes, les coudes collés aux flancs et la tête enfoncée dans l'écuelle. Vous restez à me regarder avec votre belle toque blanche qui vous donne un air normand, l'air doux et tenace du linge qui sèche et des pommiers tordus.

C'est à Coutances que je vous ai trouvé l'an dernier, fier et chafouin, dans un coin du jardin. Je vous ai donné le gîte et le couvert. Vous avez pris ma place de quelques petits coups de patte et je n'ai rien vu. Comme le temps passe... Prenez bien soin de moi maintenant, ô chat cuisinier.

Harper's Bazaar

« Je ne crois pas que ce genre de croquis corresponde le moins du monde à ce que nous cherchons pour notre numéro, objecta un peu sèchement madame Epstein. C'est trop coloré, trop brouillon. Comment dire... ? Trop *baroque.* »

Elle mordilla la petite gomme bleu ciel au bout de son crayon et afficha un air raisonnable pour dissimuler son plaisir. Bien trouvé, pensa-t-elle. Exactement le mot que je cherchais.

Mademoiselle Collins retira une nouvelle planche de son carton à dessins et l'étala bien à plat sur la table. Elle attrapa la boîte de pralines ouverte à côté d'elle et la posa sur le coin supérieur droit en tenant le coin inférieur gauche du bout des doigts.

Son interlocutrice réprima un mouvement d'impatience. Madame Epstein n'aimait pas voir une étrangère se pencher de tout son long en travers du plan de travail et bousculer ses pralines dans le seul but d'en faire des pralines utiles.

« Celui-ci paraît beaucoup plus classique, évidemment », concéda-t-elle en posant à son tour une main sur le bas de la feuille.

La veste du tailleur dessiné par la jeune postulante ne lui déplaisait pas. Elle s'interrompit pour toussoter comme si elle avait avalé son amande de travers.

« Le problème, objecta-t-elle avec une certaine satisfaction, c'est que ce n'est pas du tout ce que j'entends *moi* par classique. »

Elle mit la main devant la bouche et esquissa une grimace du coin des lèvres. Elle avait l'air de souffrir un tout petit peu, ou alors de réprimer une douleur profonde avec de microscopiques rictus de politesse ; il était difficile de faire la part des choses.

« Classique égale sobre », ajouta-t-elle en s'emparant d'un nouveau bonbon pour soigner le mal par le mal. « Les franges, là... Non. »

« C'est pourtant ça, l'idée... » insista la jeune fille. Ses doigts soulevèrent le calque contre lequel de minces cordons tombaient d'aplomb grâce au poids de fausses perles en verre coloré. « Vous pouvez les laisser... ou bien les enlever. » Elle aplatit la feuille translucide d'un revers de la main, puis la ramena vers elle – tour à tour, plusieurs fois de suite, d'une façon presque cérémonieuse. Une bande de Velcros imitait consciencieusement le piqué de la ceinture reporté sur la feuille du dessous.

N'est-ce pas affreusement laid ? se dit madame Epstein en observant ses pieds. Puis elle envisagea la postulante comme elle aurait fait avec n'importe qui d'autre dans les transports en commun. Elle les prenait les jours de grand embouteillage, pour aller jusqu'à Battery Park respirer l'air de l'océan. Elle promenait d'abord ses yeux sur la rangée des passagers – de profil, en se penchant un tout petit peu, l'air de refaire son lacet – puis elle se levait et marchait la tête haute jusqu'à la porte coulissante pour observer l'un ou l'autre en toute impunité.

«Je crois que nous ne nous entendons pas bien sur le sens des mots, mademoiselle Collins. L'idée du classique, c'est que vous ne vous posez pas de questions. Vous vous levez le matin. Votre client de Milwaukee vient d'avancer le rendez-vous. C'est un homme pressé avec quatre enfants. Un presbytérien. Mais il est généreux. Il va peut-être vous emmener déjeuner à La Côte Basque pour conclure. S'ils ont enfin le bon millésime, il risque de vous glisser un gros chèque après le café.»

Elle retira sa main et laissa le dessin s'enrouler sur lui-même comme un parchemin périmé.

«Nos clientes de la rentrée ne se demandent *pas* si elles vont oui ou non ajouter une ceinture à franges à leur pantalon de tailleur. Elles le sortent de leur penderie sans y penser parce qu'il est sobre et parfaitement coupé. C'est tout ce qu'il leur faut pour être des femmes efficaces.»

Madame Epstein chercha son assistante des yeux. Eva avait un sens discret de l'approbation. Elle portait toujours des pantalons sans pli en soie légère et de petites chaussures plates façon ballerines. Sa tante était une mécène du Metropolitan Opera.

Elle ébaucha un volte-face brusque et nonchalant pour embrasser la pièce d'un seul regard, se retourna et considéra son interlocutrice avec un visage recomposé. Son assistante était passée dans un autre bureau. Maintenant qu'elle était seule avec mademoiselle Collins, elle aurait aimé lui avouer combien elle était désolée de son refus, mais n'en avait pas la force. L'absence d'Eva était à la fois bienvenue et intimidante. La jeune fille n'avait-elle pas appelé cinq fois depuis le début de la semaine pour obtenir ce rendez-vous? N'était-ce pas d'ailleurs plutôt six? Eva gardait toujours en tête ce genre de détail.

Madame Epstein s'en voulut d'avoir été si froide. Ce reproche tout intérieur avait par ailleurs le poids d'une plume. Il était calme comme l'eau d'un lac artificiel.

«Je n'ai rien contre *a priori*, voulut-elle conclure en espérant retourner à ses dossiers le plus vite possible avant la réunion de fin de journée, mais le numéro de septembre est centré sur la sobriété, les valeurs, le beige. Vous voyez ce que je veux dire?»

Mademoiselle Collins crut déceler comme un fendillement dans sa voix, une incertitude. Elle hésitait – c'était peut-être aller trop loin.

Eva passa rapidement la tête par la porte. Madame Epstein, qui avait non seulement des mains expressives mais des yeux dans le dos, avait senti sa lente progression le long du couloir central.

«Veuillez m'excuser un instant», dit-elle.

Elle ment, se dit mademoiselle Collins en la regardant partir répondre au téléphone, pas seulement à moi... sa vie tout entière est un mensonge.

Elle remarqua un léger tassement des épaules, mais cette soumission discrète à la fatalité n'avait en vérité aucune importance. Son jugement et son espoir restaient intacts. Elle aurait tellement aimé travailler pour cette femme sans jamais compter les heures : tôt le matin, le week-end, se donner entièrement au magazine. Elle aurait pu dire à sa nouvelle colocataire «Madame Epstein m'a demandé de rester ce soir», ou bien «Désolée pour ce dimanche, madame Epstein a encore besoin de moi», annuler le cinéma, prendre de la distance, dîner seule dans un restaurant sur Madison, aider ce personnage si extraordinaire à se redresser, à faire face.

Elle rangea le dessin dans son carton et en chercha un autre qui pût quand même plaire, qui correspondît mieux à l'idée qu'elle se faisait d'une directrice de rédaction. Elle pensa à sa série de jerseys pervenche et se mit à observer le visage de madame Epstein derrière le panneau vitré. Celle qu'elle admirait tant avait un petit sourire amusé mais son regard était absent. Son crayon venait tapoter le bout de son nez, le coin de ses lèvres, glisser le long de son oreille en signe de réflexion. Extérieurement, elle s'adressait à un client avec toute la retenue requise sans pour autant lâcher le terrain. Elle hésitait avec tact entre la pondération et un refus de ce qu'on essayait de lui faire accepter.

Ses mains tremblaient, mademoiselle Collins le remarqua tout de suite. Elle tenait le récepteur avec maladresse. Elle aurait été incapable d'attraper un bonbon sans faire tomber la boîte.

Intérieurement, selon les calculs savants de mademoiselle Collins, il en était tout autrement et madame Epstein marchait droit devant pour sortir d'un cauchemar. Avec prudence, comme au bord d'un précipice, sans regarder sur les côtés. Quelqu'un, à l'autre bout du fil, s'ingéniait à donner à ce moment une tournure plus tragique encore. Il ne s'agissait pas d'une petite contrariété insignifiante. Pouvait-on au moins envisager un répit?

L'horreur de madame Epstein...

Elle déglutit d'ailleurs avec difficulté, porta la main à sa gorge et son crayon rebondit mollement sur la moquette.

« Quel genre de cauchemar? » se demanda mademoiselle Collins en oubliant aussitôt les jerseys. *Le genre domestique* – l'idée lui vint sans effort, comme une continuation naturelle de l'absence qu'elle venait de remarquer, un signe de ce qu'elle avait décelé par deux fois, d'abord dans la voix, ensuite dans le regard. Sa vie privée devait être un désastre... *Un cauchemar conjugal,* voilà les mots exacts qui convenaient à sa situation. Elle referma son classeur. D'autant plus...

oui, d'autant plus que la victime était intelligente – prise à son propre piège, toujours à creuser le mal pour qu'on la plaigne en silence, à l'analyser sans fin comme tous les inquiets, à fouiller ses moindres petits replis.

Elle vit que son assistante l'observait elle aussi depuis sa propre cabine. Eva était occupée au téléphone, séparée des autres comme chacun chez Harper's par un simple panneau vitré. Seule la directrice avait le droit de s'enfermer dans une pièce étanche. Mademoiselle Collins eut la curieuse impression qu'Eva essayait de lire sur ses lèvres.

Puis, tout à coup, Eva raccrocha et vint à sa rencontre à petits pas rapides.

« Voudriez-vous un verre d'eau ou une tasse de thé ? » demanda-t-elle en passant la tête, sans même montrer le reste de son corps, buste ou jambe. La pièce appartenait à une autre sphère – la sphère imparfaite des rendez-vous, aménagée par nécessité dans un coin de l'univers très fermé de Harper's Bazaar.

Mademoiselle Collins hésita.

« Je pense qu'elle en a encore pour un moment, ajouta Eva en serrant les lèvres, vous devriez vous asseoir. »

La ventilation de l'air conditionné ronronnait merveilleusement.

« Je prendrai un thé moi aussi. Installez-vous sur le canapé. Je suis à vous dans une minute. »

*

Madame Epstein ne pouvait la voir maintenant qu'elle s'était posée sans rien d'autre à faire qu'attendre son retour et il lui sembla qu'elle la cherchait.

Derrière le gros bouquet de forsythias de la salle de rendez-vous, à deux bureaux de là, madame Epstein luttait dans son bocal. Elle regardait devant elle au hasard, partout où son œil aurait pu déceler une cachette. Elle fléchit soudainement la tête, effleura son front de sa main libre et mademoiselle Collins se dit qu'elle allait se mettre à pleurer. C'était après tout possible. Personne ne l'aurait entendue. Elle balaya son bureau d'un lent revers de la main, peut-être bien pour résister aux larmes, poussant quelques objets au bord du vide – boîte à timbres, carnets, planches contact – puis elle les fit glisser en sens inverse pour les ramener au centre en désordre et s'assit de travers sur le bord du meuble, une jambe dans le vide. Le talon de sa chaussure montait et descendait le long de la rangée de tiroirs. Elle ne portait pas de chaussures plates comme Eva, mais des escarpins lacés qui lui faisaient le pied volontaire.

Elle frappa de la semelle contre la moquette. Mademoiselle Collins vit son corps se raidir et une sorte de rage aveugle se figer dans ses lèvres. On aurait dit un petit animal dans sa cage de luxe, du genre hamster ou furet, pris au piège, affreusement innocent.

Madame Epstein abandonna le récepteur sur une pile de feuilles et reprit son souffle.

Eva entra avec le plateau. Elle y avait posé trois tasses et cela lui redonna de l'espoir ; sur quoi elle ressortit aussitôt chercher des serviettes en papier... ou alors des petits gâteaux mais cela faisait un peu ridicule... et lorsqu'elle eut disparu pour de bon au bout du couloir, c'est madame Epstein qui vint la remplacer.

Elle referma la porte derrière elle et croisa les mains dans le dos à la façon d'une maîtresse d'école, en se laissant aller contre la vitre, histoire de bien envoyer sa réprimande.

« Puis-je vous demander votre prénom ? » demanda-t-elle.

Mademoiselle Collins répondit avec quelque difficulté. Elle n'aurait jamais pensé s'adresser à quiconque sous le nom plutôt commun de Madelyne dans un contexte professionnel.

«Madelyne... êtes-vous mariée?» s'enquérit sans attendre madame Epstein sur un mode qui faisait fi de cet embarras. Elle attendait une vraie réponse. Mentir était hors de question. Madelyne fit bravement «non» de la tête.

Madame Epstein caressa ses cheveux d'un air contrarié, comme s'ils lui faisaient mal. Elle défit ses lacets, retira ses chaussures et aligna ses pieds nus parallèlement sur la moquette. Madelyne remarqua combien ils étaient fins et petits. Miniatures.

«Et... comment dire...? y a-t-il quelqu'un que vous aimeriez épouser?»

Madelyne fit signe que non. «Personne pour le moment», crut-elle opportun de préciser de vive voix.

Madame Epstein regroupa ses talons de façon que les pointes de ses pieds visèrent fièrement des directions opposées. Ses orteils rebiquaient du bout, les uns vers l'angle droit du plafond, les autres vers la partie haute de la fenêtre qui donnait à gauche sur Madison.

«Je le suis, moi... Je suis mariée depuis trente-cinq ans et je déteste l'homme dont je partage la vie.

– Vous y a-t-on obligée?»

Madelyne serra sa tasse vide dans le creux de sa main, surprise par l'audace de sa question et la précipitation avec laquelle elle était venue dans sa bouche.

«Oh, non! Au contraire... C'est moi toute seule qui l'ai choisi, expliqua sans attendre madame Epstein sur le ton courtois de la confession, plutôt contre l'avis de tout le monde.»

Elle se servit une tasse de thé comme si elle seule au monde avait eu soif, satisfaite de sa repartie comme quelques instants plus tôt lorsqu'elle avait trouvé ce mot méchant et recherché de *baroque*.

«Vous pensez que je ne devrais pas vous dire cela, que je ne joue pas mon rôle. Vous croyez que nous devrions encore parler de vos dessins... mais vous avez posé une très bonne question, une question d'actualité.»

Madelyne se demanda s'il était opportun d'ouvrir à nouveau son carton. Qu'aurait-elle aimé montrer?

«Je le hais», précisa madame Epstein en remettant ses chaussures sans les lacer, comme si elle allait faire quelques allers-retours devant un vendeur avant d'en essayer d'autres. Madelyne comprit qu'elle avait demandé à Eva de ne pas les rejoindre. Eva était partie faire quelque chose de très utile pour le bureau et ne reviendrait pas. Sa patronne lui avait dit d'annuler la réunion et d'offrir aux filles le reste de leur journée. Il était cinq heures et demie.

«Je l'ai épousé malgré les conseils de ma mère... et maintenant... eh bien...» Elle se pinça les lèvres et hocha doucement la tête. Peut-être était-il facile et même consolant d'assumer pleinement la responsabilité de ses actes devant une étrangère. Elle s'approcha de Madelyne pour la servir et, lorsqu'elle se pencha pour incliner la théière au-dessus de la tasse posée sur ses genoux, Madelyne remarqua qu'elle portait du fond de teint. Madame Epstein lui avait jusqu'ici semblé énergique et naturelle. Sa nuque était en réalité d'une blancheur bleutée, le gonflement de ses veines trahissait sa fatigue. Elle remarqua un hématome au-dessous de l'oreille, imparfaitement recouvert par le maquillage. Madame Epstein ne portait aucun bijou et la nudité de son cou la rendait soudainement fragile.

«Il appelle toute la journée... pour rien, pour se plaindre, pour me faire toutes sortes de reproches.»

Madelyne essaya vainement de ressentir une sorte de pitié.

«Enfin... dit madame Epstein sans pour autant conclure, je suis vraiment désolée que vous soyez venue pour rien. Qu'est-ce que vous allez faire maintenant?»

«J'ai d'autres projets», répondit Madelyne.

Mademoiselle Collins avait mis tous ses espoirs dans ce rendez-vous. Elle n'en avait pris aucun autre par pure superstition; cette naïveté fit sourire madame Epstein qui avait l'habitude des débutantes velléitaires.

«Bien sûr», murmura-t-elle en reprenant une gorgée.

Elle aurait pu lui donner des conseils – sur la bonne manière d'accepter les compliments et le choix de son carton à dessins, sur sa coiffure, sur la nécessité de mettre un terme à l'effronterie de questions qui trahissaient une timidité naturelle.

Il lui aurait fallu pour cela beaucoup plus d'assurance et de recul qu'elle n'en avait à présent. En réalité, elle aurait voulu renvoyer tout le monde jusqu'au mardi matin, s'allonger pieds nus et regarder le plafond jusqu'à l'aube. Et pourquoi pas en compagnie de cette jeune fille qui tenait tant à travailler avec elle sans oser l'avouer? Pourquoi toujours faire les choses seule? Elle aurait pu pour une fois passer une soirée différente. Avec cette petite Madelyne. Sans dîner à deux dans la cuisine, sans allers-retours au frigidaire pour les médicaments après le coucher, sans attente sur la chaise derrière la porte de la salle de bains. Ce n'était pas pour discuter de ces choses-là qu'elle se trouvait avec elle en ce moment. Elle ressentit une sorte d'agacement envers Eva, sa perfection, son obséquiosité naturelle, et regarda une nouvelle fois ses pieds. Comme elle était chaussée, elle noua rapidement ses lacets et décida qu'il était temps de partir.

«Nous pouvons faire un bout de chemin ensemble si vous voulez, proposa-t-elle en attrapant une dernière praline, j'habite à deux pas du bureau.»

*

Madelyne se dit en sortant de l'immeuble qu'il était beaucoup trop tôt pour qu'une femme aussi occupée puisse quitter son travail à six heures de l'après-midi. Elle était partie précipitamment après avoir donné quelques vagues instructions à Eva, sans raccrocher le téléphone abandonné au désordre de ses papiers.

Elles remontaient l'avenue en silence. Madame Epstein s'arrêtait de temps à autre devant une vitrine et lui demandait son avis sur un modèle. Elles entrèrent même dans une petite boutique d'accessoires comme si le vendredi était un jour de courses. Elles passèrent devant un café et Madelyne crut un instant qu'elle allait lui proposer de s'asseoir. Il faisait chaud. Le thé ne les avait pas entièrement désaltérées. Elles ralentirent ensemble. Madame Epstein baissa la tête. Un poids invisible tirait son front vers le bas.

«J'ai peur», dit-elle froidement.

Il valait mieux ne pas chercher à soutenir son regard. Madelyne hésita à lui prendre la main. Et pourtant, le toucher était de trop. Les mots, alors... Il restait bien sûr les mots – tellement plus faciles. Sans matière.

Elle osa: «De monsieur Epstein?»

Mais il n'existait pas de monsieur avec ce patronyme.

«Je travaille depuis toujours sous mon nom de jeune fille, avoua de bon cœur madame Epstein après un court silence plein de courtoisie, et non... je n'ai pas peur de lui.»

Elle s'était redressée pour donner cette réponse et Madelyne lui offrit un minuscule sourire – un peu pour la soutenir dans son effort, un peu pour se moquer de cette confidence, mais surtout parce qu'elle aurait aimé passer cette fin de journée avec elle comme avec une amie. Elles auraient pu en avoir à la fois le temps et l'envie. Madelyne s'efforça d'y croire. Le soleil qui tombait de biais lui donna ce courage.

« J'ai peur *de moi*, expliqua bravement madame Epstein en reprenant sa marche, peur de ce qui pourrait arriver. »

Elles continuèrent en silence sur l'avenue et, lorsqu'elles arrivèrent devant son immeuble, madame Epstein s'engagea sous l'auvent en toile gris perle gansé de blanc et lui demanda si elle voulait monter quelques minutes. Son allure avait une distinction incroyable, à la fois puritaine et affranchie. Une sorte de fausse réserve forçait le respect de sa personne.

« C'est au dixième », dit-elle, à peine entrée dans l'ascenseur. Elle était en train de chercher ses clés et Madelyne remarqua une fine trace rouge sur la nuque lorsqu'elle se pencha pour fouiller le fond du sac posé en équilibre sur son genou.

« Au dixième… » répéta madame Epstein.

Elle ouvrit bruyamment la porte du vestibule en tournant la clé plusieurs fois de suite dans la serrure et haussa la voix pour annoncer qu'elle rentrait à la maison plus tôt que d'habitude. Elle abandonna son sac sur le guéridon et fit signe à Madelyne de la suivre dans le salon.

Madelyne n'avait jamais vu l'avenue depuis un appartement. C'était la première fois qu'elle pénétrait dans ce genre d'endroit. Elle fit un pas sur la terrasse paysagée et le parc ouvrit pour elle son grand écrin de verdure. Madame Epstein ferma les yeux et inspira fortement pour prendre la première fraîcheur du soir.

« C'est l'heure où j'arrête de répondre au téléphone et où j'aime prendre un Schweppes », dit-elle en tenant ses mains serrées sur son ventre.

Elles repartirent toutes les deux en direction de l'office. Madame Epstein passa la première et l'engagea à la suivre d'un minuscule mouvement d'épaule.

Une voix les arrêta tout net au milieu de leur trajet, là où le salon ouvrait d'un côté sur une salle à manger et de l'autre sur un bureau. Madelyne entrevit une pile de dossiers posée par terre.

« La ligne directe n'est pas coupée. C'est elle qui a laissé décroché exprès. »

Madelyne se retourna. Elle aperçut une silhouette immobile dans le demi-jour de l'entrée, plutôt massive, à peu près de la taille d'un enfant. Il était difficile d'identifier une forme précise.

« Le téléphone est posé sur son bureau... D'ailleurs... Vous a-t-elle seulement montré son bureau... ? Non. Vous êtes restée dans l'aquarium pour invités... Il est recouvert de tout un bric-à-brac inutile, ce bureau. Eva n'a pas le droit d'y toucher. »

Madame Epstein écarta les coudes, ses mains ouvertes remontèrent de chaque côté de son torse comme des cymbales prêtes à battre et la voix dit calmement pour l'empêcher de répondre : « *Même pas Eva...* Personne. »

La lumière rasante de la fin d'après-midi effleura une surface métallique au fond de la pénombre. Madelyne ne savait s'il fallait bouger, dire quelque chose, ou s'il était préférable de s'abstenir de tout. Elle cherchait à se donner une contenance et se rendit compte qu'elle avait oublié son carton dans la salle de réunion.

« Oh... je peux bien rester dans le noir si tu préfères, dit la voix. C'est comme tu veux. Enfin... ce n'est pas la première fois que mademoiselle Collins aura vu un monsieur en chaise roulante. »

Puis, comme aucune réponse ne venait :

« C'est bien le nom de ton rendez-vous, n'est-ce pas ? »

Le silence de madame Epstein était insupportable, épais au point que Madelyne fut soulagée d'entendre la voix lui demander : « Vous vous appelez bien mademoiselle Collins ? »

Elle aurait volontiers répondu, plus dans l'espoir de faire comme si de rien n'était que pour satisfaire à cette requête.

« Il n'y a pas de monsieur Epstein, ajouta la voix. Elle a dû vous le dire... Vous pouvez m'appeler Franck. »

Les roues chromées avancèrent dans le rai de lumière qui filtrait jusqu'au vestibule – imperceptiblement, comme pour se moquer de l'interdiction. Madame Epstein s'interposa. Elle courut jusqu'à l'entrée, fit pivoter la chaise sur elle-même d'un coup sec du poignet et disparut avec Franck dans le couloir qui menait aux chambres. Il y eut le bruit d'une porte violemment fermée, lourde comme la porte d'un coffre.

Madelyne resta figée sur place sans oser faire un pas. Le silence du soir tomba sur elle d'un poids de plomb et, lorsqu'il l'eut enveloppée tout entière, elle tourna la tête en direction de la terrasse. Elle entendit le murmure lointain de la circulation et le croassement des corbeaux du parc.

*

Madame Epstein revint au salon au bout d'un long quart d'heure. Les lumières étaient éteintes ; elle crut que mademoiselle Collins était repartie, mais Madelyne l'attendait dehors, accoudée au garde-corps, l'esprit plein de projets et d'appréhension.

Elle retira ses chaussures pour de bon, pour la nuit « pour toujours, osa-t-elle penser confusément, j'irai pieds nus désormais » – et s'allongea de tout son long sur le tapis. Elle ferma les yeux, écarta les bras en croix et chercha à retrouver son souffle. Ses joues étaient rouges de fièvre, ses lèvres exsangues, ses mains moites. La boursouflure à l'arcade sourcilière commençait à mordre sur sa paupière. Elle tournait lentement au mauve foncé. Franck était moins violent, d'habitude. Il frappait le jeudi soir parce que madame pouvait travailler de la maison le jour suivant avec son téléphone sans avoir de comptes à rendre à personne, mais jamais le vendredi.

Combien de fois avait-elle fait tenir la compresse avec un sparadrap jusqu'au lundi matin ? Combien de fois avait-elle offert sa place d'opéra par peur d'y rencontrer Eva le samedi soir ? Combien de fois était-elle tombée bêtement en promenant le chien, en déplaçant un petit meuble dans la maison de Bridgeport ? Et pourquoi en fin de compte tous ces mensonges répétitifs ? Pour rester seule la nuit sur la terrasse à respirer l'odeur du parc, pour soigner Franck jusqu'au médicament de dix heures, pour le hisser sur le siège des toilettes, lui lire une histoire afin qu'il trouvât enfin le sommeil.

C'était elle la conductrice. Franck était passé à travers le pare-brise, sa cage thoracique s'était écrasée contre le tableau de bord, on avait dû scier la tôle pour dégager ses jambes. Il lui avait quotidiennement décrit l'accident dans chacun de ses détails depuis son réveil du coma en juillet 1965. Comment l'autre voiture était arrivée en face. Comment *elle* n'avait rien eu. Chaque matin avant son départ pour Harper's Bazaar.

En quinze ans, madame Epstein n'avait jamais pleuré. Elle avait écouté les reproches des parents de Franck, répondu aux lettres de leur avocat, pris les affaires en main, payé les frais médicaux qu'on doit payer en cas de refus

173

de priorité. Elle voulait maintenant, comme on dit avec quelque dureté, «pleurer sur son sort» – là, sur le tapis, mais avec ce genre de bonheur que les larmes offrent aux enfants quand la punition a été trop sévère et que la reconnaissance de l'injustice vient enfin à eux: le baiser, le pardon, l'assurance que la faute, terrible une heure plus tôt, n'était qu'une bêtise. «Quel bonheur, se dit madame Epstein en caressant la laine du bout des doigts, quel bonheur mérité que de se laisser aller sur les genoux de son père, de le sentir laver la faute avec ses grandes mains plates qui glissent sur le cuir du bureau...» Voler le cardigan de sa mère, le transformer en gilet à manches courtes, lui coudre de petites plumes sur le col. Quelle importance cela pouvait-il bien avoir? Plutôt drôle, à vrai dire... Le début d'un métier. Ce père si bon cachait à peine son goût de l'espièglerie. Il se moquait volontiers de la punition infligée, poussait son travail sur le côté comme une vieille chose rébarbative: les dossiers, le téléphone, le carnet de rendez-vous, et installait les dominos. Ils étaient là dans le tiroir de gauche, prêts à servir. Baby Epstein gagnait toujours.

Elle ouvrit les yeux. Madelyne était debout à côté d'elle. On pouvait donc compter sur mademoiselle Collins... Comme c'était étrange...

Madelyne s'accroupit et prit ses mains dans les siennes.

«J'ai toujours froid après», dit madame Epstein.

Madelyne ferma les yeux. Elle aurait voulu dire quelque chose – sans doute quelque chose d'inutile et de redondant: elles eurent toutes les deux cette même pensée pour les mots rassurants qui ne furent pas prononcés.

«N'appelez personne», précisa madame Epstein.

Elles restèrent un moment à écouter le murmure de l'avenue et à organiser le reste de leur soirée. Les soins, d'abord. Puis elles dîneraient toutes les deux en tête à tête.

Madame Epstein prendrait même un verre de vin blanc. Il y avait une cave à vins réfrigérée avec de grands crus rangés par année. « C'est la grande porte chromée au fond de l'office », expliqua-t-elle avec fierté.

Elle retira sa main pour échapper à l'étreinte de Madelyne.

« Il faut que Franck se repose, ajouta-t-elle sans changer de position, ses doigts glissant maintenant au hasard sur la surface du tapis, il dîne toujours à sept heures. Le Pentobarbital est posé en haut de l'armoire à pharmacie. Le dosage est inscrit au stylo sur le bouchon. »

Madelyne se releva. Le couloir des chambres n'était pas si loin. L'appartement lui avait paru immense lorsqu'elle était arrivée. Elle aurait pu s'y perdre. Il était maintenant presque familier. Il suffisait de laisser le bureau sur la gauche avec sa pile de dossiers et de s'engager là où la chaise roulante avait disparu. Franck et madame Epstein faisaient chambre à part. Peut-être Franck avait-il sa propre salle de bains. Sans nul doute, d'ailleurs... et une grande penderie pour lui tout seul. Madame Epstein l'avait rassurée : Franck était couché dans son lit, bordé et calme comme un enfant. Toujours doux et inoffensif dans ces moments-là. Honteux.

Il suffisait de sortir l'assiette du micro-ondes et de la poser sur le plateau qu'on calait en travers du lit avec les pieds escamotables. Franck ne poserait aucune question. Le verre d'eau était toujours posé sur sa table de chevet. Il le boirait d'un trait sans rien dire.

*

Madelyne se pencha de nouveau. Madame Epstein avait ramené ses bras contre son corps. Le bout de ses doigts reposait maintenant contre ses genoux. Le haut de son visage était violacé – *tout* le haut : le front à la racine des cheveux, les tempes et jusqu'à la naissance du nez. Les paupières étaient boursouflées. Elle n'irait pas au bureau lundi matin.

Pas une larme n'avait coulé. Son visage était parfaitement lisse, théâtral, dur comme un masque antique. La fatigue était passée dans la partie inférieure, dans ses lèvres sèches et tombantes.

« Si seulement... susurra-t-elle sans pouvoir ouvrir les yeux, la tête immobile sous la grande surface grise du plafond plongé dans la nuit, si seulement Franck n'était jamais sorti du coma. J'ose penser cela... parfois. Je me dis qu'il aurait mieux valu qu'il meure. »

« C'est fait, maintenant », dit calmement Madelyne.

Monsieur Loiseleur

Sous un nom ordinaire, un homme extraordinaire. Portant le nom de sa profession. Plus connu pour avoir exercé ses talents sur la très jeune et très austère mademoiselle Durantin, une des nombreuses pièces de son incomparable collection, rangée depuis 1965 dans la cage de son arrière-boutique.

La mère de cette pauvresse que d'aucuns, mal intentionnés, affublent du sobriquet de « vieille Durantin » tente encore de la racheter contre une livre de sucre – dix, cent peut-être depuis le temps. On prétend qu'elle ignore encore le montant exact de cet impôt de quartier.

Chaque jour que Dieu fait, elle vient après l'église déposer devant la porte de la boutique, en délégation avec les congénères confites qui partagent son sort, un paquet fort coloré aux arêtes régulières marqué « LA PERRUCHE ». Aux alentours de midi, une main gantée, mue par un vilain désir, l'engloutit par la chatière.

Les parallélépipèdes blancs qui composent le contenu de ce paquet sont destinés à la construction d'un château – rien de moins – que Loiseleur fait construire à la campagne dans un lieu ignoré de tous. Un château... mais oui... en sucre. Il forcera l'élue Durantin à le lécher bloc par bloc jusqu'à ce que Fonte et Écœurement s'ensuivent. On dit que la construction sera très grande et que la mère retrouvera sa fille avec de l'embonpoint.

Il sifflote parfois derrière le rideau de fer, ce Loiseleur. Les vieilles s'imaginent alors qu'il en a assez, espèrent un moment qu'il va relâcher leurs petites dans la nature.

Je connais l'homme. Pas plus tard qu'hier à l'heure de la sieste, il imaginait de nouvelles ailes, un donjon et une tour espagnole à créneaux.

Le cas Perenfeld

Des gens l'ont dit et d'autres les ont crus sans trop se poser de questions – par exemple, que Perenfeld était un faussaire et qu'il avait une femme et des enfants à des milliers de kilomètres de chez nous, ou encore qu'il fallait se méfier de lui comme de la peste et même parfois exactement le contraire, qu'on pouvait sans sourciller lui confier le fond de son âme ; les deux choses souvent dans le même discours, autour du même café, sans que cela posât jamais la moindre difficulté. On a prétendu qu'il avait été astronaute et couvreur. J'ai toujours pensé quant à moi que Perenfeld était un homme lunaire, un être de solitude et d'introspection, et que chacun des personnages qu'il a incarnés, souvent contre son gré et pour assurer sa survie, ne reflétait en réalité qu'un fragment de ce qu'il aurait pu être le temps d'une vie tout entière s'il avait été moins hésitant et si le monde avait été plus généreux.

Je l'ai rencontré à quatre reprises. J'ai beaucoup appris à chacune de ces occasions. J'y ai pris du plaisir. J'ai grandi grâce à lui – au hasard, par petites touches impromptues, jusqu'à un âge assez tardif, je veux dire bien au-delà de ce qu'il est convenu d'appeler la « maturité ».

Nous nous sommes croisés la première fois dans un jardin public en 1944. Perenfeld portait un chapeau mou de couleur sombre et de petites lunettes rondes en écaille véritable. Il lisait le journal, un quotidien local assez épais dont je ne pouvais même pas lire les gros titres. Son imperméable était serré à la taille, beaucoup trop serré si mon souvenir est bon, et il avait l'air d'un homme triste et désabusé. Il lisait avec une grande attention, comme s'il avait eu un livre difficile entre les mains, un traité de philosophie ou un roman historique. Je suis passé plusieurs fois devant son banc d'un air nonchalant en faisant semblant de m'intéresser à tout autre chose. Perenfeld était toujours aussi absorbé. Il m'a dit sans lever la tête : « Qu'est-ce que tu dirais d'une bonne glace au chocolat ? » Le tutoiement était surprenant, mais j'ai accepté.

Il en a acheté trois : une pour moi, une pour lui au même parfum et une autre au praliné pour ma mère parce que ma mère adorait le praliné. Il l'a séduite comme ça, en lui offrant une glace de son choix et en lui expliquant qu'elle pouvait lire son journal sans difficulté si elle le voulait parce que le roumain est une langue latine et que, en partant de l'italien, c'était vraiment simple comme bonjour.

« C'est pas une blague, ça ? a-t-il dit. Tiens voir mon cornet cinq minutes. » Il a refermé son journal et l'a défroissé en tirant sur le papier avec force pour que ma mère pût lire le gros titre de la première page avec ses mots bien alignés : *La Roumanie entre en guerre aux côtés des Alliés.* C'était beau, cette feuille toute propre, cette photo du roi Michel debout dans les rues de Bucarest. Je n'avais jamais vu quelque chose d'aussi curieux : le roi au milieu de la foule dans son automobile noire décapotable, luisante au soleil de midi.

« Mon avis est que nous avons bien de la chance tous les trois de manger des glaces en ce moment », a-t-il dit. Combien, ô combien avait-il raison ! J'ai toujours aimé le chocolat – bien avant Perenfeld, c'est entendu, comme tous les enfants – et aussi le praliné parce que maman faisait le meilleur praliné du monde le dimanche à la maison dans une petite casserole en cuivre avec un manche en bois. Je pose toujours des carrés de chocolat et des petits croquants sur une soucoupe quand j'invite quelqu'un pour le café. Pour le souvenir. Pour maman et Perenfeld qui ne sont plus. Praliné et chocolat.

La deuxième fois, je me trouvais conduit malgré moi dans un bordel de Lugoj. C'était une quinzaine d'années plus tard. J'avais vingt ans. Contrairement à mes camarades de l'université, les filles ne m'intéressaient pas. Le sexe était pour moi très abstrait, une nécessité fonctionnelle sans attrait particulier. Nous avons bu des alcools forts et mangé de la couenne de porc avec du pain dur, puis nous avons marché dans le froid jusqu'à la grande porte en bois peint de la rue Nicolae Iorga, la célèbre porte cloutée du Bordel jaune. Une fille nous a ouvert. Une fille ravissante, avec des cheveux très noirs, défaits, durs comme du crin, et de bonnes joues rouges. Un châle de laine bleu ciel recouvrait ses épaules tombantes. Elle nous a accompagnés jusqu'au salon. Il y avait des prostituées de tous les âges, des vieilles femmes avec un air tellement triste qu'on aurait voulu les prendre dans nos bras pour les consoler. C'étaient plutôt – comment dire ? – des voisines ou des parentes. Les plus jeunes allaient de long en large en soutien-gorge et en pantoufles tout autour de la pièce, puis en diagonale pour qu'on pût les observer devant, derrière, sur le côté, et faire son choix. Leur peau était blanche comme la craie sous le plafond jaune pâle à caissons dorés et elles avaient relevé leurs cheveux avec des peignes et des élastiques pour augmenter leur nudité. Je suis allé m'asseoir dans un coin et j'ai commandé une bière fraîche. Elles faisaient le détour par ma table parce qu'un client qui commande une bière alors qu'il aurait pu en boire une chez lui pour moins cher est susceptible de laisser un supplément avant de repartir. Elles passaient devant moi en relevant la tête, sans sourire, avec un regard hautain et des lèvres de glace. Aucune ne me faisait envie.

J'en ai remarqué une qui s'était isolée dans un coin, terriblement fardée, avec une robe fendue et des escarpins qui semblaient hors de prix. Ses cheveux avaient une drôle de couleur argentée, elle portait des mitaines en résille. Chacun de mes camarades est reparti avec une fille, les plus riches avec deux, et nous nous sommes retrouvés à trois dans le salon, la jeune paysanne de l'entrée, la femme fardée et moi. La paysanne aux cheveux de crin est allée s'asseoir à sa table et m'a fait signe de les rejoindre. J'ai pris ma bouteille et je me suis installé en retournant ma chaise pour me donner une contenance, les coudes appuyés sur le dossier. Elle m'a donné son nom – je l'ai oublié, je me rappelle seulement qu'il était joli et tout à fait déplacé dans cet endroit sinistre – puis elle m'a dit que son amie aurait bien bu une bière avec moi.

« Elle aussi a un numéro », a-t-elle ajouté en regardant mon poignet. Elle a relevé la manche de sa voisine et j'ai vu les chiffres à l'encre bleue. J'ai tout de suite compris que c'était une Gitane du Nord comme il y en avait en grand nombre près de la frontière hongroise avant la guerre, avec leur front bas buriné, leurs yeux clairs délavés et leurs petits lobes d'oreille percés pour les anneaux en or fin. La Gitane a souri, ses dents étaient rangées comme des perles sur un bandeau de velours. Elle a caressé les ailes de son nez et a dit : « Dommage qu'on soit dans ce trou. J'irais bien manger une glace à la praline. »

J'avais passé six mois dans un camp en Transnitrie. Les glaces à la praline étaient ce dont maman parlait volontiers, d'une manière insistante, répétitive et plutôt difficile à supporter. Elle récitait une poésie transformée en recette de cuisine, décrivait le plus lentement possible le ramassage des noix, l'épluchage des fruits, le concassage des cerneaux, le dosage du sucre. Le matin où j'ai fermé ses paupières, elle était en train d'expliquer comment on pouvait ajouter un peu de sciure de bois pour donner du volume au pralin. Là, dans le bordel de Lugoj où l'on entendait les filles rire à l'étage et l'eau des toilettes couler directement dans un seau à l'extérieur, les sucreries d'avant guerre n'étaient pas moins étranges qu'au camp de Brailovka. Contrairement à maman, je n'avais aucune envie d'en parler. Ces souvenirs anciens sont revenus à ma mémoire longtemps après, à Livourne, quand j'ai épousé Norma. Le soir où nous étions à Lugoj, ils étaient aussi lointains et sans âme qu'une planète de sable.

J'ai dit: «Oui, ce serait bien. Mais Lugoj n'est pas un trou. Il y a de jolies balades le long du fleuve et une plage merveilleuse en été sur l'île Cotu Mic.»

«Allons-y demain», a proposé la Gitane fardée.

Nous sommes convenus de nous retrouver à onze heures devant la tour Saint-Nicolas. C'est Perenfeld qui est arrivé à l'heure dite en tenant négligemment la jeune fille par la taille. Je les ai vus avancer avec nonchalance le long du boulevard. Tout était là, même de loin: son sourire en coin et son drôle de pessimisme. Ses cheveux avaient blanchi. Très légèrement voûté, il s'est redressé devant moi dans sa veste en tweed à carreaux verts et jaunes, sans faux cils ni robe fendue, toujours chic même sans l'imperméable, et il a sorti les mitaines en résille de sa poche. Ils ont ri tous les deux extrêmement fort. Ils ne pouvaient plus s'arrêter. Quelle bonne blague! De gros nuages gris se sont accumulés dans le ciel au-dessus de Saint-Nicolas et ces deux rires étaient comme le cri perçant d'un diable à deux têtes. Nous nous sommes tutoyés, contrairement à la première fois, et j'ai compris assez vite que Perenfeld avait plus d'un tour dans son sac.

«C'est toi, Gianfranco», m'a-t-il dit en rangeant les gants dans sa poche. Puis il m'a pris affectueusement par les épaules. «Je t'ai tout de suite reconnu. Je n'aurais jamais oublié ton visage. Tu es un beau jeune homme, maintenant. Et tu n'aimes pas les putes. C'est bien.»

«*Très* beau», a dit la jeune fille en souriant. Elle avait, en plein jour, de mauvaises dents qui gâchaient son visage et la gentillesse de sa remarque; cette vilaine bouche jetait le doute sur Perenfeld qui était sorti pour ainsi dire vainqueur de la guerre.

«Quinze ans... a-t-il répété. Ta mère, non plus, je ne l'ai pas oubliée. Vous avez le même nez.» J'ai cru un moment qu'il allait le toucher, mais il a caché ses mains dans ses poches et les a laissées au fond tout le temps du trajet.

Nous étions maintenant tous les deux allongés sur la plage. La jeune fille était assez loin dans l'eau du fleuve et nous faisait signe de venir nager.

«Tu ne t'imagines pas le nombre de gens qui m'en veulent», a-t-il dit en retirant son pantalon.

«Je garde mon slip et mon dentier», a-t-il ajouté avant de sauter.

Nous avons passé deux jours ensemble. Perenfeld retournait au bordel tous les soirs. La fille aux cheveux noirs nous servait un café le matin dans des tasses dépareillées.

«C'est mon ange gardien, disait Perenfeld. Elle m'a recueilli, lavé, logé, nourri. J'étais pas très beau à voir. Les anciens de la Garde de fer reconvertis en communistes me collaient aux fesses. J'en n'ai pas fini. Y en aura d'autres.»

«C'est loin, c'est loin... la barbe à la fin», répétait la paysanne.

Ils s'étaient habitués l'un à l'autre tout le temps de la convalescence. Il faut dire que Perenfeld l'avait fait durer. Il s'était inventé des maladies, des faiblesses, des remords, toutes sortes d'incapacités physiques.

« Je me demande s'il va se bouger le cul un jour », disait sa concubine. Perenfeld répondait qu'il allait faire de la politique. « La politique mène au business », commentait-elle. « Je sais, disait Perenfeld. C'est pour ça. »

Alors elle s'allongeait sur le canapé, un peu désabusée, sans crainte de l'échec, sans avoir l'air de réfléchir le moins du monde, avec une sorte de bonheur vide et simple, et posait ses jambes de travers sur le dossier. Nous restions debout.

« J'attends… »

La scène était comique, presque légère, comme lorsque nous avions dégusté nos glaces en pleine déconfiture nationale des années plus tôt.

« C'étaient des bêtes, répétait alors Perenfeld pour justifier son incompétence, des bêtes. »

*

J'ai pris un train pour l'Autriche une semaine plus tard, puis un autre pour la Suisse. Je suis passé par Turin où maman avait une sœur cadette. J'avais à peine commencé mes cours à l'école de commerce de Livourne quand j'ai rencontré Norma. Nous nous sommes plu tout de suite et j'ai emménagé dans son studio sans qu'il fût même besoin d'en faire le projet.

Les premiers jours, je pensais que nous étions comme Perenfeld et sa paysanne du Banat. Norma faisait tout : les courses, le ménage, la cuisine. J'avais à peine le droit d'arroser les fleurs qu'elle faisait pousser sur le bord de sa fenêtre. Elle voulait toujours que je sois souffrant ou fatigué, que je lui cache mes angoisses, que je fasse des cauchemars. Nous nous couchions très tôt, nous lisions chacun un livre et Norma s'endormait en me tenant par la main. J'ai eu envie plusieurs fois de l'étrangler dans son sommeil, comme j'avais fait pour cette amie de maman qui n'en finissait pas d'agoniser dans le grabat du dessous et qu'il avait bien fallu aider, comme Perenfeld – si j'en crois la fille du Bordel jaune – avec un profiteur du marché noir au camp de Brailovka, un certain Mircea. Mais Norma est tombée enceinte. Nous avons bu du champagne avec ses parents pour fêter la nouvelle. Nous étions transformés. Ce gros ventre rond dans le lit à côté de moi l'a sauvée sans qu'elle en sache jamais rien et nous sommes partis pour Milan où l'on m'avait offert un travail d'agent commercial chez Pirelli.

Wendy – ce nom m'a toujours fait horreur – est née en 1961. Nous l'avons inscrite à l'école communale. Norma était contre le privé pour des raisons idéologiques. Et puis l'école communale organisait des sorties culturelles dans les musées, des séjours de ski dans les Appenins pendant les vacances d'hiver. Wendy allait au cinéma, au théâtre, au ballet. Et voilà qu'un jour nous avons reçu une invitation au cirque pour trois. Wendy a juré que sa maîtresse n'y était pour rien. J'ai tout de suite senti qu'elle avait un peu honte.

Le soir venu, nous nous sommes fait élégants et nous avons pris le bus très en retard jusqu'au Corso Giuseppe Mazzini. Wendy traînait des pieds, elle voulait lire son livre, mais Norma tenait absolument à y aller. Nous sommes entrés sous le chapiteau pour prendre nos places au premier rang. Nos trois sièges étaient étiquetés *réservé*. Wendy a décollé le papier de son dossier et l'a gardé à plat sur les genoux. C'était le tour du dompteur. Les lions sont entrés les premiers pour faire un tour de piste. Ils sont montés sur leurs podiums dorés. Le dompteur ne venait toujours pas. Wendy m'a regardé d'un air interrogateur. «C'est un cirque moderne, ai-je expliqué. Pas comme les vieux cirques d'avant avec un clown triste et un clown gai.»

«Un cirque décalé? a demandé Wendy d'un air inquiet. Est-ce que les lions vont faire leur numéro tout seuls?»

Peut-être, après tout, me suis-je dit, car le lion le plus proche de nous est descendu de son podium sans que personne s'en mêle. Il a pris son élan pour passer à travers l'anneau en flammes, un peu mollement, il faut bien le dire, avant de revenir à sa place avec une fierté déplacée. Le deuxième s'est exécuté de la même manière. Tout le monde observait maintenant le troisième lion. Et là, quelque chose d'encore plus extraordinaire s'est produit. Le lion restant s'est assis en tailleur, a croisé les pattes de devant sur son ventre et pris un air mécontent.

«C'est un faux lion», a dit Wendy.

«Elle est maline, cette petite», a dit Norma.

J'ai pensé que c'était justement pour ça qu'on aurait pu l'appeler Gabriella ou Teresa, quelque chose de joli, mais Norma, qui portait le nom d'une héroïne de Bellini, n'avait rien voulu entendre. «Wendy» faisait penser à une marque de lessive ou de bonbons américains de mauvaise qualité. J'avais mal chaque fois qu'un étranger le prononçait: la maîtresse d'école, le prêtre le jour du catéchisme. Sa belle intelligence s'effaçait derrière.

Le lion a posé sa patte gauche sur le dessus de sa crinière. Le batteur de l'orchestre installé dans la corbeille au-dessus du rideau d'entrée a gratifié le public d'un roulement de caisse claire très insistant. Wendy – j'éprouve décidément de la difficulté à dire ce nom – a enfoncé ses ongles dans mon avant-bras et la tête du fauve, soulevée dans les airs par des griffes étrangement humaines, s'est mise à pendre comme une vieille peluche au-dessus de celle du dompteur.

Lequel s'est tourné vers le public pour recevoir en égal partage les rires et les applaudissements. Son regard s'est fixé sur Wendy. Puis sur moi. Il a esquissé un petit sourire de connivence et incliné la tête à mon intention.

«Vous vous connaissez?» a demandé Wendy.

«Papa connaît beaucoup de monde», a répondu Norma.

«La Roumanie est un petit pays», a précisé Perenfeld sur le mode explicatif lorsque nous nous sommes retrouvés dans sa roulotte après le spectacle. Le costume était rangé sur son cintre. Wendy a voulu essayer la tête. Perenfeld était ravi.

«Qu'est-ce que tu fiches ici?» ai-je demandé.

«Je suis dompteur de lions», a dit Perenfeld.

«Qu'est-ce que tu me racontes?»

Norma était en train de prendre une photo de Wendy déguisée en lion, enfin partiellement déguisée, elle avait encore ses jambes de petite fille, Dieu merci, et Perenfeld a dit sur le mode descriptif: «Je gagne ma vie.»

«À Livourne?»

«À Livourne.»

Nous en sommes restés là. Wendy était aux anges. Elle voulait que mon vieil ami de Roumanie vienne chez nous. C'était drôle de la voir aussi heureuse et je me suis rappelé que je l'avais été moi aussi lorsque j'avais rencontré Perenfeld pour la première fois dans le parc, à Bucarest. Il avait fait rire maman qui ne riait jamais et maintenant il faisait rire Norma qui voulait toujours que je sois triste.

«Tu ne m'as jamais parlé de lui», m'a-t-elle dit alors que nous remontions le boulevard pour retrouver l'arrêt de bus.

«On va l'inviter à dîner!» a crié Wendy.

J'ai senti que ce serait une très bonne chose pour nous trois et nous l'avons fait.

*

Pirelli a ouvert une usine de pneus à Detroit et nous sommes partis là-bas en 1976, le jour des quinze ans de Wendy. Nous les avons fêtés dans l'avion avec deux hôtesses d'American Airlines. Notre vie allait changer. Norma avait de la famille aux États-Unis, des gens installés et prospères, «pas comme ta tante de Turin». Mon salaire allait tripler. Et Wendy allait devenir américaine, ce qui était une bonne chose. Nous allions de l'avant, à vrai dire tellement de l'avant que je suis devenu directeur commercial du département des ventes au bout de six mois.

Et qui n'ai-je pas fini par rencontrer le plus naturellement du monde? Perenfeld. Au sommet de sa gloire. Président de divers conseils d'administration. Toujours le même. Il a tenu à me montrer ses bureaux à la fin d'une réunion de travail de constructeurs automobiles. Nous sommes partis avec son chauffeur. Une secrétaire nous a installés dans un salon privé. Une hôtesse a apporté du champagne.

«Alors, ça y est. Tu es arrivé», ai-je dit en me levant.

Je suis allé me poster près de la baie vitrée.

«On se tutoie toujours, non?

– Presque. *Presque* arrivé», a dit Perenfeld.

Je me suis retourné pour le dévisager.

«Ta mère n'est pas là.»

Perenfeld avait l'air d'une insondable tristesse. Il a baissé la tête et s'est mis à triturer les ongles de sa main droite avec ceux de sa main gauche, ou alors l'inverse. Je me souviens simplement d'un mouvement de balancier. Il posait une main au creux de sa sœur jumelle, puis exécutait le même mouvement dans le sens inverse comme s'il avait voulu se défaire d'un objet brûlant. J'ai cru un moment qu'il allait me faire le coup des larmes. Il avait l'air tellement seul derrière son bureau en palissandre, entouré de ses dossiers, avec le petit Matisse sur le mur de droite – *Les Pensées de Pascal*: un bouquet d'anémones, une tasse à café, deux palmiers marron derrière les rideaux. Vieux et seul.

« Elle est restée à cause de moi, a-t-il dit.

– Restée ?

– Elle aurait pu partir avant avec toi, mais elle a tenu à rester.

– Tenu ? »

C'était tellement absurde, tellement indigne de maman d'avoir voulu risquer ma vie pour une petite amourette de passage. Dans un camp...

Mais Perenfeld, qui lisait dans mes pensées depuis le jour de la glace au chocolat, a dit sans la moindre trace de regret ou d'excuse : « Ce n'était *pas* une petite amourette de passage », et j'ai été forcé de le croire rien qu'à la manière dont ses yeux ont fixé les miens.

J'ai eu de la peine à soutenir son regard. Perenfeld m'accusait. Qu'avais-je le droit de nier cette passion ? Que savais-je de l'amour, à vrai dire, de sa grandeur et de l'humanité qu'il nous donne ? Norma m'avait-elle par hasard livré des informations à ce sujet ?

Je me suis assis face à son bureau. Je voulais savoir comment c'était possible et Perenfeld m'a expliqué sans broncher qu'il avait payé ma sécurité dans le camp avec l'argent du marché noir.

« Je n'ai jamais cru, Gianfranco, que nous allions nous en sortir. Pour moi, nous étions destinés à rester sur place. Je ne croyais pas aux Russes. Je ne croyais pas aux Italiens. Je croyais au kapo Mircea.

– Mircea ?

– Cette merde-là, mon vieux. Je l'ai payé rubis sur l'ongle pour que personne ne te touche. J'ai fait des choses horribles pour ça. »

Puis il a ri et ajouté : « Comme toi avec Wendy. Mais Wendy, tu vas voir... C'est une bonne fille. Elle va rester italienne... quoi ?... cinq minutes. *Cinq*, pas plus. »

Il a levé la main, écarté les doigts et serré le poing comme un boxeur. Cinq secondes ont suffi pour naturaliser Wendy. Elle est devenue américaine devant moi, grâce à l'entregent et à la détermination de Perenfeld, l'homme au poing fermé. « C'est le plus beau cadeau que tu puisses lui faire, Gianfranco... Rester ici. »

Et nous sommes restés. Avec lui. Tous les quatre.

Perenfeld m'a appelé un jour au bureau, environ un an plus tard. C'était le jour de son anniversaire. « Il faut que tu viennes », a-t-il dit, mais seul. Sans Norma. Sans Wendy.

Nous avons roulé une petite demi-heure pour sortir de la ville. Son chauffeur nous a déposés devant un entrepôt transformé en salle des fêtes. Nous avons gravi une sorte de porche en ciment, traversé un hall, monté un étage.

Il m'a devancé dans le couloir pour ouvrir la porte. Il m'a annoncé comme une personne d'une importance considérable, à la manière d'un aboyeur de l'ancien temps à l'entrée d'un théâtre, en s'adressant à un public que je ne voyais pas. Puis il m'a fait signe de passer le premier et m'a dit : « Adieu, Gianfranco. *Ti amo. Ti amo così tanto.* »

J'ai lâché son épaule. Je suis entré dans une grande pièce baignée de lumière. Le soleil déclinait au loin derrière une baie vitrée mal nettoyée. Le reflet rougeoyant contre la vitre était aveuglant. J'ai mis ma main en visière au-dessus de mes yeux. Une guirlande de lettres découpées dans du papier d'emballage doré ondulait sous le vent. Elle semblait s'agiter très haut au-dessus des têtes. HAPPY BIRTHDAY PERENFELD ! Les franges en bas des lettres étaient découpées n'importe comment. Un bouchon de champagne a sauté et Perenfeld s'est affaissé à côté de moi sur le parquet.

Sa tête a heurté la première marche. L'orchestre à droite sur l'estrade a entamé une polka et tout le monde s'est mis à danser. Perenfeld ne bougeait plus. Une flaque de sang s'étalait autour de sa tête. Deux hommes sont venus pour l'emmener ; l'un par les pieds, l'autre par les épaules. Il est ressorti par la porte de derrière les bras ballants, ses doigts détendus traînant sur le sol, presque mous, rougis comme des saucisses au piment.

Mais pourquoi ? me suis-je dit, pourquoi ? J'ai senti quelqu'un frôler mon dos. Et, comme s'il avait eu le pouvoir de lire dans mes pensées, l'homme qui s'était tenu derrière moi tout ce temps a dit quelque chose à voix basse en me tenant par le coude. Je ne l'avais pas remarqué. Il était pâle et sans odeur. « Un traître... », a-t-il expliqué.

Il m'a fait signe que la porte par laquelle j'étais entré était ouverte. Je pouvais repartir. « ... Profitent de tout, a-t-il ajouté sur le ton de la confidence en me poussant avec douceur devant lui, jusqu'au jour où... Clac ! »

« Il y en a beaucoup comme ça ? » ai-je demandé pour information.

Un autre homme est venu avec une serpillière. Quelqu'un sur la piste a réclamé du Cole Porter. L'orchestre a entamé *Let's do it*.

« Plein... », a-t-il répondu en opinant du chef d'un air satisfait, sûr de lui, sûr de l'avenir. Il m'a remercié chaleureusement d'avoir fait l'accompagnateur puis il a ajouté sans hésiter : « ... encore plein. »

Cinq portraits de Lol

PREMIER PORTRAIT
PAPIERS, NOTES, CARTONS

Lol, assise devant le bureau du notaire, le regard figé sur ses jambes croisées, écoute la lecture de ce feuillet :

« *Moi, don Isidro, je souhaite lui léguer, en ce jour du vingt-neuf août mil neuf cent cinquante-sept, tous mes écrits. J'inclus les incomplets et j'exige que celle qui les inspira tous les réunisse en autant de liasses qu'il faudra, mais avec l'ordre qui leur revient, dût-elle consacrer de longues années à la lecture et à la mise en catalogue.*
Que chacune soit cousue et reliée par ses doigts et qu'elle les confie, enfin, à l'éditeur de son choix. »

Lol s'oppose intérieurement et de toute sa force à la clause qui prévoit le passage d'un fil dans la marge des feuilles libres. Mais les dernières volontés excluent toute équivoque. Ce sera aussi pour elle le moyen de retourner fouiner là-bas. Elle soupçonne naïvement que c'est là sa seule chance de pouvoir s'aventurer à nouveau dans la maison en toute impunité. Elle se décide donc à signer en bas de l'acte et, munie de l'enveloppe qu'on lui tend, se dirige à grands pas vers la rue Pedro Calderón de la Barca. En réalité – et la réalité est bien moins amère que Lol se l'imagine –, depuis son plus jeune âge, don Isidro a pris soin de cacher, non seulement au fond des tiroirs, mais également derrière les livres de sa bibliothèque et sous les piles de linge de la buanderie, quantité d'écrits qu'il savait ignorés de Lol. Non pas parce qu'elle n'aurait su où les chercher au cas où elle aurait fini par en deviner l'existence. Plus justement : il savait que son sens infaillible du succès ne lui fait toucher que ce qui est digne de publication et l'empêche de concevoir le monde immature qui respire à son aise dans l'espace clos des armoires.

Avec un naturel déconcertant, la voici qui classe sans trêve tous les papiers sortis des grands cartons et les rassemble sous son aiguille en lourdes liasses cousues. Elle s'amuse maintenant à suivre à la lettre les dernières volontés et se persuade que cela donne du mystère à son existence.

C'est fièrement qu'elle voit les dix tomes de ces œuvres complètes publiés dans l'année, grâce à l'appui de ses nombreuses relations. Dix tomes d'une belle reliure. « Sous la direction de Dolores Salinas », dit la deuxième page – avec force index, variantes et annotations. Dix tomes que les meilleurs esprits s'accordent sur-le-champ à déclarer d'une importance considérable.

DEUXIÈME PORTRAIT
CHINOISE

Un soir, Lol était arrivée chez moi habillée en Chinoise. Cet artifice vestimentaire était d'un goût parfait. Il la faisait ressembler à un jeune garçon travesti en entraîneuse de bar borgne. Elle s'allongea sur le lit ouvert du salon. C'était par pure paresse qu'à cette époque j'avais tout installé dans cette pièce. Cela m'évitait d'avoir à pousser jusqu'à la chambre. Chaque objet y était à portée de main. Mon unique occupation de la journée consistait à tourner le thé dans une tasse que je gardais toujours sous le robinet du samovar. J'espérais secrètement que son habit allait illuminer cette fin de journée. Lol allait-elle réussir à transformer ce breuvage morne en un liquide plein d'espoir? Je craignais qu'elle se mette à me *jouer* la Chinoise.

C'est ce qu'elle ne manqua pas de faire avec des mimiques extrême-orientales. Je lui conseillai de retourner s'occuper de son vieux maître. Pourquoi ne pas poser pour lui dans cet accoutrement, se déshabiller, mettre du mordant à ses vieux jours?

«Lol, lui dis-je, la tête baissée, goûtant une nouvelle tasse, tu es une piètre magicienne. Repasse demain et n'oublie pas tes enveloppes en partant.»

Elle se leva déçue et sortit en claquant les portes.

Les draps portaient son empreinte. De mon fauteuil, je me penchai pour observer leurs plis. Elle y avait dessiné les contours d'un corps fatigué par les excès. Il en émanait une forte odeur de sueur. L'amour n'était-il pourtant pas quelque chose que mademoiselle Salinas n'avait jamais connu?

J'étais habitué à ce que tout lui échappât: aussi bien ce que j'attendais d'elle que ce qu'elle était capable de m'offrir de sa propre initiative, et toujours dans des proportions surprenantes. Mais, cette fois-là, je dois l'avouer, j'avais sous-estimé l'ampleur de ce pouvoir.

TROISIÈME PORTRAIT

FLAQUES D'EAU DANS LE GRAVIER DU PARC

Qu'allez-vous croire ? Elles étaient telles que mon désir les imposait à mon esprit, parfaitement réussies à mes yeux : oblongues, régulières et serties dans le gravier. Polies. Presque artificielles, sertissant à leur tour comme un bijou le reflet de la magnifique demeure du noble Espagnol.

Et Lol s'ingéniait à joindre les pieds dedans. Lorsque tu faisais cela, ô petite Lol, tous mes regrets allaient s'évanouissant. Après tes sautillements, le reflet du crénelage se troublait à la surface de l'eau. Depuis, je n'aime les chaussures qu'humides. À peine sorties des mains du bottier, je les tire lentement de leur étui et leur passe un doigt trempé dans l'eau d'un bassin.

L'envie irrésistible qui me prenait de te faire un mal profond et irréparable, d'introduire dans ton esprit une confusion d'une ampleur telle que tu aurais dû croire ton identité perdue même aux yeux d'autrui, cette envie née de l'ennui et nourrie par lui, en ces instants, n'était plus. Il aurait alors été impossible de la rappeler à ma mémoire. J'y aurais vu le portrait fantastique d'un autre.

Le beau jeu des flaques ne durait jamais assez longtemps. Je nourrissais pour cet exercice une véritable passion. Selon notre habitude, nous choisissions un jardin public. La nuit où nous sommes partis reconnaître le dernier de ces lieux, tu as sauté pour moi seul dans l'allée. Ta danse cette nuit-là était invisible. Je ne pouvais qu'entendre le clapotis. J'imaginais, derrière toi, la demeure aussi noire et sévère qu'une tour.

QUATRIÈME PORTRAIT
PUISSANCE ET DÉCONFITURE
DU LINGE DE MAISON

« Tu jetteras au hasard des feuilles manuscrites dans chaque enveloppe. Tu mélangeras bien ces enveloppes. Tu les distribueras également au hasard dans des piles diverses et en divers endroits. »

Elle obéissait aux trois commandements au doigt et à l'œil. Je menaçais de l'abandonner pour toujours au cas où elle en serait venue à exécuter une distribution imparfaite. Je restais toujours dehors à rôder. Elle avait le privilège d'ouvrir les larges portes de la lingerie et tout le bonheur de la douce respiration de cette pièce aurait pu être à elle seule. Il lui revenait de plein droit, de par l'exécution testamentaire mise à fin par le notaire.

Mais Salinas faisait son travail sans plaisir. Elle n'en profita jamais pour aller glisser ses doigts sur la pliure des torchons empilés, de ce geste domestique qui vérifie les objets dans la pile et soulève chacun d'un geste rond et amoureux du repassage impeccable. Elle n'essaya jamais le jeu très ancien et si amusant dit « JEU DU CALIBRE DE LA FIBRE », originaire de notre port, qui consiste à faire courir le bout de son nez contre des piles distinctes en gardant les yeux fermés et à déclamer au gré des circonstances un chapelet de noms comme « percaline pour doublures », « toile de batiste », ou encore « andrinople pour fauteuils ».

Pire, quand je l'interrogeai, elle m'avoua n'avoir jamais pensé à passer son bras tout entier sous un drap, dans le seul but de sentir son poids frais. Comme j'aurais aimé de mon côté rester avec elle les mains dans les linges à attendre que le temps passe...

J'en déduisais avec tristesse qu'elle effectuait mécaniquement cette distribution. Je venais la chercher en fin d'après-midi et nous regagnions mon appartement pour que Lol choisisse de nouveaux déguisements.

CINQUIÈME PORTRAIT
VENGEANCE

Combien de volumes aurait-il fallu ajouter aux œuvres de don Isidro pour qu'un lecteur pût en avoir la clé ? J'espérais qu'elle se leurrait elle-même en apportant de nouvelles enveloppes dans la lingerie, au point qu'à la longue elle aurait pu vouloir tenter une nouvelle édition amendée.

Cette somme n'aurait-elle pas alors été mienne, au moins en partie, bien que sous le nom d'un autre ? Un peu de sa gloire ne me serait-elle pas revenue ? Mais Lol ne donnait plus aucun signe. Elle partit pour une dernière livraison et je ne revis que son double. Son dernier portrait fut en ombres chinoises.

Elle fumait des cigarettes devant les fenêtres et passait, féline, d'une pièce à l'autre. Seule la lingerie restait dans le noir. J'aurais dû voir une ombre grise s'y profiler si elle avait allumé la lumière. J'en conclus qu'elle avait dû la fermer définitivement à clé. Je ne la vis jamais ressortir et me figurai qu'elle vivait dans les autres pièces. Elle dut y vieillir, sans doute très seule. Lol, épuisée, ne se donnait plus.

Mais, bien avant que les apparitions intermittentes finissent par s'espacer et qu'advienne l'absence définitive, elle s'offrit encore quelquefois devant les fenêtres dans toute la superbe de sa jeunesse. J'étais le collectionneur des petits cartons découpés et scandaleux de Lol. Je revis plusieurs fois des morceaux de son profil : un bras, une épaule, ses cheveux, rarement toute la moitié supérieure de son corps. Elle se plaçait toujours à proximité d'un rideau et s'ingéniait à le tirer, comme on le fait au théâtre pour annoncer la fin d'un acte.

Coupelle

Ce n'est qu'aujourd'hui que je me décide à rapporter un rêve qui date de... mon Dieu... exactement dix ans à quelques jours près. Je ne suis pas certain qu'il s'agisse bien d'un rêve et il est possible que vous finissiez par en douter vous-même après avoir lu cette confession. C'est néanmoins dans un état de somnolence que j'ai donné mon avis en toute franchise sur les doctrines incompatibles de la consubstantiation et de la transsubstantiation. Je faisais face à deux contradicteurs agités. Nous étions installés dans le salon de thé situé à l'angle de la 57e rue côté nord et de la 8e avenue côté ouest, à quelques pas seulement du kiosque de Gory, le marchand de journaux. Monsieur Consubstantiation Numéro Un portait un costume gris et monsieur Consubstantiation Numéro Deux un costume bleu. J'avais quant à moi mis mon complet clair. Tous deux firent preuve d'une grande érudition. Je fis étalage d'une ignorance crasse doublée d'une maîtrise pénétrante des règles du syllogisme. Il faisait chaud. J'entrecoupai mes réfutations approximatives de bâillements ostentatoires.

Je dirai pour commencer que le restaurateur qui nous accueillait à cette occasion possède le seul établissement de tout Manhattan qui mérite votre approbation en matière de thé et de pâtisserie. Cette sanction enthousiaste vaut également pour les récipients qui les contiennent. Les théières ventrues et cabossées sont dignes d'admiration, de même que les plateaux oblongs et noirs sur lesquels sont alignés les gâteaux faits maison par Machenka, posés symétriquement comme des soldats de plomb sur un champ de bataille en carton-pâte. Leurs rebords dorés et ajourés me rappellent le crénelage des montagnes de Crimée qui tombent dans la mer Noire entre Alouchta et Sébastopol. On dirait, quand le soleil se couche, qu'on allume un feu derrière les saillies de la roche. Petit, puis adolescent, je regardais leur crête s'embraser aussi facilement que de la dentelle dans un incendie.

L'établissement de Yuri incite à l'activité. J'y prépare mes discours pour les réunions de la congrégation orthodoxe. Mon jour n'est pas encore venu, mais c'est le genre d'endroit où quelque chose de captivant peut soudainement engager le reste de votre vie dans une direction prometteuse.

Par exemple, c'est le 4 janvier 1934 qu'Anton Liermisk a commencé son impressionnante collection de coléoptères. Le 3 janvier, nous lisions tous les deux le journal devant un thé dans la salle du fond. Je lui commentais la page sportive de *Novoye Russkoye Slovo*. Un cafard noir sur le dos et doré sur le ventre vint se réchauffer à nos côtés. Je le sais car Anton le ramassa en le pinçant avec ses ongles trop longs et recourbés et j'eus alors tout le loisir de l'observer. Le tour était joué. Dans l'année qui suivit, 352 spécimens l'ont rejoint dans son réduit, ramassés de-ci de-là entre la 57e et la 81e, côté ouest. Les plus anciens sont ses colocataires depuis maintenant vingt ans ; tous alignés, épinglés, répertoriés et confortablement installés sur une grande planche de liège dans la chambre avec vue au bout du couloir. Sa sœur revient y coucher de temps en temps. Anton dort sur le sofa du salon.

J'étais donc là, il y a dix ans, en août 1944, toujours très attentif dans mon for intérieur aux nappes brodées et aux samovars de cuivre et d'argent, à défaire et refaire le mystère du sacrement essentiel et de ses conséquences sur le rituel de la communion. Extérieurement, je parlais de la matière de l'hostie. Intérieurement, je digressais sur la force surhumaine des cosaques rougis par l'effort, sur fond de steppe jaunâtre, aux trois quarts glissés hors de leur selle, les bottes collées aux flancs des chevaux, le sabre levé et précipités avec une haine féroce sur l'ennemi. Il y a aux murs de l'établissement de Yuri quelques huiles représentant ces anciens cavaliers durs et indomptés. Bien que de petite taille, elles contiennent dans le maigre espace qui leur est imparti toute la haine impitoyable de l'homme seul pour le cavalier qui lui fait face, sans d'autre loi que celle de son clan.

Je me rappelle avoir soutenu ce jour de grande chaleur et de demi-somnolence que la difficulté de concevoir que le corps de Jésus-Christ se trouve contenu dans une rondelle de pain azyme, en quelque sorte mélangé à la pâte sans levain (*con*substantiation) est, contrairement aux apparences, beaucoup plus considérable que la difficulté de concevoir que la substance tout entière de ladite rondelle *devient* sa chair et son sang (*trans*substantiation). Qu'elle le devienne est certainement une chose bien étrange. Un Mystère. Mais c'est au moins par une opération définitive qu'elle passe entièrement d'un état à l'autre. Une fois la chose faite, nous en sommes quittes. Tandis que la chair du Christ *mélangée* à une pâte sans levain est une hypothèse qu'aucun être sensé ne saurait élever au rang de certitude. À supposer que Sa matière se ramasse et résiste à la dilution, l'hypothèse en question induit l'idée qu'il pourrait en être de Lui comme d'une fève écrasée dans une galette.

Voilà très certainement une idée que nous devons refuser de toutes nos forces.

Mes contradicteurs, émus par cette démonstration et pensant qu'elle allait ranimer le débat, recommandèrent des gâteaux. En guerre contre l'anxiété, ils croisaient et décroisaient les jambes. Car, il est inutile de le nier, dans ce genre de discussion chacun tente de vaincre l'agitation intérieure qui le dévore afin de regagner le calme sans lequel il ne peut avoir le dernier mot. C'est dans ces moments de pure inadvertance par ratiocination que leur chair à eux se dévoilait; moins subtilement, je l'avoue, que ne se cache celle de notre Seigneur dans le pain des Hébreux. La leur se révélait à la faveur de pantalons trop courts et mal taillés, toujours prêts, les coquins, à remonter le long d'un mollet épais. Voilà pour le Bas. Et le Haut? Ils reposaient nerveusement leurs Grosses Têtes Rondes de Pasteurs sur leurs poings fermés pour m'adresser leurs objections de plus près, comme si la proximité géographique de leurs personnes avait pu induire la réponse embarrassée par laquelle j'aurais avoué ma défaite devant eux, les représentants des Consubstantiateurs doctrinaires. Les clients assistaient à un match entre les protestants de la 56ᵉ et les orthodoxes de la 57ᵉ, et un match, mesdames, messieurs, doit avoir un gagnant et un perdant.

Je dois dire que j'étais nettement en tête à la mi-temps et qu'ils avaient plus que moi besoin de concentration. C'est à cette fin qu'ils appuyaient leurs coudes sur la table, sans aucun égard pour la jeune fille – cheveux relevés, nez moqueur, un rien de gris sous les ongles – qui cherchait à poser le plateau noir au fond et doré au bord, ce petit morceau de ma belle Crimée. Ils relevaient leurs manches et montraient leurs bras velus jusque sur l'os du coude, leurs poils agglutinés en paquets comme des moutons de poussière contre une plinthe. Leurs jambes, au contraire, étaient lisses comme celles des athlètes de l'équipe de Macédoine. J'étais forcé de voir ces deux choses, non moins incompatibles que Jésus et l'hostie pour peu qu'on s'en remette à leur doctrine : le Velu et le Glabre, dévoilés respectivement par leurs manches relevées et l'espace inconvenant entre leurs chaussettes et le revers de leur pantalon.

Leur présence en ce lieu – pasteurs qu'ils étaient, tout frais arrivés de la Nouvelle-Angleterre et Allemands d'origine – produisait en moi une sorte de dégoût mêlé de compassion. Ils ignoraient les objets tout autant que les personnes qui s'y trouvaient et ce, comme de vrais ignorants qui se respectent, sans même soupçonner l'étendue de leur faute. Tout leur échappait : le génie de leurs formes et de leurs couleurs, impeccables de vérité dans leur rôle de témoins des errements de l'humanité. Je connaissais quant à moi, car Yuri me les avait racontées en détail au fil de nos longs après-midi, toutes les violences et les tendresses dont ils avaient été les témoins involontaires, leur trajet du vieux continent vers le nouveau, les injustices que leurs propriétaires avaient subies et jusqu'à la taille des cartons à l'intérieur desquels ils avaient été transportés. Le goût des raisins confits à l'intérieur du gâteau plat et un peu dur, le thé sucré et le sourire de notre serveuse me les auraient rappelées au cas où ils se seraient tus.

L'ennui que provoquait en moi leur désir de résoudre la question de la présence du corps de Jésus était sans équivoque. La salle était de mon côté. Gory avait quitté son kiosque pour venir m'applaudir. Je décidai donc de m'abandonner en toute confiance aux tentures fanées, aux éclats du cuivre et de l'argent et aux dents blanches et irrégulières de notre serveuse. C'est en repoussant leurs coudes pour la laisser poser notre commande, en me retournant nonchalamment pour rencontrer son regard lorsqu'elle repartit vers la cuisine, que je vis l'*autre* peinture, celle qui fait face à la peinture aux cosaques.

Une grande toile rectangulaire. Un parc avec au fond un bâtiment à l'architecture militaire. Au deuxième plan, un cavalier à l'arrêt, le bras en écharpe, qui se penche avec un certain embarras. Une de ses mains, gantée, s'accroche au pommeau pour assurer son équilibre. L'autre passe une coupelle à un officier en uniforme devant lequel se tient un paon dont la roue occupe le premier plan du tableau. Admettons que l'animal représente une abstraction, *La Vanité*.

Le cavalier, soigné à l'hôpital de l'école militaire, reste un soldat présentable. Son visage est intact. Son bras seul a souffert. Si on l'ampute dans le mois qui vient, il reste néanmoins un officier. Il représente, disons, *L'Honneur militaire*. Peindre cette vertu exige qu'on ne montre jamais un homme amputé par le bas ou défiguré par une explosion de poudre. Les deux hommes échangent un regard mêlé de bonheur et de dureté. La passion qui les unit les met à l'écart du monde. Celui qui est à terre tient les rênes de l'animal et promène l'autre, auquel l'équitation reste encore interdite, à moins d'être accompagné dans le parc de l'école. D'autres volatiles sont rassemblés sur le côté droit : dindons, oies, cannes, destinés à la consommation, nourris par un employé qui épie les deux hommes par en dessous en lâchant une volée de graines. La coupelle tendue contient aussi des graines, que l'officier à terre est chargé de disperser sur le sol. Elles sont destinées au paon, un animal que le gardien ne nourrit pas. Peut-être refuse-t-il d'effectuer cette tâche. Peut-être ne lui revient-elle pas. On ne sait. La légende gravée dans le cadre en bois dit simplement «Coupelle et paon».

Les mains du cavalier ont une particularité remarquable que l'on retrouve chez celles du cosaque au combat représenté dans l'autre tableau. (La petite peinture relève du genre peinture de guerre avec champ de bataille. Il s'agit d'un fragment d'une œuvre monumentale qui devait décorer un lieu public et que l'on a dû couper pour la vente dans l'espoir d'accommoder la taille des salons bourgeois. La grande toile relève du genre allégorique et majestueux. On l'imagine accrochée dans un des halls de l'école qui sert de modèle au bâtiment militaire au fond du parc.) Ce que l'on voit dans ces doigts d'homme, c'est qu'ils sont trop gros ou trop rouges, très souvent les deux, dans l'espoir de faire plus vrai. La faute en revient aux peintres, qui visitent rarement les champs de bataille et ne connaissent les lieux que par description. On leur apprend qu'il fait froid dans la steppe et que les écoles militaires sont traditionnellement mal chauffées. Ils peignent donc des doigts gonflés et cramoisis. Malgré cette demi-vérité, leur épaisseur n'a d'égale que leur douceur, laquelle est accentuée par le fait qu'elle est involontaire, d'autant plus douce que la douceur ne caractérise pas l'existence du cosaque. Ce curieux paradoxe a tout remis en ordre. Cela n'a pas échappé à notre peintre qui n'a pas manqué de représenter la tiédeur et la souplesse des doigts et de la paume. Tout son talent est dans cette vérité. Il est indéniable que la vie nous réserve une quantité de révélations de cette nature. Tel geste, telle parole improbable d'un intime le transforme à tout jamais à nos yeux. Quel miracle a-t-il pu le conduire à faire ou dire la chose la plus incongrue et même la plus choquante, qui relève à présent de l'habitude et le définit mieux qu'aucun de nos souvenirs les plus anciens, les plus fidèles et désormais les plus contraires ?

Qui penserait à la caresse d'un cosaque ? *L'homme à pied qui tient les rênes.* Voilà la réponse que je suis parvenu à reconstruire après force questionnements et recoupements divers. Si l'on regarde les mains du personnage à pied, on est saisi par leur petitesse et leur extrême finesse. Elles tiennent à peine ces grosses lanières de cuir. Ce sont presque des mains de femme.

Quand je repris place sur ma chaise après avoir été regarder de près la grande peinture, je constatai avec soulagement que les deux pasteurs m'avaient définitivement quitté. Machenka était également partie et Yuri, à la caisse, se moqua de ma surprise. Par la vitrine, je vis Gory applaudir les bras en l'air, debout dans son kiosque. J'allumai une cigarette et tournai à nouveau mes pensées vers le tableau, sans le regarder. Il était maintenant tout à fait évident qu'il s'agissait d'une peinture de la vie domestique et non pas de la vie militaire. La coupelle, surtout, passée d'un personnage à l'autre, avait attiré mon attention.

Je l'ai reconnue ce jour-là, le temps de quelques mots échangés avec Yuri. Je me suis levé pour aller payer au comptoir et je n'ai eu aucune difficulté à l'identifier. L'objet qui est peint sur la toile est très exactement celui que j'ai toujours vu posé à côté de la caisse, collé au bois avec de la colle forte, et qui sert aux clients à recueillir leur monnaie. Cette fois-là, j'ai déposé dedans un demi-dollar en pièces. Lentement, pour bien prendre le temps de l'observer. Je connais maintenant son destin et cela relève de la partie éveillée de cette histoire, de la petite partie émergée que l'on peut arriver à connaître en sacrifiant un peu de son temps. C'est ce que j'ai fait dans les après-midi des deux mois qui ont suivi la journée du débat théologique. Il y avait bien longtemps que je n'avais pas passé un été aussi fructueux. Je vous en confie à présent le résultat.

À la fin des années 1910, une femme pleine d'espoir a quitté la Crimée. Nous ignorons son nom, mais nous savons qu'elle a emporté cette coupelle dans sa valise en partant seule pour Berlin. Elle s'est mise à faire des ménages pour vivre, puis elle est partie pour Paris, où elle pensait trouver un travail plus gratifiant et où elle a dû se remettre très vite à sa première occupation. Comme la coupelle n'était pas assez profonde pour servir de bol et qu'elle ne fumait pas, elle a pris l'habitude de la laisser sur le rebord de sa fenêtre. Elle y déposait de la mie de pain pour les pigeons, puis elle a fini par l'offrir à une grande brune de Yalta qui travaillait comme comptable dans le bureau de la rue du Quatre-Septembre où elle faisait des ménages le soir, un bureau aux boiseries foncées, encombré de papiers jaunis. Un soir, la comptable est restée plus tard que d'habitude pour finir de remplir les registres et lui a confié en redescendant l'escalier qu'elle allait se marier un mois plus tard avec un Français. Alors elle lui a offert comme cadeau de fiançailles le seul objet qu'elle tenait de l'homme qu'elle avait pensé épouser un jour, un homme qui lui avait menti, qui ne l'avait pas rejoint à Berlin et qui avait arrêté de répondre à son courrier depuis cinq ans.

Le grand-père de cet homme regretté, laissé là-bas dans la vieille Sébastopol, était cosaque dans une garnison de la ville. Il avait aimé un camarade rencontré pendant le siège de 1844, cosaque comme lui, qui avait soigné ses blessures après l'attaque anglaise, la dernière, la terrible attaque dirigée par Simpson après la mort de Lord Raglan, alors que le choléra décimait déjà ses propres troupes. Il fut dégradé et eut un enfant après un mariage arrangé pour faire taire le scandale. Il est peint à cheval, dans toute la superbe de sa jeunesse, en uniforme, le bras en écharpe, sur le grand tableau accroché dans l'établissement de Yuri.

On finit par l'amputer du bras droit après une mauvaise opération. De son fils, on ne sait rien, sinon qu'il eut lui-même un fils et décéda dans la pension où ils vécurent tous les trois – trois générations dans un petit réduit – jusqu'à ses derniers jours.

Avant de quitter Sébastopol pour préparer leur avenir à Berlin, la Parisienne d'adoption avait pour habitude de faire des tours de barque avec le petit-fils, son fiancé. Il ramait comme un dieu en chantant «Les Yeux noirs». C'est au milieu du lac qu'il lui promit de l'épouser. C'est au bord de ce même lac que le grand-père lui avoua un jour ce qu'il n'avait jamais osé avouée à personne, et c'est par un concours de circonstances assez curieux que son histoire est parvenue intacte aux oreilles de Yuri. L'erreur du chirurgien avait été convenue d'avance. Le médecin était parti fumer dans le couloir pendant qu'on l'avait laissé pisser le sang et que son bras était resté à côté du lit dans la gouttière en émail. «Je sais qu'il avait fumé, avait-il précisé avant que le fiancé n'arrive pour leur faire faire un tour, parce qu'il sentait le tabac quand il est revenu. Il n'a même pas fait semblant de se presser. Il a refermé la porte sans faire de bruit avec autant d'attention que si des nourrissons dor-maient dans un dispensaire. Il est parti se laver les mains au robinet. Il est revenu vers moi, il a enveloppé mon bras dans un linge et s'est assis avec un livre sans rien faire.»

De ces trois-là, on ne sait plus rien. Leur destin se perd pour une partie en Russie et pour l'autre en France. Mais on sait que l'employée qui reçut la coupelle d'argent de cette femme, et à qui toute l'histoire fut racontée, obtint ce qu'elle voulait: un enfant de son Français, une fille qui partit pour l'Amérique à dix-huit ans pour échapper au sort d'employée de bureau. Elle emporta cet objet avec elle et l'avait dans la poche de son manteau en arrivant à Manhattan. Un an plus tard, elle apprit la mort de sa mère dans une lettre envoyée de Paris, écrite en français par la comptable remplaçante du bureau de la rue du Quatre-Septembre. Comme il tenait son établissement juste en bas de chez elle, Yuri est la première personne à laquelle elle annonça la nouvelle. Les souvenirs personnels de Yuri ont été de précieux alliés pour reconstituer les parties manquantes.

L'héritière de la coupelle prit le bus et alla s'asseoir sur un banc de Battery Park, près de l'océan, pour regarder ces quelques lignes griffonnées qui racontaient la mort de sa mère dans une langue qu'elle s'était efforcée d'oublier. Elle n'est pas retournée au travail. Elle s'est sentie seule, vide, fade, inutile. Le lendemain, elle a confié sa fille au propriétaire du salon de thé en bas de chez elle. L'eau commençait à couler au bord de ses yeux lorsqu'elle a déposé Machenka. Elle a rendu son déjeuner et s'est mise à regarder fixement ses jambes – blanches, droites, trop épaisses, presque déplacées sous sa mauvaise robe. Des jambes anonymes, pas vraiment à elle, en somme, comme si le bas de son corps commençait à se détacher du haut. C'est ce qu'elle murmurait entre ses dents, m'a dit Yuri. Elle est restée une heure entière assise sur sa chaise en mettant les pieds en canard vers l'extérieur puis en les ramenant vers l'intérieur. Yuri a installé Machenka dans la cuisine devant un goûter. Il a essayé de parler à sa mère mais rien n'y a fait. Elle est rentrée se coucher en fin d'après-midi et s'est suicidée au gaz. Machenka la petite serveuse travaille aujourd'hui dans son salon de thé.

Je me rappelle que, un mois après ma défense de l'Eucharistie, j'ai emmené Machenka à Brighton Beach en fin de matinée. Il faisait chaud. Nous avons mangé des glaces à l'eau et marché tous les deux sur la jetée.

Machenka souriait. Elle ne voulait pas que je la prenne par la taille. Elle était gaie, ravie de s'offrir un peu de temps libre. Devais-je lui dire la vérité? Cela avait-il même une quelconque importance? Savait-elle déjà ce que j'hésitais tant à lui apprendre? Il me semblait en tout cas qu'elle avait le droit de savoir. C'était elle, après tout, qui avait récupéré l'objet de mensonge et d'amour. Sa mère l'avait dans la poche de sa robe quand on l'a retrouvée.

Je ne savais ni par où commencer, ni même dans quel ordre continuer au cas où j'en aurais eu le courage. Et puis, tout d'un coup, elle m'a demandé qui étaient ces deux hommes qui revenaient régulièrement et avec lesquels je restais des heures à discuter. Je lui ai dit qu'ils habitaient tout près de chez elle sur la 56ᵉ. «Vous n'avez rien de mieux à faire de vos journées?» m'a-t-elle demandé d'un air espiègle. «Ce sont des voisins, lui ai-je répondu, nous discutons. Parfois je m'énerve un peu parce que je refuse de perdre du terrain. Je veux garder les choses intactes.»

C'est que tout a son importance. Nous sommes loin. Il faut se serrer les coudes. Nous avons un devoir de vigilance. Je leur répétais à chaque fois, aux deux compères de la 56ᵉ, que l'Esprit qui vient sur les dons du pain et du vin n'est pas une petite affaire tatillonne que l'on peut confier à n'importe qui.

Machenka a éclaté de rire. Elle s'est mise à courir sur les planches. «Vous croyez des choses pareilles? Ce ne sont rien que des mots, a-t-elle dit en s'éloignant, tout le monde s'en fiche.»

Je l'ai rattrapée et j'ai pris la main de Machenka, ce lendemain-là, au bout de la jetée, là où les planches sont mouillées par les grosses vagues. Elle s'évertuait à la secouer pour se dégager. Je l'aurais bien appelée «ma petite Machenka» ou quelque chose d'autre de tout aussi doux qui aurait pu nous lier un peu plus sans nous compromettre. Mais Machenka ne voulait pas. Elle s'est dégagée d'un coup sec. J'ai pleuré. J'ai ri. Nous avons ri et pleuré tous les deux et nous avons encore mangé des glaces. Elle m'a avoué qu'elle me trouvait un peu ennuyeux et m'a embrassé sur la joue pour se faire pardonner. Je lui ai promis de l'emmener un jour en Crimée. Elle a refusé. Elle était bien chez elle dans le petit appartement en haut, si pratique et facile à nettoyer, «si près du travail, avec des gens si bons pour moi au rez-de-chaussée». C'est ce que m'a dit Machenka ce jour-là et j'ai su que nous n'y retournerions jamais. Ni elle, ni moi, ni aucun d'entre nous.

L'éponge incestueuse

Je ne parle pas de sa cousine germaine qui se gonfle de l'eau salée du grand large, mais de cette petite variété qui siège au bord des baignoires et des éviers. Souvent rectangulaire, avec un côté qui gratte, cette éponge-là vieillit vite et dégoûte sitôt que l'âge l'enlaidit de salissures et émiette ses bords trop fragiles. En fin de vie, elle s'effiloche et abandonne çà et là de petites boules marron clair qu'on a de la peine à saisir du bout des doigts.

Moins sportive que l'autre, elle côtoie des frères sans avenir – éponges de salle de bains, chiffons d'argenterie –, s'amollit à leur contact, respire leurs mauvaises odeurs, s'accouple au bord d'une cuvette mouchetée de crasse. Aucun monstre, pourtant, n'en résulte jamais, aucune difformité ni retard d'intelligence. Cette éponge-là est toujours la même au fil des générations, verte en dessus, beige en dessous, utile, sans terre de promission, prompte à la tâche et criminelle.

C'est l'éponge plongée dans une nuit d'ébène ennemie d'Abel le berger. C'est l'éponge qui ne jure que par les siens, s'en contente et, même, s'en repaît dans la fange. Toujours d'humeur égale, mais à senestre.

Les gants

Le Colonel est arrivé hier soir à dix heures par la route de M. J'ai remarqué son manteau. Il était pendu au perroquet qui est à gauche en entrant. Nous l'avions vendu comme tous les autres meubles avec la maison à la mort de maman. Ils n'y ont pas touché. Il est à la même place depuis vingt ans et U. s'est en quelque sorte engagée à le remettre dans l'angle chaque fois que les enfants le bousculent.

C'est donc comme cela que j'ai su qu'il était arrivé. Il se défait toujours de son vêtement aussitôt franchi le seuil de la porte et n'en vide jamais les poches, ce qui l'oblige à repasser par le vestibule pour y chercher cigares, allumettes, morceaux de papier, pilules, petits carnets et toutes sortes d'articles dont il a quotidiennement besoin.

Je lui ai servi son verre de liqueur dans le petit salon où il aime rester seul un instant quand il est avec nous. Il m'a ensuite croisé dans le couloir et m'a lancé un «bonsoir» poli et laconique sans même me regarder. J'ai fait de même et je suis retourné dans ma chambre sans une remarque.

9 janvier

Il est resté dormir. J'ai trouvé ses bottes devant la porte en passant dans le couloir très tôt ce matin. C'est mon jour de congé, mais, comme j'étais déjà levé, ou bien par habitude, je les ai cirées et reposées au même endroit vers sept heures. Il était déjà debout. Je l'ai entendu farfouiller dans sa chambre. Ou peut-être faisait-il ses exercices de gymnastique.

U. a pris la relève et fera le nécessaire pour le reste. J'ai décidé de ne pas sortir et de passer le reste de la journée enfermé. De mon lit, j'entends les pas des gens qui montent à l'étage. J'ai entendu les siens – oui, je suis certain qu'il s'agissait bien des siens – vers huit heures, puis à nouveau vers dix heures. Personne ne viendra me déranger.

Le soir

Couché tôt après une journée passée à ne rien faire. À regarder par la fenêtre. Bu de la tisane pour dormir, sans d'autre effet que d'avoir à me relever trois fois pour aller aux toilettes.

11 janvier

Un messager, ce matin, a précédé l'arrivée d'I. Il m'a remis un pli sur le seuil de l'office. Monsieur n'a pas daigné l'ouvrir. Il m'a dit que c'était plutôt au Colonel de le faire. Je l'ai donc revu pour la deuxième fois en trois jours. Il a retiré la lettre du plateau et a glissé son ongle sous le rabat pour la décacheter. Il a attendu que je parte pour la sortir de l'enveloppe, comme si j'avais eu l'air d'attendre qu'il me fasse la lecture à haute voix ou comme si j'avais pu lire à travers le papier.

Quelques instants plus tard, la maison tout entière vibrait de la nouvelle. J'en ai été le dernier averti car j'avais dû m'absenter dans le potager. Chacun me l'a répétée quatre ou cinq fois.

Elle est donc annoncée depuis ce matin.

Nous savons maintenant qu'elle arrivera demain à cinq heures. C'est l'une de ses vieilles habitudes : attendre la fin de l'après-midi pour faire son apparition. Le mot n'est pas trop fort. C'est au moment précis où chacun est disposé à rompre la régularité de ses propres occupations, à descendre de l'étage pour nouer une conversation le temps d'un thé et où tous les ressorts particuliers se relâchent à l'unisson, qu'elle entre par la grande porte du salon du rez-de-chaussée. C'est tout naturellement que l'attention de chacun converge vers sa personne. L'étonnement du soir n'en est qu'agrandi. Elle rayonne à cinq heures et scandalise au dîner tant sa beauté, après le repos de la sieste, en impose à chacun.

15 janvier

C'est moi qui suis allé l'accueillir. La voiture s'est arrêtée devant le perron et je suis allé ouvrir la portière. Elle est sortie très lentement du véhicule, comme si elle avait eu des difficultés à se mouvoir ou ne faisait rien de plus que consentir à venir nous rendre visite. Elle affichait ostensiblement un certain ennui. Je l'ai accompagnée jusqu'au vestibule. Elle s'est immédiatement défait de ses gants et me les a confiés. Je les ai déposés sur la commode de sa chambre pendant que U. la conduisait au salon.

Neuf heures

Elle m'a donné négligemment une deuxième paire, juste avant de passer dans la salle à manger. Je pense qu'elle avait dû prévoir que nous nous croiserions avant l'heure du dîner. Mais comment ? Par quelle prémonition ? Ou bien cela tient-il du hasard ? S'y était-elle préparée ?

Elle est à présent posée à côté de l'autre sur le marbre de la commode. La première est écrue, la deuxième marron foncé.

Trois heures

Impossible de dormir. Je me lève pour en prendre note et j'écris cette phrase pour la deuxième fois : « Impossible de dormir. » Comme pour préciser que je ne fais que ces deux choses : ne pas dormir et l'écrire.

Ce n'est pas tout à fait vrai. J'ai relu l'histoire de Josué, fils de Nun, lui-même serviteur de Moïse, le serviteur de l'Éternel. J'étais presque arrivé à la fin du livre quand la lecture de cette phrase, que j'ai pourtant lue de nombreuses fois et n'avais donc pas remarquée jusqu'ici, m'a sorti de mon engourdissement : « Josué dit au peuple : "Vous n'aurez pas la force de servir l'*Éternel*". » Phrase terrible. Mais pire encore est l'explication de Josué : « Car c'est un Dieu jaloux. » Et, plus loin, il ajoute : « Il reviendra vous faire du mal. » Cela m'a troublé. Je me suis figuré que nous étions condamnés à des tâches impossibles et surhumaines. Non seulement abandonnés parce que nous ne pouvons les accomplir, mais poursuivis par la colère de Celui qui nous les a injustement imposées. Auquel nous devons le respect et contre Lequel nous ne devons jamais rien vouloir ni intenter.

16 janvier

Elle a laissé une troisième paire sur la table de la terrasse où elle a pris le petit déjeuner avec le Colonel ce matin. Je l'ai rapportée dans sa chambre et l'ai posée au même endroit que les deux précédentes.

Réussi à faire une sieste de trois quarts d'heure.

Ce matin encore, en déposant le plateau du petit déjeuner sur la table de la véranda, j'ai remarqué que le Colonel avait mis sa main sur la sienne. Ma présence ne les a pas gênés. Il n'a pas cherché à la retirer. J'ai pu observer sur son poignet l'extrémité d'une cicatrice en forme de virgule, dont le reste était caché par la main du Colonel. Elle a vu que je l'avais remarquée et a très bien compris que son regard ne m'avait pas échappé.

Le soir

Elle ne veut porter chaque paire qu'une seule fois. U. me confirme que les gants restent sur la commode et qu'elle n'y touche plus après que je les ai rapportés.

J'aimerais mieux que U. fasse le service, mais je m'arrange bien mal, ou alors le sort s'acharne contre moi. Elle doit toujours passer des commandes ou partir nettoyer quelque chose au moment où il faut servir un rafraîchissement ou le dîner.

30 janvier
Le matin

Elle m'a fait appeler dans sa chambre. Quand je suis entré, elle était debout devant la fenêtre. On pouvait deviner les poils noirs à travers le tissu léger du déshabillé. Elle m'a demandé d'emporter toutes les paires qu'elle me confie depuis deux semaines. Je me suis dirigé vers la commode. Comme j'hésitais – qu'en faire ? Les mettre dans mes poches ? Trouver un sac ? –, elle a laissé échapper un petit cri de dépit et s'est précipitée vers le meuble pour toutes les repousser vers moi du revers de la main. Ce mouvement, qui l'a fait se pencher, a entrouvert sa robe et dévoilé l'intérieur de ses cuisses. Je l'ai regardée. Elle n'a rien dit. J'ai ramassé quatre paires et je suis reparti. Cela s'est passé il y a une heure à peine.

31 janvier

I. et le Colonel ont annoncé à monsieur qu'ils repartiraient ensemble. On m'a demandé d'aller chercher le charbon ce soir chez V., à trente kilomètres d'ici. Je ne pourrai revenir avec le chargement que demain tard dans la matinée. Je ne les verrai pas partir.

Que faire ? J'aiderai U.

1ᵉʳ février
Midi

La chambre. J'y suis entré accompagné de U. Je n'aurais pas osé seul. Nous avons défait le lit. Elle a haussé les épaules lorsque nous avons soulevé les couvertures. Les draps étaient tachés. Elle a battu le matelas et l'a mis à cheval sur le rebord de la fenêtre. Puis elle m'a laissé seul pour faire la salle de bains. Je me suis assis sur le sommier. La commode est juste en face du lit. J'ai ouvert le premier tiroir. Il était vide. Le deuxième aussi. Le troisième était plein d'au moins vingt ou trente paires de gants, toutes de couleurs différentes, pour la plupart en chevreau. Certaines étaient en toile blanche. Pour cet été ?

Cinq heures

Fermé mon livre. Fin de la journée. Fin de tout.

Fin de Josué : on l'enterre, tout bêtement. Puis on transporte ses os.

Mâchez, ma chère, ma chair chère

Pas plus tard qu'hier, en rangeant mon nouvel appartement – je l'ai choisi parce qu'il ressemble à une tour amputée par le haut, toujours ouverte sur un pan de ciel imprévisible, tantôt dégagé, tantôt nuageux, et au fond de laquelle je me tords le cou pour observer les augures –, pas plus tard qu'hier, donc, je trouvai un billet dans l'un des cartons ayant servi à ranger les affaires de la penderie, glissé entre deux chemises. Parfaitement énigmatique pour moi, il ne peut que revenir à l'un des anciens locataires des lieux que j'ai quittés. Il y avait parmi ces gens une cantatrice de l'opéra de Budapest, une jeune femme espagnole de très mauvaise réputation et un octogénaire respectable, fourreur de profession.

Je le transcris ici avec une certaine gêne. C'est le caractère extraordinaire de son contenu qui me fait oublier toute pudeur. Je n'ai rien modifié des inscriptions qu'une main ferme et intrépide, guidée je pense par la dictée, a tracé sur le papier à carreaux. Mais qui peut concevoir le portrait de celui qui a écrit cela sans trembler ?

Je laisse cette œuvre minuscule à votre méditation. Il s'agit d'une lettre glissée à l'origine dans quelque boîte, malle ou valise contenant un bien funeste cadeau :

Mon chéri,

Veuillez trouver ci-joint le meilleur de moi-même, ces parties soigneusement choisies de mon anatomie, en parfait état de conservation, lavées et récurées. Je les aurais fait repasser s'il s'était agi de linges, ou momifier si j'avais été un riche Thébain soucieux des traditions. Je vous les offre généreusement une dernière fois. Vous trouverez mon... dans le sac du dessus, le violet. Soupesez une fois de plus, je vous prie, vos... préférés et offrez-vous le luxe de ce... qui, je l'espère, vous servit assez bien. Faites-en ma foi ce que bon vous semble.

Mes oreilles – celles-là mêmes dont vous aviez pris l'habitude de contourner le pavillon du bout de l'auriculaire avant d'en faire chaque matin le réceptacle de vos délicieuses cochonneries – sont à présent juste en dessous dans l'étui orange. J'ai mis dans la petite boîte jaune les pieds contre lesquels vous adoriez coller les vôtres, éternellement glacés été comme hiver. Vous y trouverez aussi mes doigts – mes «petits inquisiteurs», comme vous aimiez les appeler – et mon nez que vous affectionniez au point de composer des odes pindariques en son honneur et de coller tout contre certaines parties pour le moins étonnantes de votre anatomie.

Surtout, surtout, *mâchouillez-moi bien tout cela – celui qui vint à vous entier sans rien cacher et en repartit en morceaux. Songez à mes habits qui pendent désolés au fond des penderies. Profitez un peu de celui qui leur prêta vie devant vous et leur confia quelques beaux rôles : frère, amant, banquier, homme de ménage (dans cet ordre chronologique).*

Je crois n'avoir rien oublié. Je me lègue à votre science et vous quitte, hélas, pour de bon. Mais consolez-vous.

Mâchez, ma chère, ma chair chère

Comme vous le voyez, je suis toujours, mort ou vivant, tout à vous sans détachement.

Pauvre amour, adieu.

Votre très dévoué et affectueux,

Georges

Derme, épiderme, pachyderme

Il pourra sembler à certains – peut-être aux membres de notre petit club de bridge de Lagos – que rien de moins que le Destin s'acharna sur Fergus Delville le vingt-neuvième jour du mois d'août de sa trente-sixième année.

C'était un vendredi, une journée tout à fait banale que Fergus s'était accordée dans le but de réaliser son rêve le plus cher et surtout – évidemment, quel salopard – de se repaître tout le week-end de sa minable réussite avant de reprendre son service le lundi matin. Si les choses avaient bien tourné, Fergus se serait réfugié sous la moustiquaire de sa chambre en fin de journée pour se dire et redire en toute tranquillité que oh oui ! enfin il l'avait fait, il avait tripoté Meryl Pepys – une descendante du fameux Samuel, l'auteur du *Journal* – sans toutefois aller trop loin, qu'on allait donc rien en savoir et que même elle, d'ailleurs, cette gourde, n'avait pas bien compris ce qui lui était arrivé quand il avait glissé un doigt inquisiteur sous le tissu de sa culotte. Oui, oui, il se serait dit cela sous le grand voile blanc moucheté de chiures de luciole qui enveloppe sa couche de célibataire et qu'il retient au sol avec des presse-papiers en cuivre volés au bureau.

D'autres diront qu'un hasard malencontreux l'envoya à l'hôpital se faire amputer du bras droit le jour du délit vers cinq heures trente. Les moins généreux prétendront qu'il avait déjà un passé douteux, là-bas, dans le Kent, et se réjouiront de son malheur. C'est malveillant, mais peut-être ont-ils raison eu égard à la postérité. Qui sait ?

Les optimistes, quant à eux, feront remarquer qu'il est gaucher et que, mon Dieu, les choses auraient pu tourner beaucoup plus mal encore. Là, ma foi, je ne trouve rien à redire. Un homme au ban de la société, amputé d'un bras moins utile que son symétrique jumeau, a bien le droit de finir sa soupe sans avoir à supporter les commentaires de ses voisins. Et s'il lui reste la possibilité de rester seul chez lui au coin du feu, bercé par une délectation morose, voire un spleen tout baudelairien, eh bien, ce n'est pas si mal qu'on le dit.

Voilà pour ce qui concerne la rumeur dont se nourrit la presse à scandales, qu'elle soit établie chez nous, à Lagos, plutôt qu'à Fleet Street, à Londres. C'est tout l'homme, si vous voulez mon avis, ici ou ailleurs. Il y pense pendant des années, perd le sommeil, finit par le faire et déglutit tout seul la pitance prévue par la loi en se demandant si sa vieille mère ne serait pas, par hasard, un peu responsable.

Revenons aux faits. Fergus rendit visite à madame Pepys l'avant-veille du drame pour lui proposer un match de tennis. Il aimait, d'ailleurs – tout l'atteste – passer à l'impro-viste chez les Pepys, c'est-à-dire *presque* à l'improviste. Les missives acheminées par le boy du club pour annoncer ses incursions pédestres sont là pour le prouver. Si l'on compte que Fergus ne faisait ce jour-là que confirmer son invi-tation à la suite d'une première notification et s'enquérir par la même occasion de la santé de Meryl avant de passer aux actes, nous devons conclure que le soleil s'était levé pas moins de cinq fois depuis le premier dépôt de Pov'Boy Maa'dou. Le temps imparti à madame Pepys pour qu'elle pût se représenter la réalité de cette compétition amicale équivaut donc ni plus ni moins à une semaine si l'on exclut le samedi et le dimanche des activités sociales réglementaires et des réflexions privées qui s'y rapportent, hésitations incluses.

La demeure des Pepys, sachez-le, est nettoyée de toute présence masculine, fraîche et pure comme un soleil d'hiver. Sans poil ni badine, Bertrand Pepys étant décédé depuis trois ans à l'époque du scandale. Fergus aimait son odeur de lavande, la bonté rassurante des pots-pourris disposés sur ses meubles cirés, sans compter l'arrondi des cols Claudine de la veuve qui lui faisait maintenant face sur le perron cinq minutes exactement, pas une de moins, après qu'il eut tiré énergiquement la sonnette.

Quel bonheur de voir le rouge monter aux joues de Sarah, même après que son boy à elle l'eut prévenue de la présence du *Monsieur-Qui-N'ose-Jamais-Aller-Plus-Loin-Que-La-Dernière-Marche* (dixit ledit boy qui affublait ainsi Fergus d'un nom composé comme on en trouve dans nos comptines).

« Je ne sais quoi dire, monsieur Delville, conclut madame Pepys d'un air embarrassé après les salutations de rigueur et une réitération insistante de l'invitation. Le tennis, voyez-vous... »

Elle dansait vaguement d'un pied sur l'autre. N'avait aucune idée, la pauvre. Mais alors aucune. Rien dans le crâne, on s'en serait douté à moins. Ni en dessous, d'ailleurs, par peur de l'exercice – un corps tout raide. Et pas plus en dessus car Sarah Pepys vivait (en le cachant à tous et, du coup, dans des affres...), oui, vivait dans un monde *sans Dieu* (Dieu résidant, même inexistant, dans les nuages).

Les feuilles jaunies du palmier à huile bruirent discrètement sous la pression du vent. N'était-ce pour le décor, elle ressemblait à une jeune bourgeoise de miniature hollandaise qu'on aurait dérangée dans sa séance de crochet. Et pourtant (adieu, Delft) son œil égaré scintilla tout à coup d'une manière inhabituelle et en fin de compte un peu africaine. Elle sourit en cachant ses dents avec le revers de sa manche, tant et si bien que la dentelle effleura ses petites canines d'ivoire. Elle redressa la tête, enfin défaite d'un immense embarras.

« Je ne suis pas certaine de faire une si bonne partenaire. Peut-être Meryl... Maintenant qu'elle reprend des couleurs. »

Rien de plus normal, qui dit papa parti... réfléchit Fergus en donnant un air rassurant de généralité à ses maigres pensées.

Il passa un index dans son col de chemise pour faire glisser la sueur sur le côté et exprima tout autre chose.

« Quelle merveilleuse idée, ma chère Sarah ! Pourquoi, oui, pourquoi, ma foi, je vous le demande, Meryl ne viendrait-elle pas avec moi ? »

Fergus sentit les muscles de ses mollets et de ses mâchoires se tendre à l'unisson. Il lui sembla même que son interlocutrice prenait bonne note des mouvements intimes de son corps et se dit qu'il n'était pas superflu d'ajouter un boniment de circonstance.

« Viendrez-vous aussi ? Bertie aurait été tellement heureux de... »

Il se ravisa, contempla un moment ses brodequins couverts de poussière.

« Écoutez, je m'empêtre... Ce que vous dites est tout à fait sensé. Comme vous le suggérez, Meryl se sent mieux. Je suis certain qu'elle est devenue une joueuse hors pair. »

Sarah Pepys affichait maintenant un grand sourire, un peu réservé mais néanmoins anormalement large, bien qu'elle détestât qu'un ami de feu son mari se permît de l'appeler par son petit nom et encore plus qu'on lui resservît qu'il s'était laissé appeler Bertie par tout le monde au club de bridge, au cours de ces interminables parties qu'elle avait méprisées de loin, enfermée dans son salon en acajou en compagnie de sa petite Meryl, la rage au creux du ventre. Elle l'avait prévenu de nombreuses fois que cela retarderait fatalement sa promotion, que sa fille en pâtirait à sa place s'il venait à disparaître, mais rien n'y avait fait. Les hommes aiment ce genre de familiarité grossière lorsqu'ils sont entre eux, s'était-elle dit. Bertie...

Elle songeait qu'il aurait été de bon goût de proposer à monsieur Delville de passer dans son vestibule quand Fergus se crut obligé de revenir à la charge – Dieu sait pourquoi, peut-être pour se donner une contenance, sa jambe lui faisait tellement mal. Il se figura, c'est à peine croyable, qu'il était propice de le faire. *Good God!* Ne commençait-il pas à s'enfoncer de tout son poids dans la pierre astiquée du perron comme dans une éponge molle flottant au creux des vagues océanes ?

« Quant à vous, chère Sarah, vous n'échapperez pas à une partie de chasse », ajouta-t-il, ragaillardi par l'expression faciale de madame Pepys.

« Grands dieux, monsieur Delville ! La chasse ?

– Chère Sarah, avez-vous déjà vu de près l'œil d'un éléphant ?

– Non.

– Vous devriez. C'est étonnamment... hum... petit.

– Je ne sais si...

– Top là ! Il *faut* voir l'œil d'un éléphant. C'est une des beautés de l'Afrique. Pov'Boy vous ramènera Meryl aussitôt la partie terminée. Je me charge en personne de passer vous prendre vers une heure. Prévoyez un châle. Il fait frais, parfois, sur le chemin du retour. Maa'dou oublie souvent les plaids sur la banquette de l'entrée. »

Fergus repartit presque en courant, les cuisses raides comme des battes de cricket tant la nervosité le rongeait, diffusant une iode maléfique quoique délicieusement tonique jusque dans les veines de ses tempes. Il arriva exsangue devant sa porte, la gorge serrée par la vision rosie des chairs de Meryl, tout enveloppé de son enivrante blondeur dorée, de l'odeur de savon qui, s'imaginait-il, flottait partout, notamment autour de ses jeunes aisselles naturellement glabres. Il allait la revoir dans deux jours.

Il s'appuya de tout son poids contre la porte lorsqu'il l'eut refermée, reprit son souffle, boitilla jusqu'à sa chambre, repoussa la moustiquaire sur le côté et s'assit sur son lit pour se rafraîchir d'un grand verre d'eau.

On n'insistera jamais assez sur la force physique, l'envergure et la détermination des insectes africains. Fergus, perdu dans ses pensées coupables, ne porta aucune attention à la susurration lancinante qui aurait dû lui percer les oreilles pendant qu'il avalait goulûment son breuvage.

Un moustique – un anophèle du type *Stegomyia fasciata Nigerians* – le piqua au cou et notre ami sentit un liquide épais former une boule compacte sur le haut de sa nuque. Elle durcit, descendit d'un bon centimètre et s'installa dans les environs de la première cervicale. Fergus se mit à trembler. Sa langue devint pâteuse, son souffle court. Il chercha la fenêtre, se prit les pieds dans le grand voile de gaze et se rappela qu'il devait choisir un short pour le match. Oserait-il montrer ses jambes, poilues sur les genoux et pelées sur les mollets, maigres et noueuses comme celles d'un vieux gnou ?

« *Who cares ?* » se dit Fergus, pesant et malade.

Il s'aspergea le visage d'eau froide, frictionna la boule avec de l'eau de cologne au cuir d'Espagne et avala d'un trait un grand verre de quinine. Il observa sa nuque en se contorsionnant devant la glace et dut constater qu'un goitre fort mal placé d'une affreuse teinte mauve la décorait à la suite de la piqûre. Il se demanda avec consternation s'il n'allait pas devoir annuler la partie.

La tête lui tournait. Fergus s'allongea sur sa couche, glissa le thermomètre dans ses fesses sans même le passer à l'alcool, ce qui l'angoissa – rapport aux microbes –, alors que sa tête endolorie cherchait le coin le plus mou de l'oreiller et qu'il offrait sa croupe au vide de la chambre. Une chaleur inhabituelle enflammait ses omoplates et entamait tranquillement sa descente vers le bas du dos.

Il combattit ses quarante de fièvre avec des sacs de glace, enfila un pantalon long, rangea son pénis rétréci par la douleur sur le côté droit par la poche trouée et pensa qu'il allait falloir porter un short avec le même genre de trou pour jouer sa partie avec Meryl. Jupe blanche plissée, socquettes, culotte réglementaire sans échancrure, c'est ainsi qu'il se l'imagina en s'affalant par terre de tout son long, vaincu et vidé.

*

«Vous avez beaucoup transpiré, dit Pov'Boy avec un grand sourire lorsque Fergus se réveilla.

– Que faites-vous là? demanda Fergus tout pâteux.

– J'éponge vous.

– Quelle heure est-il?

– Onze heures.

– Onze heures!

– Pas d'inquiétude, répondit Pov'Boy. Le colonel Bromfield a trouvé un autre partenaire.

– Mon Dieu! Mais nous avons *deux* parties à jouer, s'exclama Fergus en sautant hors du lit. Et celle de demain dépend de... ah! zut, mais quel nul je fais... je viens de rater la première... on m'en voudra... Quelle heure est-il?

– Onze heures, répéta Pov'Boy.

– Onze heures? Vraiment?

– Du matin», renchérit Pov'Boy en inclinant sa belle tête ovale en direction de la fenêtre.

Fergus passa une main sur sa nuque et poussa un cri.

«Où est ma bosse?

– Partie avec l'aiguille, monsieur Delville.

– L'aiguille? Quelle aiguille?

– La mienne, monsieur Delville... l'aiguille de Pov'Boy.

– Qu'est-ce que c'est que cette histoire, Maa'dou?

– Le docteur Stockwell est passé. Il a donné beaucoup de pénicilline en petits cachets...»

Pov'Boy leva lentement les yeux vers le plafond.

«Sert à rien... Faut percer d'abord et aspirer un coup.

– Vous avez mis de l'alcool, au moins?» s'inquiéta Fergus.

Pov' Boy fit signe que oui et rit intérieurement de ce que les Blancs eussent toujours besoin d'alcool. Et il aurait fallu en plus frotter ça sur la peau... Pourquoi pas, aussi, pisser sur une girafe!

«Piqûre partie», conclut victorieusement Maa'dou.

Pov'Boy l'aida à enfiler son short, glissa lui-même les pans de sa chemise à l'intérieur, boucla sa ceinture et le reconduisit à la porte. Il ferma la maison sans oublier aucun des verrous, courut après Fergus qui s'éloignait déjà cahin-caha dans l'allée, lui remit le trousseau en mains propres et s'en retourna servir au club d'un pas léger. Le soleil marquait onze heures un quart.

Il le regarda s'éloigner une dernière fois. Quelle drôle de dégaine avait donc ce monsieur Delville avec son impossible chapeau posé sur la tête et une sorte de bonne humeur bizarre plantée là on ne savait pourquoi, malgré tout ce qui le torturait intérieurement! Non, vraiment, il ne ressemblait pas aux autres. Il n'avait pas leur arrogance. Il s'était même mis la communauté à dos et avait affiché son appartenance à un tout autre monde le jour où Maa'dou s'était pris les pieds dans le tapis du club et avait taché les guêtres du colonel Bromfield avec le thé de Noël.

Fergus lui fit un grand signe de loin en tournant dans l'avenue Wellington. Maa'dou caressa l'aiguille dans la poche de son tablier, se redit comme en un psaume qu'il était de son devoir d'aimer monsieur Delville et d'avoir pitié de son âme. Quelles horreurs n'avait-il pas dites dans son sommeil quand il avait aspiré le liquide et pansé sa plaie! Si seulement il avait pu lui tirer ces terribles histoires de la tête comme il avait tiré le pus avec l'aiguille... Mais non, se dit Maa'dou, l'âme des hommes est plus impénétrable que la peau des plus grosses bêtes. Il irait prier pour lui à Saint-Paul de Lagos cet après-midi; et comme Dieu était bon et généreux, Il l'épargnerait sans rien demander en retour. Pour plaire à Maa'dou. Car Fergus Delville et nul autre dans l'assemblée – il ne l'oubliait pas – s'était interposé pour le sauver le jour du thé de la badine cinglante et vengeresse de monsieur Pepys.

*

Meryl attendait Fergus à l'ombre du baobab. On avait coupé haut les branches qui redescendaient vers le court; elles faisaient une immense zone de fraîcheur dont profitaient également les visiteurs installés à la terrasse du club. Elle se leva, ramassa sa raquette d'un air las et rejoignit mollement Fergus en soulevant un petit nuage de poussière rouge qui auréola ses pieds.

«Bonjour, Meryl, dit joyeusement Fergus en refermant derrière lui la petite porte en grillage vert foncé.

– Bonjour, monsieur Delville», répondit Meryl.

Fergus se dit qu'elle devait porter un soutien-gorge puisque la pointe de ses seins ne perçait pas à travers le coton léger de sa chemisette en nid d'abeille. Une idée de Sarah, sans aucun doute, alors que sa fille en avait à peine, des seins. Elle avait dû aplatir des boules de coton dans les bonnets pour que tout fût parfaitement lisse de l'extérieur et qu'on ne pût soupçonner la moindre protubérance de chair. Enfin... Fergus, toujours pragmatique, porta son attention sur la partie inférieure de la fillette et s'enflamma plus que la normale pour le rosé duveteux de ses genoux.

Et que pouvaient évoquer ces jeunes rotules dans son esprit malade sinon les jupes-culottes de sa sœur, les croûtes qu'on grattouille une semaine après la chute sur le gravier ? *La* chute, bien sûr, il faut le redire, pas n'importe laquelle, celle que la sœur jumelle a imaginée en creusant un trou avec la pelle de la voisine. *La* voisine, pas n'importe quelle fille du coin. Précisons qu'il s'agit, parmi toutes les camarades de ladite sœur, de celle qui vous empêche de dormir tellement elle est fraîche et longue et belle. Celle-là même qu'on n'aura jamais, rapport aux conventions et à la hiérarchie. «Pas touche!» C'est bien cela que voulait signifier la sœurette avec son trou. Et quoi, encore, côté évocation ? Ah oui... l'herbe verte, un florilège chlorophyllé, rien de moins, la confiture qui tombe de la belle hauteur d'une tartine croquante beurrée au demi-sel, le lendemain de ladite chute au goûter de la copine, quand tout est gris et que sœur jumelle vous a traînée là-bas avec votre énorme albuplastre marron clair qui vous donne l'air d'un petit garçon. Tout ça pour vous faire rentrer dans la tête qu'il faut savoir tenir son rang, surtout quand il est inférieur, avec cette passion qu'elle a – la sœur – de rappeler à tous qu'elle compte bien moins socialement parlant que l'amie qu'elle s'est choisie.

Fergus proposa à Meryl la partie ombragée du court et partit suer comme un bœuf au soleil en attendant qu'elle daignât servir. La jupette remonta délicieusement le long de la cuisse, la balle fendit l'air et Fergus la renvoya aussi sec au fond à gauche, à la limite réglementaire de la bordure blanche, ce qui permit à la fillette de dévoiler le centimètre de culotte dûment convoité en tentant un ultime revers, puis, suite à un échec inévitable, un centimètre supplémentaire lors du ramassage de la même balle.

Fergus en tenait une autre dans sa main quand elle se retourna vers lui ; il l'envoya en douceur sous le filet.

Meryl tenta un deuxième service que Fergus renvoya en dirigeant la balle à son avantage à elle, histoire de calmer les esprits et d'être un peu galant.

Tout ce petit manège dura un certain temps, ressenti comme affreusement long par chaque partie, pour des raisons différentes et même diamétralement opposées. Puis Meryl fit une chute assez mauvaise au moment où tout le monde était à l'ombre à l'intérieur et où l'on s'occupait plus des gin tonics et des citronnades que de la disponibilité des courts, ce qui permit à Fergus de passer en toute légalité de l'autre côté du filet, de s'asseoir à côté d'elle sur le banc et de proposer un passage à l'infirmerie histoire de confirmer qu'il n'y avait rien.

C'était l'heure du repos. Le genou avait un peu gonflé. Fergus passa une main le long de son cou en dernier signe d'hésitation bien qu'il n'y eût plus aucune excroissance à masser. Il demanda à Meryl de retirer ses socquettes, puis de s'accroupir sur le carrelage pour tendre la peau du genou, ce qui lui fit un mal inutile en ouvrant la plaie comme une petite bouche timide.

Fergus tendit son index, replia les autres doigts pour le dégager et en faire une tige bien droite, puis il le glissa de tout son long sous le tissu de la culotte. Il joua un peu avec l'élastique, l'agita tel un asticot contre les lèvres impubères et l'enfonça tout en appuyant sur l'anus avec son pouce. Il fit glisser le pouce à son tour, chercha l'autre doigt dans la chair, plia les deux à la façon d'une pince et les tapota l'un contre l'autre en faisant onduler le bassin de Meryl, comme on donne une tape amicale sur le gras de la croupe l'air de dire «Allons-y». L'ongle de l'index partit chercher celui du pouce, mal limé, et même cassé si Fergus avait bonne mémoire. Il était là, tout près, qui jouait par saccades avec cette peau tendue que Fergus voyait rose pâle au fond des pupilles douloureuses de Meryl. Il suffisait de forcer le passage pour qu'ils se rencontrent, monsieur Index et monsieur Pouce. Fergus Delville hésita.

Meryl sentit son ventre lâcher et ferma les yeux; des larmes lourdes et pleines coulèrent sur ses joues. Fergus se serait damné pour avoir le courage de s'allonger à même le carrelage, de l'écarter contre son visage, d'observer le détail de sa chair blême avec la rigueur d'une loupe.

Il resta accroupi, banal comme un homme qui refait son lacet. Meryl se dégagea doucement, remit ses chaussures pendant que Fergus cherchait le trou dans sa poche et sortit du vestiaire en courant. La gomme de ses semelles battit furtivement le sol carrelé du couloir.

«Meryl! cria Fergus. Revenez, voyons! Meryl! Ne faites pas la sotte! Votre raquette!»

C'était trop tard. Meryl avait déjà traversé les douches, la terrasse, le hall du club, passé le baobab, rejoint l'avenue Wellington, fait signe au chauffeur du bus qui ralentissait en rasant le trottoir qu'elle ne monterait pas aujourd'hui, qu'elle irait à pied, en s'arrangeant pour courir de travers pour qu'on ne pût voir, ni du bus ni d'ailleurs, le sang qui coulait. Elle avait poussé la grille, grimpé l'escalier, trouvé les mots pour tout avouer à son père qui souriait dans le cadre posé sur sa table de chevet et enfoui aussitôt ces mots sous son oreiller comme on plie son pyjama.

Voilà. Meryl Pepys, illustre par le nom mais désormais anonyme comme une victime, avait enterré au fond de son âme coupable les orbites livides de Fergus Delville, boueuses et puantes comme les remous du fleuve. Elles persistaient, béantes, devant les siennes, et n'allaient jamais s'effacer.

*

Après un tel écart, rien qu'à l'air éminemment satisfait qu'affichait Fergus en grattouillant la tache sur le revers de son short devant l'entrée du club et à la mine figée de Meryl qui refusait obstinément de répondre aux questions pourtant fort discrètes de sa mère sur l'état déplorable de son genou, rien de moins qu'un événement funeste pouvait clore cette journée, que cela tombât du ciel ou jaillît des entrailles de la terre.

C'est la bonne vieille terre qui gagna la partie ce jour-là, par le truchement d'un mammifère, une bête imposante à trompe grise qui s'acharna sur Fergus trois heures plus tard comme si un esprit vengeur de la savane avait revêtu de larges oreilles pour dire le fond de sa pensée.

Le sieur Delville était prêt pour le safari et s'en retournait détendu chez madame Pepys, raquette en main. Il la retrouva sur le perron, la mine un peu dépitée mais néanmoins affable.

«Je suis désolé, répondit Fergus aux remarques anodines qu'elle se permit de lui faire. Il n'y avait personne à l'infirmerie. J'ai tout de suite pensé, bien sûr, que le mieux était que Maa'dou la raccompagne, mais Meryl a tenu à repartir toute seule comme une grande.

– Ce n'est rien, répondit madame Pepys. Juste une égratignure. Le docteur Stockwell est venu tout de suite et l'a trouvée en pleine forme. »

Rien ne l'aurait plus embarrassée que d'avoir à donner des détails sur les résultats de l'auscultation et elle se dit que, de toutes les manières, les convenances l'en empêchaient.

« C'est une joueuse hors pair, continua Fergus de son côté en glissant un doigt dans le trou de sa poche. Nous rejouerons... enfin, je l'espère. Au fait... le plaid ?

– Dans le sac, répondit madame Pepys en tapotant la chose en raphia qu'elle serrait contre son ventre.

– *Go ?*

– *Go !* » répondit-elle, et ils partirent à la chasse.

*

L'éléphant de madame Pepys suivait paisiblement celui de Fergus. Sarah n'avait pu observer son œil lorsque la bête avait plié ses genoux avants pour lui permettre de monter. Elle n'avait pas osé se pencher en direction de son énorme tête quand le cousin de Pov'Boy l'avait hissée sur son siège. Cela l'avait contrariée. Bertrand n'aurait jamais pensé lui faire remarquer ce genre de détail – un œil d'éléphant. Elle avait manqué l'occasion. Il était maintenant hors de question de faire autre chose que se tenir fermement au pommeau de la selle et imaginer que des chats angoras et des escargots, et non des hyènes et des antilopes, parcouraient la savane. Sarah avait peur que le balancement de la bête ne lui donnât une envie soudaine de faire pipi. Il n'y avait pas de buisson en vue et les seuls hommes qui l'accompagnaient – Fergus mis à part – étaient noirs.

Fergus se tortillait sur sa petite nacelle, apparemment pour diriger l'attention de Sarah sur un nuage de poussière qui frissonnait à l'horizon, ou sur des traces profondes et régulières qui indiquaient qu'un prédateur avait traîné sa proie juste avant leur passage, en réalité pour essayer de décoincer le testicule qu'il avait fini par faire remonter assez haut à force de se tripoter, et c'est en soulevant ses fesses et en tentant de secouer discrètement son bassin qu'il se mit à glisser le long du flanc de la bête comme un alpiniste en déveine le long d'une paroi trop lisse. Il tomba à terre. Sarah poussa un cri. Le cousin de Pov'Boy déclara au même moment que l'éclaireur annonçait par signaux que l'on approchait d'un troupeau d'antilopes, ce qui indiquait immanquablement la présence de lions. Ce dernier mot, prononcé d'une voix ferme, fit pâlir Sarah qui se mit à pousser de nouveaux petits cris intempestifs. Les Noirs riaient beaucoup et continuaient à vaquer à leurs affaires ; Fergus se crut obligé d'intervenir maintenant que sa chute avait remis les choses en ordre.

Sa bête, hélas, ne l'entendit pas de cette oreille – si l'on peut dire. Fergus ne daigna même pas la regarder après qu'il se fut épousseté. Il se releva, c'est tout, et lui tournait le dos pour prier Sarah de se tenir tranquille, et même de cesser son cinéma et de ne pas troubler le bon déroulement des opérations. Il ne prêtait aucune attention aux mouvements circulaires de la queue qui balayait furieusement les mouches à quelques centimètres de son crâne.

La bête recula, donna un grand coup de trompe dans les airs, avança d'un pas lourd et fracassant, recula à nouveau, secoua la tête de droite à gauche, émit un barrissement que l'on aurait jugé enregistré en quadriphonie pour une sélection des plus grands moments du cirque Barnum et percuta Fergus qui valdingua comme un fétu de paille une seconde fois. C'est en allongeant le bras pour ramasser son fusil – chacun fut le témoin involontaire de ce geste affreux – qu'il glissa son coude sous la patte comme on glisse une feuille de journal sous une rotative lancée à fière allure. Il y eut un craquement presque ridicule. Blancs et Indigènes exprimèrent à l'unisson leur émotion, fort distinctement et *a cappella*. On entendit les basses soutenir la ligne mélodique des aigus, puis l'éléphant releva élégamment la patte et partit se poster à une distance réglementaire de celui de Sarah. Laquelle, paralysée par tant d'agitation, s'évanouit la tête en avant.

*

La fin de cette journée ne présente quant aux détails aucun intérêt particulier. On devine la suite : la litière, la morphine qui manque dans la sacoche, la fébrilité générale, tout autant sur le chemin du retour, trop long, qu'à l'hôpital, d'une propreté douteuse.

Ce qu'on en dit ou on pense tout bas est une autre affaire. Meryl ressentit-elle du plaisir lorsqu'elle apprit la nouvelle ? Rien n'est moins sûr. Les victimes ont souvent pour leurs bourreaux des pensées étonnamment compatissantes. Le docteur Stockwell enfreignit-il une règle sacrée de sa profession en dévoilant à un bavard le résultat de ses investigations ? Toujours est-il que Fergus était à peine sorti du bloc opératoire que tout Lagos jasait sans que rien transpirât vraiment, par un transfert occulte des informations qui passèrent d'un cercle à l'autre toutes portes closes. Que savait-on au juste ? Personne n'aurait pu le dire avec précision. Que quelque chose n'allait pas avec Meryl, et encore cela prit-il l'air rassurant d'une vague généralité sur les petites filles espiègles en manque de papa. Et puis, suggérer la vengeance d'un éléphant aurait ressemblé à de la magie. Cela aurait fait penser aux gris-gris et aux séances de tam-tams. Pourtant les deux choses transpirèrent comme la vraie sueur : la partie de tennis avec la fille et le safari avec la mère.

Au bout de quinze jours d'alitement, Pov'Boy Maa'dou était le seul être humain avec lequel Fergus avait eu une conversation. Disons plutôt qu'il avait eu droit à un monologue à sens unique composé de phrases simples et bien senties par lesquelles Maa'dou lui avait gentiment dit son fait. Mis à part le docteur Stockwell, responsable de l'amputation, personne d'autre ne s'approcha de son lit.

Fergus Delville repartit en Angleterre une semaine plus tard sur un bateau de Sa Majesté avec un billet de troisième classe. On ignore quelle administration poussiéreuse l'accueillit là-bas. Rien de trop brillant, je crois, le genre de sinécure qui permet néanmoins de cumuler des points et assure une sorte de retraite. Quelques privilèges restèrent attachés à sa personne. Il paraît à ce propos que Pov'Boy finit par apprécier grandement sa compagnie, qu'il s'acheta un parapluie anthracite au bout de la première semaine et finit par couler des jours heureux avec son bienfaiteur dans un deux pièces à Portobello.

Demain la poule

L a poule n'est pas analphabète. Non. Ses coups de bec
sont bien ponctués. Son col tout tassé se tortille nerveusement comme autour d'une tige filetée de travers dans
son œsophage et témoigne d'un grand sens de la littérature.
La prose, le théâtre et la poésie sont également représentés
dans son esprit. Qui plus est, avec audace.

Elle rime inlassablement par répétition, joue avec bonheur un rôle puis l'autre, une fois en avant, la prochaine en
arrière, comme au Music-Hall, mais peut aussi bien faire un
long paragraphe lorsqu'on la contrarie. Par exemple, le jour
où elle ira en cuisson, ou bien se fera tirer les plumes par
les enfants. Là comme ailleurs et en d'autres circonstances,
la méchanceté fait autant de miracles que la gourmandise.

Vents

Crescendo

Tout cela, Pierre, est arrivé si soudainement. Ce n'a été pour commencer qu'un souffle ténu sorti des lèvres d'un amour joufflu perché en haut d'une fontaine sèche. Il cracha vers le ciel un jet d'air froid au lieu de l'habituel ruisseau quasi vertical de fraîcheur, caressant la nuque des innocents accoudés au bassin.

Personne n'y prêta la moindre attention.

Dans la chute de sa parabole, il repoussa quelques mèches puis rebondit mollement, souleva les jupes et jusqu'à la lourde étoffe des manteaux. Il s'enroula, s'étira en arabesques et se fit tout petit pour s'introduire dans les serrures chuintantes du quartier Saint-Sulpice.

Cette brise légère qui fléchit les têtes et force les index à se poser sur le faîte des chapeaux s'est engouffrée partout. Elle a fait son affaire des narines et des gants de laine. Elle est passée par les égouts et sous les portes cochères, s'est glissée au fond des paliers et jusque sous les tapis, a remué la cendre des cheminées et fait claquer les portes, brisant carreaux et porcelaines. À cinq heures, il n'y avait rien qui ne fût plein de son haleine.

Vers les huit heures, nous avons commencé à ressentir les effets de la conspiration des vents d'est et d'ouest. S'élevant comme une seule nausée, de minuscules tourbillons ont fait virevolter les éclats de verre de la fin d'après-midi.

Leur nettoyage s'avérait une tâche inutile. À peine mis de côté en petits tas, ils étaient tout aussitôt soulevés avec grains de poussière, feuilles et moutons. Les rues se sont remplies de papiers gras et d'ordures ménagères tournoyantes. On voyait les voitures se balancer sur place comme les bateaux dans la rade par gros temps. Les pigeons désorientés par la tornade sont allés s'écraser contre les vitres des bus et des magasins.

La terre a tremblé. En un instant, les rues furent désertes et la ville semblait morte.

À onze heures, la radio a annoncé que le nombre des arbres déracinés se montait à plus de six cents. La plupart avaient bloqué les portes, éventré badauds et clochards.

Pas un trou, pas une fissure ou un interstice n'avait échappé à la force des vents conjugués. Pas une rainure. Le sifflement était insupportable. Le Souffle balaya tout ce qui avait eu la force de rester à terre, laissant derrière lui un dédale de rues sales et encombrées. Son chuintement insidieux répandit partout la terreur.

Decrescendo

Les vents se dépêchaient de parachever leur œuvre. Sur le coup des trois heures, il y eut comme une accalmie, d'abord à peine perceptible. On aurait dit qu'une énorme machine s'épuisait. Il ne restait certes plus rien à détruire. L'intérieur de l'appartement faisait peur à voir. Nous n'osions plus bouger et gardions les mêmes postures. Nous ressentions nous aussi une immense fatigue, une lassitude.

Ce relâchement, nettement perceptible le matin dès quatre heures – principalement parce que le chuintement diminuait peu à peu –, s'accentua jusqu'à ce que nous reconnûmes l'alizé qui avait brisé du verre quelques heures plus tôt. Enfin débarrassé de son gros habit d'ouragan, défait de ses mille sinuosités, il repassa en ami parmi nous pour une courte visite. La courbe descendante ne formait plus qu'un trait uniforme sur l'écran de la station météo; on y voyait comme la calligraphie d'un scribe au bord de l'asthénie. Alors nous nous autorisâmes à sortir.

Piano

Les pas, dans leur trop grande légèreté, faisaient un spectacle effrayant: ces *précautions* qui viennent nécessairement *trop tard*. Nous dûmes nous frayer un chemin parmi les décombres. Le palier, puis l'escalier. La rue. Là encore, leur lenteur faisait peine à voir. Nous avions peur de réveiller les vieux démons. Nous parlions bas. Quelques-uns d'entre nous osèrent poser un pied sur ce sol qui avait tant souffert. Le trottoir, les pavés – tant de corps et d'objets les jonchaient. L'immobilité de l'air leur conférait un air sacré. Nous étions en terre étrangère, les hôtes réchappés d'un désastre.

L'état de grâce se prolongea quelques jours. Nous décidâmes de pousser jusqu'au jardin du Luxembourg pour y regarder les grands arbres déracinés. La pierre des vieux bancs, brossée et érodée par le Souffle, avait la douceur des jeunes galets. Les statues étaient décollées de leur socle. Nous nous hissâmes sur l'un de ces socles, qui faisait bien trois mètres de haut, et nous vîmes alors le jardin ressembler à un champ de bataille.

Finale. Amoroso

Le lendemain, je te rencontrai pour la première fois sur la plate-forme du bus. Tu regardais avec égarement le paysage désolé. Une brise légère t'a décoiffée. Ce fut mon prétexte : je t'ai aussitôt rassurée. Ce n'était que la vitesse du véhicule.

Tu as tourné la tête pour constater qu'en effet les branches des arbres n'oscillaient pas. Tu as observé tout fort en riant qu'aujourd'hui leurs feuilles restaient bien accrochées.

Quelque chose est venu se déposer sur ton œil. Du pollen ; peut-être une poussière. La paupière à demi fermée, tu as cherché un mouchoir dans ton sac. Les mouvements du bus t'ont fait perdre l'équilibre. Tu t'es pris l'ongle dans le fermoir en voulant ranger le mouchoir, puis tu as dressé ton index comme un *i* devant ta bouche en plissant très fort les yeux. Tu as soufflé dessus pour faire frais. Les voyageurs sur la plate-forme se sont retournés et t'ont foudroyée du regard.

En guise de réponse, tu as relevé la tête et les a souffletés d'un deuxième *pffttt* assez dédaigneux. Nous avons dû descendre à l'arrêt suivant, mais trop tard car on nous suivait déjà. Alors nous avons longé la grille du jardin et nous sommes allés nous asseoir au bord du bassin.

Il faisait tout à coup un peu frais. Tu soupirais, mécontente. Ce n'a d'abord été qu'un souffle ténu sorti des lèvres d'un amour joufflu perché en haut d'une fontaine sèche.

Ulan Bator

Il était trois heures de l'après-midi lorsque nous arrivâmes à Ulan Bator. Frédéric voulut partir tout de suite à la recherche de la fumerie. Nous eûmes tout juste le temps de déposer nos bagages et nous le suivîmes à travers un dédale de rues semblables et anonymes. Nous tenions à rester habillés à l'européenne, mais il insista pour que nous rentrions chez un fripier et en ressortit le premier en costume mongol.

L'odeur de la rue était un mélange de soufre et d'épices rances, une odeur de vieille boutique qui évoquait quelque lieu sombre et secret, quoique en plein jour et sous un ciel parfaitement dégagé. À chacune de nos étapes, les marchands nous indiquaient le chemin de la fumerie. Elle se trouvait au fond d'une allée noire, derrière une porte qui l'obstruait comme un couloir d'appartement. Derrière, il y avait une autre porte. Puis encore d'autres couloirs; une dernière tenture, enfin. La fumée y était si épaisse qu'elle formait une sorte de bloc solide et mouvant au travers duquel les habitués ne se déplaçaient qu'avec une lenteur extrême.

Frédéric nous invita à nous asseoir et demanda qu'on l'excuse. Il disparut derrière un panneau coulissant et revint quelque temps après accompagné d'un vieillard qu'il nous présenta comme le propriétaire de l'endroit. Nous restâmes jusque tard dans la nuit et je n'ai toujours pas la moindre idée de la manière dont nous réussîmes à regagner notre hôtel. Quelqu'un avait dû nous y faire transporter car il nous aurait été impossible de retrouver notre chemin à pied et sans guide. Le préposé de la réception resta muet sur ce chapitre.

Ce n'est que le lendemain matin que nous nous rendîmes compte que Frédéric n'était pas avec nous. Nous passâmes une première journée sans lui, puis une deuxième. Pas un signe. Pas un mot. Nous décidâmes de réunir nos forces et de tous nous installer dans la même chambre pour y établir notre quartier général. Aucun de nos indices n'aboutit. Il nous fut impossible de reconstituer l'itinéraire de la fumerie. Chaque tentative conduisait à un endroit différent. Nous visitâmes la ville dans ses moindres recoins. Nous marquions nos passages d'un trait de craie sur un mur, une colonne ou une pierre. Sur notre plan, nous prenions soin de hachurer chaque ruelle, chaque impasse, chaque immeuble visité. Lorsque le dernier carré fut rempli, nous pliâmes bagages.

*

À Dieppe, la veuve Thénard me confia sa clé. Elle me soutint avec tout l'aplomb nécessaire que Frédéric n'avait pas bougé de l'été et qu'elle l'avait d'ailleurs entendu rentrer à une heure très avancée pas plus tard qu'hier au soir. Il fallait que je prenne un peu de bon temps avant la reprise des cours. Je pouvais bien sûr monter me reposer là-haut.

J'ouvris la porte de son appartement et je m'installai sur le divan du salon. J'allumai une cigarette et éteignis la lumière pour mieux me souvenir de lui, des nombreuses soirées que nous avions passées ensemble dans ce salon, les fenêtres ouvertes sur le port. Cette dernière idée me décida à me lever. Je voulais retrouver cette odeur de goudron, l'odeur de Dieppe ouverte au large. J'attendis.

Tout dans cet endroit était fait pour me rappeler ses habitudes : une certaine façon de ranger les objets, de mettre les tapis en biais. Je m'allongeai de tout mon long sur le divan. C'est alors que je remarquai l'odeur qui entrait par la fenêtre. Ce n'était pas l'odeur habituelle du port. Ce n'était pas une odeur de mer. Ce n'était pas non plus l'odeur du bitume chauffé, ni celle des cartouches brûlées aux stands de tir. C'était une autre odeur encore, étrangement familière, un peu rance. L'odeur d'Ulan Bator ?

Je ne rallumai pas la lumière. Je me mis, dans le noir, à la recherche d'une boîte. Il y en avait une sur la table basse, que je connaissais bien : un petit cylindre en carton avec un couvercle ajouré que je lui avais offert des années auparavant, à l'époque de notre première rencontre. Je l'ouvris. Il était vide. Je le posai sur le balcon. J'attendis patiemment qu'il se remplît. Puis je le refermai, le mis dans ma poche et partis en refermant à double tour.

Et maintenant, de deux choses l'une. Soit Frédéric s'était perdu à Ulan Bator, peut-être même de son propre gré, auquel cas je devais emporter le seul souvenir de lui qui pût légitimement me revenir. Il s'était, comme on dit, payé notre tête, sans égard particulier pour moi, me forçant par une insouciance blessante à partager le sort des autres. Ou bien il était revenu à Dieppe sans rien nous dire. Mais cela ne changeait rien. Bien que je ne fusse plus à lui, je devais retenir quelque chose de notre amitié.

J'ai cessé aujourd'hui de me perdre en conjectures, cessé de chercher une troisième explication. Je regarde de temps à autre cette petite boîte. J'y tiens bien que je n'aie plus à la garder par-devers moi. Je pense toujours à l'ouvrir en passant à côté mais ne m'y risque jamais.

Petites conversations avec Maria de Lurdes

J'appelle Lisbonne le soir vers vingt heures, heure de Paris. C'est toujours Maria de Lurdes qui répond. Ses mots s'égrènent tout du long comme de petits cailloux. Ils passent ma porte l'un après l'autre, faussement hésitants, jetés là devant *pianissimo misterioso*, pour emprunter l'expression réservée par le regretté Rudolf Kolisch à la notation de Beethoven. Et c'est indéniable : il en est des paroles de Maria de Lurdes comme du début des quatre mouvements de la sonate *Waldstein*. Un mystère doux et lointain s'empare de l'air chaque fois qu'elle les dit.

Elle sait que je ne la comprends pas, en tout cas pas entièrement, hésite à les prononcer, les souffle par gentillesse et considération pour que je puisse tout de même en tirer quelque chose : une information, aussi mince soit-elle, un projet. Il n'empêche : sa diction est stable, droite, assurée. Si jamais quelqu'un d'autre répond, qui parle le français ou l'anglais, je suis déçu car une vraie conversation s'engage et il nous faut parfois, mon interlocuteur et moi, dire des choses bien banales. C'est inévitable. Parmi celles-là, il en est auxquelles nous tenons malgré tout. Alors qu'avec Maria de Lurdes, rien n'est préparé. Tout est possible et comme en suspens.

Je sais exactement à quoi elle ressemble ; sa taille, le contour de son visage, l'expression de sa bouche, les mouvements de ses mains. Rien ne m'échappe. Maria de Lurdes laisse toujours un signe en gage, un pli au coin de l'œil, l'éclat d'une dent, une courte frayeur qui passe sur ses lèvres.

Je préfère quand c'est elle qui décroche, cachée au fond d'une des larges courbes du Tage, les coudes appuyés sur la table, le regard liquide et malin pris dans l'amande de ses yeux. Il peut s'agir de la table du salon ou bien de celle de la cuisine, suivant où se trouve son paquet de *S. G. FILTRO* car Maria de Lurdes ne lâche jamais longtemps ses cigarettes. Sa pupille s'allume, elle regarde la pendule ou bien sa montre pour vérifier que João-Carlos rentrera dans une heure plutôt que deux, ou encore que Filipa pourra me parler, car leur fille aînée le peut, grâce à l'anglais, si jamais je veux bien patienter. Je goûte ses silences, son rire à peine cassé par la fumée qui fait un voile devant ses paroles. On devine ce qu'elles seraient si une voix parfaitement claire les prononçait. On comprend sans mal que ce serait dommage, un signe que le metteur en scène se serait égaré, que Dieu aurait commis une faute dans ses calculs.

C'était peut-être la centième fois que nous nous parlions, Maria de Lurdes et moi, peut-être même la cent-dixième ou encore plus, qui sait – il en est du nombre de nos conversations comme du nombre d'années que dure la vie des prophètes – et l'idée m'est venue qu'elle pourrait me lire à haute voix certaines de mes nouvelles traduites en portugais : « Le Rhin » (*O Reino*), ou bien alors une histoire très voisine de « Trouvé dans une poche » (*Encontrado num bolso*), je veux dire « La dernière fois », son frère sud-américain, la dernière nouvelle du volume que vous tenez, lecteurs, entre vos mains. Ai-je raison, chère MdL, d'avoir cette envie ? Est-elle recommandable ? Mais « La dernière fois » est encore à l'essai. La prostitution, en ce qui me concerne, est une affaire compliquée. Vous verrez pourquoi. Il faudra attendre dix ans.

Elle éclate de rire à cette idée et s'exécute en faisant non de la tête. L'envie n'est pas du tout recommandable. Maria de Lurdes aime la contradiction. Elle s'assied, me prévient par un silence qu'elle est sur le point de commencer. Je m'assieds à mon tour pour l'écouter, là-bas, à Paris, et elle me dit ce que dit « Le Rhin », ni plus ni moins, mais avec ses mots à elle – pédale douce, aspiration sans salive, velours nacré. Jamais de déclamation. Le style éloquent n'est pas dans ses cordes.

Maria de Lurdes fait une pause, sans doute pour allumer une nouvelle cigarette, à moins qu'elle ne demande à Joana, sa fille cadette, de patienter. Comme moi. Il me faut aussi patienter. Maria de Lurdes s'amuse beaucoup.

Comme les enfants gâtés qui pourrissent au fil des sucreries, je réclame d'autres desserts qu'on ne me refuse pas : « Julien », « Le banquet », « Cérémonies », « Les fourreurs », « Coupelle ». Et puis « Visites », car je venais quelques jours plus tôt de corriger une erreur de ma mémoire en relisant Colette. Sans le savoir, j'avais apprivoisé un souvenir que Colette avait de sa mère, muette, enroulant autour de ses doigts ses anglaises blondes. Je n'ai jamais vu *ma* Sidonie faire cela et croyais pourtant m'en rappeler. Je l'avais lu, ce qui n'est pas si loin.

Je confie tout cela ému à Maria de Lurdes – très lentement pour qu'elle me comprenne bien. J'étais certain de retrouver ma grand-mère et c'était de *Sido* qu'il s'agissait.

J'ai retiré ses anglaises à mon aïeule dans « Machines », comme Colette les a données, elle, à sa très jeune mère de dix-neuf ans, captive d'un premier mari qu'elle n'aimait pas.

«C'est une jolie histoire, dit-elle, tu aurais bien tort de la refuser.» Je l'accepte. Sidonie me revient. La mienne, sans pareille, grâce à Maria de Lurdes qui me corrige sans cesse, mais de nouveau et toujours avec les boucles *de l'autre*.

Allers-retours hésitants sur le pont Alexandre-III
bien après le temps de l'Occupation

Vous n'avez rien voulu voir des bons augures aux ailes dorées, trop convaincue peut-être par l'idée facile que nous étions dans un décor. Il n'empêche que nous traversions le pont ensemble et que la Seine coulait dessous. Vous n'avez rien vu non plus de la grâce un peu lourde des chars montés sur les piliers massifs. Ou rien voulu voir. C'était vous, le carton-pâte, avec l'Orient au fond des yeux. Nous allions d'un coup sec vers les Invalides, puis d'un autre, plus large, vers le Grand Palais. Un être qui me ressemble vous parlait. Cela seul est vrai. Je croyais vous aimer.

Peut-être aurait-il fallu que l'endroit soit conquis par la force et vous livrée à des mains sévères. Vous m'auriez écouté. J'ai eu cette pensée honteuse que vous m'auriez entendu si nous avions vécu une époque qui ne vous aurait pas permis de rentrer chez vous en me laissant là comme vous l'avez fait. Une époque qui vous aurait obligée à observer le couvre-feu. Vous auriez été une belle victime. J'aurais eu le rôle de vous protéger pendant que les autres auraient découpé leur pain noir.

Mais non. Nous sommes bien des années plus tard. Un homme déçu s'imagine tout à coup que l'Histoire avec un grand H aurait pu l'aider. C'est toujours et partout pareil. Barbares, peuple élu, opportunistes : jeux de mains mortels.

L'herbier, d'abord, puis le bateau

Petit, j'avais un ami plus petit que moi encore ; en taille, il s'entend, car nous avions le même âge. Il s'appelait Paul. Ses parents étaient également très petits. Ils étaient, je l'avoue, minuscules. J'étais en constante admiration devant leur agilité. Leurs mains, et notamment leurs doigts, étaient capables de mouvements d'une précision étonnante, d'autant plus remarquable qu'ils devaient après tout manipuler les objets de la vie courante tout à fait inadaptés à leur taille. Paul était nul en classe, mais son père et sa mère étaient indifférents à ses résultats scolaires, d'une médiocrité vertigineuse. Leurs obligations de parents d'élève se réduisaient à une seule et unique activité. Ils se postaient chaque jour devant la grille à l'heure exacte de la sortie pour arracher leur fils au monde hostile des géants et le ramener sain et sauf à la maison. À peine passé la cour de récréation, Paul était aspiré à l'intérieur d'une Fiat 500 qui démarrait sur-le-champ. Pendant quelques secondes, je voyais ses mains dépasser du siège et me faire des signes d'adieu par la vitre. Autonomes et agitées par cet effort, elles dodelinaient comme les animaux en peluche que l'on pose sur les plages arrière. Je n'ai jamais su si, à cet instant précis, il regrettait la démesure de notre monde ou retrouvait avec satisfaction le confort du sien.

Je suis le seul grand à avoir eu le privilège d'entrer chez lui. En principe, seuls les membres de sa famille étaient autorisés à franchir le seuil de la porte. L'appartement qu'ils habitaient quai de Béthune comptait trois chambres. Ses parents occupaient la première, adjacente à l'entrée. Un oncle, une tante et un cousin partageaient la plus spacieuse, au bout du couloir avant la cuisine. La sienne était située juste derrière, un peu à l'écart, à côté de l'office. L'interdiction de visite était formelle. Nos rencontres devaient se dérouler dans un silence absolu. Paul me précédait dans le couloir et me faisait signe de le suivre. Nous communiquions par gestes de peur d'être découverts.

Dans cette chambre – je l'appris le premier jour qu'il m'offrit son amitié –, Paul confectionnait un herbier. Aux premiers temps de notre rencontre, cet herbier comptait déjà au bas mot deux cents pages. Il abritait, sagement aplatis entre chacune d'elles, des morceaux d'ortie, de bouton-d'or et de nénuphar ramassés à la campagne. À l'office, Paul entreposait les feuilles et les tiges d'autres plantes tout aussi ordinaires, en règle générale des graminées, le plus souvent du chiendent qu'il allait cueillir le long des berges et qui poussait sur le côté nord de l'île Saint-Louis entre les pavés des contreforts. Leur nom et leur origine étaient soigneusement consignés dans son herbier. Elles séchaient de façon que le bout de leur tige pût reposer sur la circonférence d'un cercle dessiné au compas, reproduit à chaque page du cahier et qui représentait, à plat, la Terre avec ses continents. Au bout de chaque tige, Paul avait dessiné à l'encre une racine mince comme un fil, qui passait par le centre de notre planète et ressortait de l'autre côté sous la forme d'une radicelle nue.

« Pour chaque plante que je mets dans mon herbier, m'expliqua-t-il un jour d'un air assuré en me raccompagnant à l'arrêt du bus, une plante jumelle pousse au fond de la Chine. J'irai là-bas un jour observer leurs formes et leurs couleurs. Je les cueillerai et je ferai un Grand Herbier. »

Le lendemain de cet aveu, je l'invitai chez moi pour lui montrer mes cartes maritimes avec leurs bateaux. Il n'y avait de mon côté aucune interdiction. Paul était mon hôte au grand jour. Il arriva avec un peu de retard, obligé qu'il était de passer par chez lui après la classe. Une fois dans ma chambre, je lui montrai à mon tour mon cahier.

J'avais collé sur chaque page, de façon que leur coque pût toucher la circonférence d'un cercle entièrement bleuté représentant à plat les océans et les fonds marins, de petites photographies et gravures de bateaux. À l'extrémité de chaque coque, j'avais dessiné un cordage torsadé qui passait par le centre de la Terre et se raccrochait aux antipodes à l'ancre d'un bateau de l'océan Indien ou de la mer de Chine.

« Pour chaque embarcation de chaque carte, lui expliquai-je, convaincu d'avoir trouvé en lui un allié et feuilletant avec cérémonie une bonne soixantaine de pages, il y a un sampang, une jonque ou un sloop et aucun ne se déplace sans entraîner à l'autre bout une embarcation appartenant à l'un de ces trois groupes. De même que tu partiras observer tes plantes, j'irai un jour là-bas retrouver mes bateaux. Je crois bien que je serai marin et, si jamais je me marie avec une femme qui n'aime pas la mer, c'est à terre que je m'occuperai d'eux. »

Nous consacrâmes une bonne partie de notre année à comparer nos résultats respectifs et à acheter de nouveaux cahiers. J'arrachais des plantes un peu au hasard avant de monter chez lui. Paul découpait des photographies et des dessins dans le calendrier des postes et les pages de l'encyclopédie familiale. Les planches polychromes BATEAUX et MARINE disparurent dans leur intégralité. Les marges illustrées des articles SAMBOUK et SAMPAN souffrirent respectablement.

Je me rappelle avoir passé un été au bord de la mer, en Bretagne, avec Paul et sa famille. Leur maison de vacances n'était pas soumise comme celle de Paris à la règle du secret. Ils devaient déménager à la rentrée suivante et c'est à cette occasion que je les perdis de vue. Jamais pourtant pendant nos deux mois d'été il ne fut question de ce projet. Ne le voyant pas réapparaître à la rentrée, j'étais allé me poster en face de son immeuble à la fin de la première semaine de septembre pour tirer les choses au clair. Je me souviens encore de ma surprise lorsque, après une bonne demi-heure passée à l'attendre assis sur le parapet, mon cartable sur le dos et muni d'un sandwich – j'avais calculé que l'attente risquait d'être longue –, je vis leur concierge traverser le quai pour m'annoncer sur un ton désabusé : « Partis sans laisser d'adresse. » Après m'avoir jeté cette information laconique à la figure, il regagna sa loge aussi sec, indéniablement soulagé, non sans avoir jeté un regard méprisant sur mes chaussettes tire-bouchonnées.

Pendant ces vacances bretonnes, nous habitions une hideuse maison en béton construite au bord d'une falaise. Tous les midis, nous descendions chargés de provisions jusqu'à la plage par un chemin de douanier. De là, nous marchions jusqu'à un petit promontoire où était amarré le « bateau ». Ce qu'ils nommaient ainsi en me jetant des regards complices toujours plus insistants au fur et à mesure que nous approchions du but n'était en fait qu'une épave pourrie par le fond que l'on poussait à trois ou quatre mètres du bord, qui prenait l'eau le temps du déjeuner et qu'il fallait remonter sur le sable au moment du café. Nous passions le reste de l'après-midi à écoper pendant que ses parents, son oncle, sa tante et leur fils – le cousin avait notre âge mais n'aidait jamais – faisaient des crapettes dans la cabine. Vers la fin de l'après-midi, nous remontions à la maison, épuisés, pour prendre une douche et dîner. Je revins à Paris avec une mine splendide et mes parents se réjouirent jusqu'à Noël de ce que j'avais enfin « fait du sport ».

Ce bateau était l'œuvre de Paul. Il l'avait trouvé échoué sur la grève quelques mois auparavant pendant les vacances de Pâques et se l'était fait offrir par son propriétaire, un pêcheur du village voisin trop ravi de s'en défaire. J'avais droit à des regards en coin, insistants et complices, lorsqu'ils discutaient à table de la manière dont il l'avait découvert, nettoyé, puis décoré avec les pages de son herbier. Cette histoire de vacances de Pâques leur tenait tellement à cœur qu'elle était insensiblement devenue leur unique sujet de conversation. Ils en parlaient avec une fébrilité qui commençait dès le lever et montait en intensité pour ne retomber qu'au coucher. Tout ce qui concernait le « bateau » les excitait furieusement. Au moment des pré-paratifs du repas de midi, pendant que sa mère et sa tante remplissaient les Tupperware en piaillant, le père – toisant Paul, estimant à la vue la valeur de son fils qui le dépassait d'une petite demi-tête – s'entretenait avec lui à voix haute de quelque détail ayant trait à cette embarcation minable.

Une nuit, vers la fin des vacances, je fus réveillé en sur-saut à la faveur d'un courant d'air qui ouvrit en grand la fenêtre de notre chambre. Paul n'était pas dans son lit. Je passai devant la chambre de ses parents en allant vers la cuisine. La porte était ouverte. Leur lit était également vide. La maison avait été désertée. Je sortis et descendis ins-tinctivement vers la plage par le chemin habituel. Arrivé en bas, je pus voir au loin une lumière jaunâtre filtrer à travers les planches de l'embarcation. En m'approchant, j'entendis distinctement la voix de Paul murmurer des paroles monotones sur un mode récitatif. Je m'arrêtai un moment pour l'écouter, mais à peine avais-je pris position pour tendre l'oreille qu'il me fut impossible de percevoir le murmure distinctement. Au moment où je montai sur le bateau, il s'arrêta tout net de parler.

Je descendis dans la cale. Je leur apparus en pied et, j'imagine, affreusement longiligne, en arrêt sur la dernière marche. Ils étaient silencieux et figés, à peine éclairés par des lampes de poche disposées comme des lampions de fête, difformes, affligés d'un air embarrassé, s'excusant presque par leur regard inquiet d'avoir à vivre dans un monde démesuré, s'essayant à une tâche surhumaine. Ils étaient tous là, tassés dans la cale, déroulant avec peine d'énormes cordages longs comme des serpents, tirant avec leurs petits bras pour les faire passer dans les trous de la coque et, de là, les plonger dans la mer. Paul, debout, trônant au milieu et tenant mon cahier grand ouvert devant son torse, se remit, à haute voix, à une description minutieuse de chacune de ses pages.

Il me sourit d'un sourire franc et radieux que je ne lui connaissais pas. Je restai là pétrifié, ne sachant que décider. Il s'étonna de la longueur de mon silence et sa figure prit peu à peu l'expression du dépit. Je sentis qu'il m'en voulait de ne rien dire.

Son regard me pria finalement de les laisser en paix. Je ne pouvais pourtant me résoudre à partir. Je voulais, sans bouger, regagner mon lit de Paris et, du fond de cet abri, croire à un mauvais rêve.

*

À l'âge de vingt ans, j'épousai Sulimane, rencontrée à Madras lors de mon premier séjour professionnel en Inde, et acceptai l'offre de la compagnie de paquebots Winker & Winker. Nous nous installâmes à Hong Kong au début d'un mois d'octobre. J'embarquais sur le *Star Ferry* tous les matins pour me rendre au siège de la société. Je somnolais sous mon ventilateur jusque vers une heure. Après avoir signé le courrier du jour, je partais déjeuner au restaurant du Peninsula, le plus souvent avec monsieur Pembroke, directeur de la compagnie de croisières South East Seas, parfois avec monsieur Haycraft, constructeur de voiliers ; rarement avec les deux, un premier essai infructueux de rapprochement ayant suffi à m'en dissuader. Le soir, je reprenais le *Star Ferry* en sens inverse. Kowloon s'éloignait lentement dans la baie et je retrouvais Sulimane qui feuilletait un livre sur la véranda.

C'était l'une de ces fins de journée de février, très douce, parcourue d'un vent léger qui vous caresse comme un voile de tulle. Sulimane était partie faire du thé glacé à l'office. Je pris place dans sa chaise longue et mon regard tomba sur le journal qu'elle avait laissé par terre, ouvert à la page des annonces.

Un encart attira mon attention. Il était décoré par un entrelacs de tiges et de feuilles dessinées dans un style extrême-oriental qui rappelait bizarrement le style végétal du Paris des années mil neuf cent.

Le texte m'intrigua :

Samedi 10 février 1980
ouverture du
GRAND HERBIER
de Kowloon

Voyant que je lisais la page du journal avec attention, Sulimane me dit en revenant sur la véranda combien elle trouvait étrange cette annonce publique. «Le carton d'invitation est encore pire, ajouta-t-elle en me tendant une enveloppe, je me demande s'il y aura Pembroke ou Haycraft.»

Je remarquai qu'on avait fait imprimer le carton à grands frais. Il s'insérait dans une feuille de papier paraffiné très fine, à peine plus grande, découpée en forme de fleur. Un long fil de lin partait d'une tige cartonnée et s'entortillait vers l'intérieur. Je ne pouvais détacher mes yeux de cet objet et dus relire le texte mécaniquement une bonne dizaine de fois. Je tournai et retournai l'invitation, pliai et dépliai la feuille qui l'enveloppait en la laissant pendre au bout du fil comme un yo-yo très léger.

Nous irions à l'inauguration et il y aurait inévitablement Pembroke *et* Haycraft.

Sulimane me confisqua le tout. L'enveloppe et le carton disparurent rapidement dans les airs. Debout derrière la chaise longue, les bras croisés dans le dos, elle se pencha vers moi. Ses cheveux tombèrent sur mon visage et le recouvrirent d'une longue crinière noire. Leur odeur d'ambre m'envahit. Je sentis sa bouche contourner mon oreille et l'immerger dans son souffle tiède.

*

Je devais retrouver Sulimane sur place après le bureau le soir de l'inauguration. Notre hôte, monsieur Pol, fit son apparition de la manière la plus inattendue. Je l'observai, parfaitement encadré par le chambranle de la porte, plus proche du portrait en pied d'un dignitaire que d'un homme en chair et en os. Il traversa le hall tout droit avec beaucoup de solennité. Sulimane était à son bras et il me la présenta dans un français impeccable avant de se présenter lui-même. Ce n'est qu'ensuite qu'il prit la peine de me serrer la main. La grossièreté de son humour était invraisemblable. Je le regardai de près. Il était indéniablement chinois, très petit et muni d'une énergie sans limites. Il venait, à ce que l'on prétendait, des Nouveaux Territoires. Un mois plus tôt, son nom était encore inconnu à Hong Kong et il avait réussi à rassembler d'un coup de baguette tout ce que la péninsule comptait de banquiers, d'hommes d'affaires et d'officiers de la Couronne.

Je venais de passer comme dans un nuage devant les planches innombrables qui recouvraient les murs de son musée. J'étais impressionné par la passion qui avait poussé cet homme à rassembler ce qui constituait sans nul doute la plus grande collection de plantes séchées et aplaties, entières ou fragmentées, qu'il était donné de voir dans cette partie du monde. La plupart étaient anciennes, du seizième et dix-septième siècles chinois et mongol. Leur origine et leur nom étaient indiqués avec une grande précision. Il me parla très peu. Je lui dis mon admiration pour sa collection et suggérai qu'il nous cachait sans doute d'autres trésors. Cette insinuation faussement naïve lui plut et il y répondit par une autre flatterie en faisant l'éloge des bâtiments de Winker & Winker. J'essayai de l'observer le plus discrètement possible. Il s'en rendit compte, mais cela ne parut nullement le gêner. Ses obligations lui firent prendre congé de nous.

Nous en profitâmes pour partir. En sortant, nous croisâmes Pembroke qui montait les escaliers. Comme nous attendions le dernier *Star Ferry*, Sulimane me demanda ce qui m'avait pris de regarder Pol d'une manière aussi insistante. Elle ajouta, sans attendre ma réponse : «C'est un vrai moulin à paroles. Il n'a pas arrêté de me parler, à environ un centimètre de mon visage. Et *mon Dieu* qu'il est petit !»

«Comment ce type peut-il se faire appeler Pol ? C'est ridicule», lui répondis-je. «Pas du tout, répliqua Sulimane avec aplomb, c'est son vrai nom.» Je ris à l'idée, absurde, que la Chine pût contenir des monsieur Pol.

Plus tard dans la soirée, alors que nous étions en train de souper sur la véranda, je relançai le sujet en confiant à Sulimane combien les origines et les intentions de cet homme me semblaient douteuses. «Ce n'est rien de ce que tu crois», me répondit-elle en me regardant droit dans les yeux et en tenant la pince de son homard du bout des doigts. Puis, d'un air de pincer le crustacé, elle ajouta après un court silence : «Tu sais qu'il connaît très bien la France. Il y a même passé une bonne partie de son enfance. C'est là qu'il a commencé sa première collection, vers l'âge de douze ans. Il m'a avoué que c'est un vieil ami qu'il n'a pas vu depuis des lustres qui lui avait donné l'idée de ce musée. N'est-ce pas extraordinaire ?»

Une semaine plus tard, alors que mon enquête n'avait toujours rien donné, Pol me fit savoir qu'il souhaitait acquérir un des navires de la compagnie Winker & Winker. Le courrier qui m'annonçait cette proposition fut déposé sur mon bureau par un boy manifestement privé de l'usage de la parole. J'allais bientôt découvrir que l'ascendant de Pol sur les affaires de Hong Kong était absolu.

Je mis un point d'honneur à refuser catégoriquement toute négociation dans une lettre ferme et courtoise. Un mois plus tard, j'appris par un article de journal l'ouverture de la première annexe flottante du Grand Herbier à bord d'un des navires de la compagnie. La branche portugaise de Winker & Winker à Macao avait vendu notre plus grand bâtiment à prix d'or à une société chinoise de

Shangai dont Pol s'avérait être l'actionnaire principal. La lecture des comptes me révéla le crédit d'une somme effectivement prodigieuse, sans aucune commune mesure avec la valeur réelle du bien. Le sous-directeur de Macao, dont les prouesses commerciales laissaient à désirer, avait trouvé là l'occasion unique de remonter dans mon estime et vendu sans me consulter. L'effet de surprise dépassait en effet toutes ses espérances. Je ne savais comment annoncer la chose à Sulimane. J'avais la possibilité de tout lui avouer : petit, j'avais un ami plus petit que moi encore ; en taille, il s'entend, car nous avions le même âge. Il s'appelait Pol, certes, mais n'avait rien de chinois, et le résultat de mon enquête ne m'avait pas permis d'aller plus loin.

Le soir même, je lui dis très abruptement que je désirais quitter Hong Kong. J'appréhendais sa réaction, mais à ma plus grande surprise Sulimane n'exigea aucune explication et me répondit tout naturellement qu'elle était prête. Elle m'apprit qu'elle avait écrit à son père la semaine précédente pour lui faire part de notre désir de lui rendre visite l'été prochain. Elle ne m'avait jamais consulté à ce propos. « Nous pourrons rester aussi longtemps que nous voudrons », dit-elle comme pour rendre la chose plus certaine encore. Après un moment, elle ajouta : « Tu as besoin de repos. Hong Kong te rend détestable. Nous passerons l'hiver à la campagne, à Masulipatam, et nous attendrons le printemps pour gagner Madras. D'ailleurs, père est trop vieux pour garder la maison. Je n'aime pas qu'il reste seul trop longtemps. »

Un mois plus tard, j'avais réglé la situation avec le chargé de pouvoir et nous quittions Hong Kong pour toujours par bateau. Le soir du départ, Sulimane partit prendre l'air seule sur le pont après nous avoir installés dans la cabine. Je m'allongeai un moment, puis j'allai la chercher quand on annonça le deuxième service. Elle s'était assise. Je m'approchai par-derrière et déposai un baiser dans son cou en enfonçant mes lèvres dans sa chair. Sans se retourner, elle glissa une main derrière ma tête pour la presser contre elle un peu plus encore. Je respirai sa peau, cette alliée parfaite de son esprit dont je pensais encore à l'époque qu'elle le révélerait toujours sans jamais le trahir. Nous restâmes ainsi quelques instants.

Comme je me redressai, je pus lire par-dessus son épaule en gros titres sur la première page du journal :

ACCIDENT CETTE NUIT
LE GRAND HERBIER FLOTTANT DE HONG KONG SOMBRE
AU FOND DE LA BAIE

et un peu plus bas, dans un encart destiné aux nouvelles internationales :

TEMPÊTE SUR L'ATLANTIQUE

PLUSIEURS BATEAUX PERDUS EN MER

FAMILLE DE CINQ
PORTÉE DISPARUE

Heureux dénouement

Le jeune homme à la veste bleu pâle attendait déjà depuis dix minutes lorsque la jeune femme au manteau jaune est entrée dans le restaurant. C'est moi qui l'ai vue arriver le premier. L'homme lisait son menu pour la énième fois avec impatience et tournait le dos à la porte. J'étais installé à ma place, la même depuis deux jours : à une table pour une personne qui, contrairement à celle du jeune homme en bleu, fait face à la rue et d'où l'on peut observer en toute impunité les va-et-vient du rez-de-chaussée. Les mouvements du premier étage vous échappent car vous avez l'escalier dans le dos.

La jeune femme en manteau de saison est donc entrée vers huit heures et s'est assise en face du jeune homme après lui avoir donné un baiser. Une autre femme a descendu l'escalier. J'ai su que c'était une femme au bruit de ses souliers. Ses talons ont claqué comme une mitraillette contre le bois nu des marches. Ce n'étaient pourtant pas des talons aiguilles. Non. C'est la maîtresse au manteau jaune qui portait des talons aiguilles en entrant par la porte de devant, bien qu'on ne puisse rien entendre car la salle du bas, contrairement à celle du haut, a son tapis. La femme légitime, elle, descendait comme un cyclone vers les profondeurs de l'Enfer et portait des chaussures à talons plats de femme mariée. Elle s'est arrêtée devant eux avec toutes ses larmes à l'intérieur, pas seulement ses larmes de femme bafouée, mais ses larmes de petite fille déçue par son père, ses larmes d'adolescente amoureuse, enfin, bref, toutes les larmes qui ressortent normalement dans ce genre d'occasion, et elle a déposé une claque retentissante sur la figure du jeune homme avant de repartir à l'étage, la tête haute, sans un mot.

Le type du bar s'est remis à essuyer les verres. La conversation du jeune couple a commencé à s'animer. La femme qui avait embrassé son amant dix minutes plus tôt a reposé son menu sur la table et a claqué le jeune homme sur l'autre joue avant de repartir à son tour, la tête haute, mais dans la rue, comme fait une femme avec de l'avenir le jour où elle apprend qu'elle est une maîtresse et ne pourra jamais prétendre au titre de femme légitime, sinon avec un autre. Elle est sortie de l'établissement avec plus de fierté encore que celle qui venait tout juste de la précéder dans la colère, le dos droit et le cou allongé comme celui des femmes girafes, fières s'il en est.

Cette petite scène du quotidien a déclenché l'hilarité d'un couple d'une soixantaine d'années assis à ma droite. Un couple de retraités qui devaient aller se coucher tôt car ils en étaient déjà au dessert. L'homme à la veste bleue s'est levé, s'est avancé vers le mari, le dos un peu voûté et le visage rubicond. Il lui a retiré la cuillère de la bouche, enlevé la serviette nouée autour du cou et envoyé un crochet du gauche. Sa femme n'en croyait pas ses yeux : un coup de poing d'une telle violence à son époux, lui qui avait offert à son neveu (c'est-à-dire l'homme à la veste bleue) le tapis neuf pour la salle du bas...

Dans la même soirée, cet homme à l'avenir tout tracé a perdu sa femme, sa maîtresse et l'héritage que lui avait promis son oncle. Il s'est également fâché à mort avec sa sœur qui trouvait invraisemblable qu'il eût même pu *penser* à inviter sa maîtresse dans le restaurant familial. Tout ça pour quoi, en fin de compte? N'était-il finalement qu'une...? (Elle prononça un mot terrible du haut de l'escalier sans daigner le descendre.)

Rien que du négatif, donc – sauf pour moi, qui récupérai la maîtresse au manteau jaune. C'était alors une femme dépitée et il me faut remercier beaucoup de gens: l'épouse légitime, toujours installée au premier à faire les comptes, le vieil oncle généreux, la tante plus réservée sur le chapitre des donations, tellement heureuse d'avoir douté depuis le départ, etc., et la sœur qui a posé la cerise sur le gâteau en arrosant le drame familial d'une bonne dose d'essence avec un mot d'injure.

Mais c'est la faiblesse humaine qu'il faut remercier avant tout. Car cette femme au manteau jaune, à qui l'on n'avait pu refuser un dîner au restaurant, qui voulait être *présentée*, qui en avait assez de l'anonymat, qui voulait connaître la famille, l'a connue pour de bon l'espace de quelques minutes. Lorsque nous nous sommes croisés le lendemain dans un autre restaurant, elle avait séché ses larmes et fait quelques courses dans un magasin de chaussures. Elle m'a tout de suite reconnu comme le quidam installé en bas près de la porte d'entrée et nous avons ri ensemble en prenant notre premier verre... Eh bien, oui, tout allait beaucoup mieux. Un certain sens de la fatalité donnait à son visage un rien de tristesse. J'ai essayé de garder un peu de distance car la tristesse met de l'humidité dans les yeux et les siens en avaient l'air plus verts encore. J'ai tout de suite prévenu que j'étais de passage. Une semaine. Pour affaires. «Vous avez de la famille dans la région?» a-t-elle aussitôt demandé.

Rasages successifs de mon oncle

Jusqu'à l'âge de dix ans, je venais chez toi deux fois par semaine, le lundi et le vendredi. J'ouvrais la porte avec ma clé. Nous restions un long moment assis l'un en face de l'autre sans rien dire dans le grand salon du rez-de-chaussée. Tu préférais te tenir à l'écart dans la pénombre et je devais rester assise dans le rai de lumière qui passe par la porte du jardin d'hiver.

Tu buvais lentement ton café. Les yeux fixés sur mes genoux, j'attendais que la pince à sucre attrape les petits cubes roux au fond de la coupe en argent. J'écoutais la cuillère les diluer lentement en spirales. J'attendais que, de ce que j'imaginais être un mouvement rapide de ton poignet, tu aies reposé ta tasse sur la soucoupe en cognant la porcelaine d'un geste que le petit bruit sec me décrivait avec plus de précision que l'observation la plus minutieuse.

Ce signal donné, je me levais du fauteuil, je montais les escaliers et revenais de l'étage avec une serviette blanche, un blaireau, un savon à barbe, un bol d'eau tiède et un rasoir sans lame.

Tu avais pris place dans mon fauteuil et tu m'attendais assis bien droit, la tête confortablement appuyée sur le dossier. Je la faisais gentiment pencher en avant pour passer la serviette autour de ton cou et ne pas mouiller ton costume rayé. Debout derrière toi, perchée en équilibre sur un coussin ondoyant comme la mer, je relevais ton menton avec mes doigts pour passer le savon. Je chassais la mousse blanche comme la neige en faisant glisser le rasoir. Elle tombait dans le bol blanc à col bleu. Je découvrais toujours le même paysage de printemps, lisse et parfumé. Puis je tapotais ton visage avec un linge chaud et tu me laissais enfin redescendre de mon piédestal pour embrasser ta joue tiède.

Je m'arrangeais toujours pour arriver à la maison à l'heure pour dîner. Debout dans le vestibule, je te regardais une dernière fois. Tu ne te levais jamais. Nous tendions chacun notre main droite pour en refermer la paume par deux fois, d'un geste qui rappelait le souvenir du geste identique de la fois précédente et annonçait celui de la fois prochaine. Je repartais avec l'image de ton corps fatigué, enfoncé dans le fauteuil, fondu dans le mobilier. De ce vestibule, il me paraissait fragile et lointain.

L'année de ta mort, on m'interdit de venir te voir. Il fut question pendant des mois d'une maladie dont je ne comprenais pas le nom, d'une fatigue que je ne t'avais jamais connue, d'une laideur que je ne devais pas voir. J'étais impuissante devant ce que je jugeais alors faux et injuste. J'eus le pressentiment de cette interdiction lors de ma dernière visite. Je te rasai pourtant selon nos habitudes et tu ne laissas paraître aucune inquiétude.

Derrière les portes closes, il fut enfin question de l'inventaire.

Aujourd'hui, lorsque tout le monde est couché, que la lumière s'éteint dans le couloir et que les pas feutrés se sont tus, je sors la serviette blanche du tiroir de ma table de nuit. J'étale dessus les instruments de notre ancien jeu. Il y a le bol. Il y a le rasoir. De mon lit, allongée sur le côté, la tête posée sur mes mains jointes, je regarde briller dans le noir, immobile pendant des heures, mon glaive et ma coupe.

Diaboliques

L eur affection est sans bornes. La mère, d'abord. Alitée, entourée de toutes les attentions depuis plusieurs mois avant l'accouchement. Elle repose mollement sur ses oreillers. Des bandelettes immaculées resserrent la chair de ses jambes lourdes. Puis le fils : lavé, enduit, talqué. Protégé du chaud, du froid, du vent, du manque de vent, de toutes les intempéries réelles ou fictives, des étrangers.

Les murs de vos maisons se fissureront
Vos femmes engendreront des monstres
L'haleine de votre bétail empestera la plaine
Et détruira de son souffle tout ce qui vit.
Vous voudrez fuir, mais où que vous irez
La terre s'ouvrira sous vos pieds.
Vos corps seront lourds et prendront racine.
Vos bouches resteront sèches et aucune parole sensée n'en sortira.

Ils ont fait surveiller le vol des oiseaux, vérifier la provenance des médicaments. Ils ont imposé le silence et la méditation. Les pas sont feutrés, les voix en sourdine. Tout dans la maison glisse comme un patin de feutre sur le bois ciré. On retire les plombs des sonnettes et la bâtisse résonne à présent de petits coups furtifs sur les moulures de la porte.

Aujourd'hui, enfin, on dresse la table, on accueille les invités et on les embrasse. La mère, puis le fils. On les félicite de leur bonne mine. On déduit les ressemblances de rigueur. Depuis un mois dans la petite chambre du haut, ils ne connaissent que la nourriture transportée avec grâce sur des plateaux voyageurs. C'est étrange, dit-on, qu'ils n'aient pas l'air plus fatigués. Elle, surtout. Elle devrait être un peu have, cernée. Bien plus maigre que ça.

On glisse un traversin supplémentaire derrière son dos. On ouvre tout grand les fenêtres pour laisser passer le vent. Bébé dodeline sur le rebord. Hop! Hop! Pas de repos aujourd'hui. On retire aussi les couvertures. Un peu de frais fait toujours du bien. Au gré du vent les prophéties s'éveillent. On tire la fenêtre de ses gonds. On passe les meubles dans une autre pièce. La chambre sera nue. Bébé sur le parquet s'habitue aux rigueurs de l'existence. On dévisse l'ampoule du plafonnier. On emporte le dernier plateau.

«À demain, peut-être», répètent l'une après l'autre les têtes familières qui s'inclinent, amusées, avant de disparaître.

Brahms, BWV 1016

1

Comme vont les choses avec le temps d'hiver... À vrai dire tout à fait comme avant, à ceci près que Serge n'appelle plus aussi souvent.

Maud tire le rideau et s'assied seule au piano. L'allée neigeuse est du coup loin derrière. Le bois verni du couvercle paraît craquelé, le coussin du tabouret maladroitement refait dans un vilain tissu qui jure.

La partition est ouverte à la première page. Serge jouait cette transcription de Bach par Johannes Brahms pour la seule main gauche, la droite au repos sur l'intérieur de sa cuisse ou alors arrondie sur le rebord du siège. Maud la prenait volontiers dans la sienne où qu'elle se trouvât, qu'elle se maintînt à plat sur le velours du pantalon ou s'abandonnât contre le tabouret sans prendre le vide. C'était égal. Il lui semblait à chaque fois que ces doigts interdits de musique lui faisaient signe, s'inclinaient dans sa direction.

Elle tenait donc cette main en silence pour donner du cœur à l'interprète. Serge connaissait si parfaitement cette réversion du maître de la musique allemande dans l'univers romantique qu'il pouvait se lancer tout entier dans la partition sans risquer l'erreur malgré cette protection inutile qui eût gêné un pianiste moindre, malgré cette attention voulue par Maud, répétitive et infantile. Il travaillait sans protester, fermant à son tour sa paume sur la sienne pour marquer un crescendo, originellement de Bach, glissant facilement avec l'autre main de la rigueur la plus haute aux hésitations les plus travaillées, mêlant les deux effets comme Brahms, jeune, admiratif et inquiet, le voulait lui-même, sans se soucier de ce que quelqu'un pût tenir à l'accompagner d'aussi près.

Maud est même un peu encombrante en ces instants consacrés au répertoire, mais Serge décide de n'y prêter aucune attention, ces doigts féminins s'astreignant par ailleurs à d'autres tâches dont on pourrait tout aussi bien se passer bien que chacune ait son charme et son utilité : fermer pour lui les boutons de son pardessus, nouer son écharpe, ouvrir la boucle du ruban qui permet de tenir le gâteau du dimanche droit dans sa boîte. Pourquoi refuser ces fantaisies un rien comiques ? Pourquoi, sinon par une méchanceté inutile à laquelle Serge, décidément fier et vaporeux, ne se laissera pas aller ? Maud n'est-elle pas déjà l'objet de tant d'erreurs – connues d'elles ou non, peu importe –, qui pourraient bien la contrarier sans qu'elle s'en plaigne ?

Elle cherche dans sa poche un mouchoir qui puisse lui donner une contenance, l'excuser de s'être assise à cet endroit précis. Maud ne sait rien du piano, a toujours refusé à son père le plaisir d'une fille qui sache en jouer. Comme elle n'est pas enrhumée, qu'elle a toujours souffert d'insomnies mais jamais de la gorge ou du nez, elle se lève, va tirer le rideau en sens inverse, ouvre enfin la fenêtre et retrouve un peu du bruissement de la nuit le temps d'humer l'air plein d'eau, prêt au gel, en attente et suspendu.

Elle revient sur ses pas et referme le couvercle pour de bon.

2

Le silence du salon s'épaissit. Maud évalue son poids avec précision, sans souffrance ni dérision. Sa masse va jusqu'aux murs, glisse sur le marbre des meubles et le long des plinthes. Il s'installe. Elle aimerait mieux que Serge soit avec elle en ce moment même, mais ne le souhaite pas vraiment. C'est qu'elle envisage depuis longtemps sa présence dans l'appartement comme une impossibilité ordinaire, une éventualité dont elle se représente la douceur et qui rendrait la vie plus simple mais que l'on ne peut envisager. Il va sans dire que Serge, s'il était là, ne laisserait pas tant de place au vide qui s'emplit de son souvenir – horizontalement, selon l'enfilade des pièces, de la chambre du fond jusqu'à la porte du vestibule, au fur et à mesure que la journée avance, dès les premières heures sans lumière de la matinée. Mais cela n'aura pas lieu, Serge ne viendra pas et il ne faut rien regretter de ce qui ne peut être, à moins d'abîmer ce qui était avant. Pour rien au monde Maud ne prendrait ce risque.

Serge a quatre ans de plus qu'elle. C'est l'aîné. Il était là avant qu'elle ne soit. Maud se plaît à penser à la tombée du jour qu'il l'attendait tout ce petit temps-là, même si l'on peut dire – mais c'est vu et dit de l'extérieur – que les quatre premières années de la vie de Serge comptent sans vraiment compter. Rien de remarquable n'a frappé les esprits si ce n'est l'évidence grandissante que Serge jouerait du piano. Peut-être en dilettante, disait-on dans la famille, car Serge excelle également à ces jeux d'enfants qui annoncent les énigmes mathématiques pour jeunes hommes des classes préparatoires. Les petits concerts qu'il donnera pour ses amis polytechniciens seront un plaisir pour tous. Et quelle aubaine, vraiment, d'avoir à la fois autant d'oreille que de cerveau! Puis, non. On se rend vite compte que la vérité est ailleurs. Ce n'est pas tant que Serge pose à trois ans des questions sur la grande boîte de laque noire avec son couvercle levé et ses cordes rangées, ni même qu'il écoute toute musique avec une attention particulière. Il est au piano à peine les repas finis, tourne autour de l'instrument avant d'aller au lit, ne s'en lasse jamais, s'y assied sans qu'on l'y invite, observe le clavier comme un animal sans pitié qu'il faut apprivoiser. Il sait déjà qu'il faudra tout lui donner sans jamais rien recevoir en retour que l'effet, parfois sublime, de son propre effort.

3

Ce soir, Serge est à Carnegie Hall. Enfin, maintenant, avec le décalage. Ici, c'est déjà la nuit. Il est trois heures. Bien évidemment, Irène avait proposé à Maud qu'elle les accompagne pour les deux semaines que devait durer la tournée. Il y a déjà eu Chicago et Los Angeles. Quelques autres villes entre les deux, car partout on s'arrache Serge à prix d'or. On l'attend dans les gares avec des flashs, des bouquets et, parfois, des médailles municipales. On le fête. On le compare pour dire qu'il est incomparable. Il roule parfois en décapotable à pneus crèmes comme autrefois les stars de cinéma, car il fait beau, souvent, dans cette Amérique qui compte trois fuseaux horaires et un nombre considérable de climats différents mêlant le chaud, l'humide, le sec et le froid. On lui fait l'honneur des promenades commémoratives, des salles obscures devenues célèbres et des vitrines à rouleaux de cire. C'est qu'on ne se mouche pas du coude dans ces trous perdus et qu'on a, là tout autant que d'où vient Serge, le sens de l'histoire.

Il y avait peut-être bien Phœnix dans ces villes moindres et intermédiaires. Maud a oublié les précisions qu'Irène lui avait données en mettant un point d'honneur à tout lui dire. (C'est ce que Maud croit. En vérité, il n'en est rien. Irène a également des choses à cacher, mais pas celles-là. Elle est bien trop franche lorsque l'enjeu est nul.) Maud croit se rappeler – à raison, cette fois-ci – que le Midwest était sur leur course. En tout cas, il y a un contraste dans son esprit entre certains des endroits où Serge a joué tout ce temps – devant d'immenses salles combles à l'acoustique parfaite comme on ne sait les faire paraît-il qu'au Nouveau Monde – et le programme qu'il a choisi : intime, dont chaque pièce, nervurée, repliée sur elle-même, parfois très courte, à la fois anxieuse et déliée, a été composée pour des salons où l'on est bien qu'à l'étroit dans de gros fauteuils passementés. Quoique faussement, rectifie Maud, à en juger par la fuite infinie des parquets au point de Hongrie sur lesquels on valse pour peu que le pianiste l'autorise d'un discret mouvement d'épaule. Le concertiste romantique a cette faculté particulière d'indiquer à son public ce qu'il doit faire quand il joue en petit comité. Il peut l'autoriser à se lever s'il le faut pour que la femme cachée dans l'assistance, celle qui a inspiré le morceau, parte danser plus loin avec un autre homme et l'abandonne, enfin.

Avec tout autant de certitude que Maud a relevé la tête pour dire qu'elle ne voulait pas y aller, Irène s'est abaissée à répéter avec une gentillesse de grande dame qu'elle en était désolée. Elle aurait voulu que Maud fasse ce voyage avec eux, qu'elle soit des leurs à cette occasion. Elle l'a fait dans le salon où Maud l'a reçue, en repoussant le cuir de ses gants entre chacun de ses doigts. Sans effet. Maud a déjà sonné pour qu'on apporte le thé et cela signifie que sa journée à elle tire déjà à sa fin.

Elle préfère de loin l'enregistrement qu'on lui rapportera que d'être en vrai dans la salle à côté d'Irène. Car Serge lui offre toujours un disque de chacun de ses concerts. Ils sont rangés côte à côte dans la bibliothèque qui regarde le parc. Maud y a fait installer successivement, au fil de ses années de carrière, un électrophone, une chaîne stéréo et un ensemble comprenant aujourd'hui un home vidéo et un lecteur de DVD. Les disques arrivent souvent par la poste quelques jours avant son retour de tournée, avec un cadeau. Dans le même paquet où Serge est enregistré, parfois même filmé, alternativement de profil et de face, de loin puis de près comme autrefois Liszt en photo, un cadeau l'attend : un twin-set de jersey couleur prune, un rang de perles, une boule en verre de Venise. Le mauve aquatique de chez Pringles, le bleu dur Tiffany, un papier rose, gaufré comme le grand mur plat du palais des Doges : elle garde chacune des boîtes qu'elle a reçues. Les papiers d'emballage sont pliés trois ou quatre fois sur eux-mêmes, empilés par ordre chronologique sur une étagère de sa chambre. Quand un jeune coursier apporte les paquets en mobylette avenue Vélasquez, elle les époussette nerveusement avant de les ouvrir.

Maud sait tout des cérémonies qu'elle évite en ne partant jamais, et de la gloire de ce couple entièrement contenue dans le génie pianistique du mâle. L'hôtel Pierre avec le salon privé où Serge fait acheminer son Stenway fabriqué à Hambourg, La Côte Basque pour le dernier soir, le nouveau contrat avec la Deutsche Gramophon qui fait monter les cachets, la comparaison, périlleuse et pleine d'éloge, avec Katchen, le grand interprète de Brahms, aussi précoce dans la mort qu'au clavier. Sans compter le voyage en transatlantique. Serge déteste l'avion. Il en avait peur, petit, regardait ses pieds flotter au-dessus des pédales, jamais en l'air ni la route lorsque les avions de ligne passaient dans le ciel de la campagne normande qu'il fallait traverser à vélo.

4

Le tissu des rideaux vient de chez ses parents où il protégeait d'une autre lumière. Ce taffetas démodé que Maud caresse sans raison est le voile unique de son enfance. Elle n'aimait rien tant que cet écrin feutré de la maison natale, cet effet amortissant de capiton tant le tissu bouffait en chacun de ses nombreux plis devant les fenêtres, grandes ou petites, pour former un rempart contre le monde, toujours râpeux et plein de piquants très fourbes.

Elle n'aurait jamais voulu la quitter, n'est venue s'installer avenue Vélasquez que pour être plus proche de la clinique où meurt son père. Ne l'aurait fait pour rien au monde, sauf avec Serge. Mais Serge habite ailleurs. À New York, où il est en train d'acheter un appartement, à Tokyo, où il enregistre dans les nouveaux studios Sony, à Venise, où l'aristocratie américaine l'invite quand il veut à jouer Barber et Gerschwin. Et comme son fils fait Cambridge, il y a aussi la campagne anglaise.

Serge n'est plus jamais là. Irène le suit. Ses jambes sont merveilleuses, personne ne résiste à son sourire. On écrit maintenant que Serge compose pour elle et cherche déjà un pianiste pour jouer l'œuvre. Le caricaturiste de la page culturelle du *New York Times* les a croqués tous les deux assis côte à côte au premier rang d'orchestre d'une immense salle vide. Un pianiste ébouriffé s'incline avec inquiétude devant eux, la partition sous le bras. Il n'a pas encore commencé. La petite porte cachée dans le mur vient à peine de se fermer. Son regard fuyant implore déjà l'indulgence du maître.

5

Il y a une bouchée à la reine dans le four et une grappe de chasselas sur la table de la cuisine. Maud les pose sur le plateau avec une carafe d'eau et va s'installer en bout de table dans la salle à manger. Le médecin n'était pas très optimiste aujourd'hui. Calme, comme toujours, mais plus réservé que d'habitude. Absent, comme si c'était à son père, enfin, et à lui seul, de parler.

Elle déplie le programme devant elle contre la carafe : Chopin (trois *Études*), Lizst (extraits des *Années de pèlerinage*) et Brahms (les *Variations sur un thème de Schumann*, les *Variations et fugue sur un thème de Handel*, les *Quatre ballades*, op. 10).

Elle les connaît par cœur depuis le temps que Serge les répète, sait qu'il vient de commencer le premier Chopin. Il joue souvent la *Baccarole* en rappel, avec sa mélodie entêtante empruntée aux gondoliers.

Elle la fredonne par anticipation, rit de cette petite inconvenance, finit son raisin en vitesse, laisse tout sur place et va se coucher avec un livre.

6

Voici maintenant que les nouvelles que lui donne Irène dans la voiture qui les ramène à Paris après deux semaines d'absence sont plus fraîches que celles d'hier au soir en provenance de la clinique. Maud est toute pâteuse, n'ayant pu dormir parce que poursuivie par un masque livide. Seul le froid de la chambre l'a fait tenir cette nuit, et la pensée que les jambes de Serge emmêlées aux siennes prodiguaient l'ancienne chaleur. Elle aimait ce contraste du froid sur sa nuque et de la chaleur sur son ventre, du filet d'air frais sur l'oreiller et des mains de Serge glissant partout sur elle, bien au chaud sous les édredons empilés, jouant si bien avec son corps sans tête. Serge disparaissait tout entier en faisant de petits bruits avec la langue de sorte qu'on aurait pu croire qu'une ventriloque agitée observait le dais depuis sa couche.

Irène la bouscule, s'en excuse aussitôt, mais il faut faire vite. Ils se retrouveront directement à la clinique. Cette idée d'un trajet direct New York-parc Monceau, efficace, avec en vol un grand choix de boissons plates et gazeuses et à terre un délégué de la maison de disques partenaire pour récupérer les bagages en bas des marches amovibles, donne le vertige. Serge a été obligé de monter dans un avion pour la première fois de sa vie. L'insouciance éthérée qui le fait passer du confort acidulé des salles d'attente jet-set aux plus prosaïques devoirs familiaux lui semble une chose impalpable. D'autant plus qu'Irène maîtrise cela à la perfection, l'acier brossé aussi bien que la loupe de citronnier, avec Serge qui dort, là, sur son épaule, sans se douter de rien tant la chose est facile.

7

Irène s'est assise dans le couloir pour l'attendre. À peine est-elle sortie de l'ascenseur que Maud la voit se lever et procéder énergiquement dans sa direction d'un pas sec et droit. Elle l'observe ajuster sa marche pour aller à sa rencontre plus rapidement qu'elle-même ne semble aller à la sienne, vérifie cette supposition en ralentissant, défait la lanière de sa chaussure pour la réajuster. Irène, du coup, se précipite vers elle sans le vouloir. Sa propre brusquerie l'étonne. Maud se redresse, remarque combien ses traits sont tirés.

Elles sont à deux portes de la chambre. C'est une distance respectable pour qu'Irène puisse lui dire que son père
vient de mourir. Il y a cinq minutes à peine, comme si voir
quelqu'un qui vient de quitter la vie il y a si peu n'était pas
si différent que de le voir vivant. Serge est à l'intérieur, seul
avec lui.

Maud y va, pousse la porte. Serge se lève et la prend
dans ses bras. Ils s'assoient côte à côte et Maud se demande
s'il serait incongru qu'elle prenne sa main dans la sienne
bien que l'instant ne soit pas musical.

8

Maître Daix les observe à tour de rôle. Dans un sens,
puis dans l'autre. Un peu sur la gauche, pas beaucoup plus
sur la droite. Il reste fixe. Il a connu Serge et Maud enfants.
Sans doute son fils, qui reprendra l'étude, connaîtra-t-il
les leurs. Serge a déjà un garçon d'un premier mariage, un
petit Anglais qu'on ne lui a jamais présenté. Ces deux-là
semblent affectés d'une éternelle jeunesse. Aucune patine.
Rien que de l'éclat, même chez la fille, qui baisse plus facilement le front.

Il s'éclaircit la gorge, les mains à plat sur le cuir du
bureau. Elles sont comme vissées sur deux rails parallèles à
égale distance du dossier de la succession posé au milieu sur
le sous-main. Puis il les ramène l'une vers l'autre et tapote le
dossier avec l'affection que l'on réserve aux objets familiers.
L'une, sur la droite, repousse les feuilles qui ont glissé d'une
des sous-chemises, d'un rose pâle qui rappelle les buvards
d'école. L'autre, sur la gauche, caresse le tissu gris encollé
qui tient lieu de tranche. Maud remarque son épaisseur.

Maître Daix met les formes avant que sa main droite
ne tire la languette passée dans la boucle qui serre tous les

précieux documents qui feront leur avenir, qu'il faut passer
en revue... et ainsi de suite. Il ne doute pas de leurs bons
rapports, a toujours su les voir comme ils sont, comme on
aimerait tant que soient les frères avec leurs sœurs et inver-
sement. Maud réprime un petit sourire de contentement
et pousse Serge du pied, qui ne répond pas. Mais il faut
absolument qu'il leur dise quelque chose et il est embarrassé, car il ne sait s'ils n'ont pas déjà soupçonné, peut-être
confusément sans l'aide des mots, ce que le testament exige
qu'on révèle en sa présence. Est-ce bien le mot qu'il faut
employer? *Révéler?* «Et croyez bien, mes enfants – son
âge lui permet cette tournure de phrase désuète –, croyez
bien que cet embarras n'est rien d'autre que la preuve de
mon affection, car, vous vous en doutez, j'en ai vu d'autres.
Je suis un peu sec, parfois, parce que tous mes clients ne
sont pas mes amis. Je vois des petits-neveux épouvantables
avec soixante pour cent de droits de succession. Des maris
avec des doubles vies pathétiques qui ne voudraient rien
tant que favoriser les enfants illégitimes. Non, là, je vous
l'assure, rien de tel. Il s'avère simplement, et cela n'a absolument aucune importance pour la suite, rien n'est changé,
que votre père, Serge, n'est *pas* le géniteur de Maud. Je n'en
savais rien moi-même. Il tenait à ce que cela fût dit par moi
aujourd'hui. Il ne s'en était jamais ouvert, sinon dans cette
lettre postée il y a une semaine, adressée à vous deux aux
bons soins de l'étude.»

Par lâcheté, pense Maud, voilà pourquoi, et ce saut dans
le vide la surprend elle-même. Car plutôt que de rester sur
l'idée – non, le *fait* – que celui qu'elle a toujours pris pour
son père et aimé comme tel ne l'est pas, elle en déduit
impénitente une faute terrible qu'aucun père, réel ou prétendu, ne saurait commettre avec ses enfants, faux ou vrais.
La traîtrise. Et passe à la conclusion qui s'impose, légère et

optimiste : cet amour, avec Serge, qu'on appelle « inceste », avait en fait tous ses droits. Toutes ses chances.

9

Ils ne disent rien, traversent l'avenue Marceau chacun pour soi. Serge s'est boutonné seul jusqu'au col dans le hall avant de pousser la porte. Son écharpe pend dans son dos comme au temps du collège. Ils prennent les rues Bassano et Washington, puis, juste en face, la longue et fastidieuse rue de Monceau. Ils tournent à droite pour aller vers le parc et Maud presse le pas comme si on la suivait. Elle s'arrête devant une boulangerie où les gens font la queue, comme on ferait pour signifier qu'on n'est pas dupe d'une filature, pour demander de l'aide si besoin est.

Serge comprend maintenant où ils en sont.

S'il savait déjà ce qui vient d'être dit dans le bureau de maître Daix, il a triché. C'est un prédateur qui a profité d'elle et la suit aujourd'hui dans la rue comme autrefois dans la maison de son père. S'il a tout appris en même temps qu'elle, il sait qu'Irène est une erreur comme sa première femme en était une autre.

Un choix lui est offert et Maud le regarde droit dans les yeux, sans envie ni tristesse autres que celles de le voir revenir vers elle en laissant tout derrière comme si rien d'autre qu'eux n'avait été. C'est une exigence dont l'envergure est immense et Serge la prend comme telle. Aucune réflexion n'est permise. Aucune esquive. Aucun calcul. On sait ce genre de choses. Tout de suite. Et l'autre doit savoir tout aussi vite ce qu'il en est pour lui-même.

Ce qui fait que Serge prend les mains de Maud dans les siennes comme elle autrefois celle de droite au piano, ne sourit pas comme il le faisait au début pour surmonter les difficultés de BWV 1016 revu par Brahms, et lui dit que non. Il ne savait rien de ce que maître Daix vient de leur annoncer. Il a toujours cru qu'elle était sa sœur.

10

Une fois les rideaux tirés devant la fenêtre ouverte, le vent familier vient gonfler le tissu et retracer ces rondes-bosses d'animaux fantastiques que Maud enfant ne voyait qu'au creux des ombres. Mais là, les lampes sont éteintes parce qu'il est midi et Maud, de son lit, laissera le jour tomber seul sans les allumer. Peut-être le téléphone sonnera-t-il mais elle ne répondra pas. Peut-être voudra-t-elle à un moment ou un autre se lever pour aller regarder une dernière fois la vidéo de Carnegie Hall que Serge lui a fait livrer ce matin. Elle pense plutôt que non. L'oreiller, déjà – ferme sous sa tête et pourtant doux depuis que la plume enfin tassée a glissé sous la taie pour revenir lentement contre ses oreilles –, l'absorbe et l'en empêche.

L'ombre légitime de Serge s'est glissée dans son lit. Elle s'adresse à elle sans ouvrir la bouche. Ses yeux sont grands ouverts pour observer chacun des mouvements qu'elle lui destine : son dos qui se tourne, son bras qui se lève au-dessus de sa tête, sa jambe qui repousse le drap.

Irène lui a retiré Serge avec les armes du notaire. L'ancienne croyance de son origine a fait place au vide. Son père, au terme de la lettre, n'a rien révélé de son vrai géniteur. La dernière vidéo de Serge est posée contre la lampe sur la table de chevet avec un mot glissé sous la cellophane : « Pour ma sœur de toujours. »

Cette Maud-là ne sait lequel des deux poisons est le plus fort ou descend le plus vite. Celui de l'homme auquel elle avait droit ou celui du père qu'elle vient de perdre deux fois en quelques mots?

Le parc, derrière le voile soulevé par le vent, est plein de la lumière dorée de la dernière saison. Maud est toute droite dans l'ancien lit. Sans haine pour quiconque. Sans espoir pour elle-même. Réduite au silence par la vitesse de la vie qui file derrière les rideaux tirés. Sans amour. Sans rien.

Lenteur et douceur

S i l'éponge est incestueuse, la cuisine y est pour quelque chose et il me semble que les futuristes sont en partie responsables de son malheureux destin.

Il y a une centaine d'années, Filippo Tommaso Marinetti, à la tête d'un groupe d'artistes et d'intellectuels italiens, publiait le *Manifeste du futurisme* dans le *Figaro* du... Il y eut ensuite le *Manifeste de la cuisine futuriste* qui vantait l'amour du danger, l'audace, le mouvement agressif, l'insomnie fiévreuse, la virilité, la gifle, la vitesse. Le militarisme, la guerre et le mépris de la femme faisaient partie de ses vertus. En ce qui concerne la table, les futuristes ont proposé l'abolition du couteau et de la fourchette, voire de la *pastasciutta*, remplacés par les machines et les produits chimiques.

Il est temps d'aller vers le contraire et de célébrer les mets, ingrédients et recettes mis à l'index par Marinetti. L'éponge, pour le coup, en sera moins seule et nettoiera ce qui vaut la peine de l'être au terme de vrais repas déposés dans des plats de service et des assiettes en porcelaine.

Quelques exemples.

La chair exquise de l'*Helix Pomatia Alpina*, une créature qui par antonomase est l'emblème de la lenteur, par opposition au mythe de l'obsessionnelle vitesse futuriste. Sa

maxime n'est pas «Je veux une vie pleine de dangers», mais
«Qui veut aller loin ménage sa monture», où il va sans dire
que «loin» signifie «dans ma poêle».

Le *bue grasso de Carrù*: une bête qui aime étaler son
obésité, alors que chacun ne désire rien tant que perdre
du poids quitte à risquer l'anorexie. Le bœuf est pacifique.
«*T'amo, pio bove*», disait le poète Carducci. Sa viande n'est
vraiment pas indiquée pour l'électrisant *Carneplastico* futuriste: son mythique *bollito* exige de cuire à petit feu une
journée entière. Dès sa plus tendre enfance, le bœuf de
Carrù, comme le chapon de Morozzo, est si peu viril que
ceux qui exaltent la masculinité comme une raison supplémentaire de vivre en seront saisis d'horreur.

La truite timide, qui aime nager dans les eaux cristallines
des montagnes, et les fromages d'alpage, qui moisissent
immobiles dans des caves humides, plutôt que de suffoquer
dans la fumée des moteurs vrombissants.

Le goût délicat du poireau de Cervere et de la carotte
de San Rocco jureront avec les brûlantes épices futuristes,
toujours prêtes à enflammer les papilles des gourmands.
Et n'oublions point le *raviolo*, que des mains laborieuses
fabriquent avec patience et amour. Les futuristes l'avaient
banni de leur table en tant que vulgaire *pastasciutta*.

On trouvera tout au sommet, pour couronner notre
ascension, les meringues d'Arione, exquises, alpines et généreuses, dont la forme enlève tous les doutes sur le choix qui
s'impose entre la virilité rude et agressive et le développe-
ment harmonieux des tendres et souples rondeurs féminines.

Cartes postales

N i notre père, ni aucun de ses frères et sœurs à table avec nous, ni même évidemment les cousins – trop jeunes – n'auraient pu avoir le moindre soupçon. Je jugeai sur pièces de leur incomparable aveuglement. Je t'ai vu serrer les lèvres dont la chair dégoûtée et hautaine est aussi rouge que celle des grenades. Tout ce que tu prends pour une obséquieuse sollicitude – l'exigence de remerciement sans cesse renouvelée –, pour leur tendresse, leur protection, que sais-je encore, ce qu'ils se félicitent de célébrer autour de la table chaque dimanche, cette familiarité fétide que tu connais si bien, tout cela est resté à flotter entre tes dents et ton palais. La tourbe qu'ils nous servent s'est figée. Tu as dégluti lentement avec l'air absent et lointain d'un animal que l'on forcerait à un régime idiot par méconnaissance de son anatomie et de son mode d'alimentation. Ta glotte s'est durcie, à l'étroit sous la peau du cou qui sort du col trop large de ta chemise. J'hésitai longtemps entre ces deux images : l'animal qui languit, ou bien la fleur immobile piquée dans un vase.

Ta fourchette a levé un dernier morceau en un mouvement très lent pénible à regarder. Tu m'as paru en cela semblable à ceux qui hésitent pour la première fois à se nourrir et sont enfin prêts à renoncer à l'effort. J'ai à nouveau remarqué combien ta bouche est absente de ton corps. J'ai un souvenir de tes genoux, de tes pieds, de tes côtes – dans le bain commun, puis disparaissant derrière le pan de la chemise que tu rentres dans le pantalon et sous la flanelle qui remonte si rapidement le long de tes jambes, comme si tu devais toujours être protégé par un linge –, mais ta bouche a toujours été pour les autres, destinée à d'autres joues, à d'autres lèvres, à d'autres doigts que les miens. Ce qu'il m'a été offert de voir au moment de la dernière bouchée – et j'en parle comme d'un ultime voyage –, je l'avais déjà remarqué de nombreuses fois et n'ai fait ce jour-là qu'identifier ce qui m'avait troublé et que je n'avais su nommer auparavant. Il est difficile de faire le partage et de décider si ce qui a ainsi frappé notre esprit est bien identique à ce à quoi nous donnons un nom après coup. Il n'est pas certain que «l'étrangeté de ta bouche» soit l'expression qui convienne et qu'elle nomme comme il faut ce qui me dérangeait depuis si longtemps. Te voilà comme démultiplié, me suis-je dit. Nous avons un Emmanuel qui déjeune, un autre qui esquisse un sourire, un autre encore qui embrasse les filles. Il est certain que ce n'est pas *mon* Emmanuel qui mastiquait ainsi la nourriture dominicale avec une lenteur impeccable. Plutôt un autre dont je ne connais encore rien.

Ils n'ont pas remarqué l'incongruité de ce morceau au bord de tes lèvres. Tes épaules se sont resserrées. Ton regard s'est vidé. Quelle force terrible dans cette peur, Emmanuel! Beaucoup trop imposante pour moi. Insoutenable est la facilité avec laquelle ils ne tiennent jamais compte de ce qui pourrait leur causer la moindre gêne – ce jour-là encore, une fois de plus. Tu as laissé retomber ta fourchette, tu as fermé ton front et baissé la tête, et j'ai été saisi pour de bon lorsque tu l'as relevée. Cette peur! Devant moi et à l'insu de tous, tu lui as substitué d'un petit mouvement de balancier une peur tout humaine, domestique et presque raisonnable, semblable à la peur de la nuit ou des animaux méchants. Une peur blanche. Tu as caché la peur rouge au fond. Tu m'as enveloppé de ton regard et sa froideur m'a pétrifié. Lorsque ta bouche a été pleine d'un goût mêlé de sel et de morve, tu t'es enfin décidé à sortir de table.

Je ne t'ai pas suivi à la salle de bains. Je t'en ai voulu de me confier cette tâche si peu digne d'attention : rester là avec eux, faire quelque chose de convenable à ta place, leur expliquer vaguement que tu es fatigué en ce moment mais que tout va bien quand même. Je voulais comme toi rendre leurs offrandes aux tuyauteries, à l'univers souterrain des syphons et des égouts, à ce que nous jugeons tous les deux depuis longtemps être leur lieu approprié. J'imaginais ta solitude, là-bas, dans la pièce carrelée de blanc, sans vraiment savoir si elle te convenait ou si tu aurais aimé ma compagnie comme tu l'aimais avant lorsque nous restions à jouer dans l'eau trop longtemps. Mais, là comme ailleurs, tu ne m'as jamais laissé te serrer contre toi, te prendre la main, ni même te regarder plus qu'un instant très court.

Je n'ai pas quitté la table. J'ai attendu le moment du café pour remonter dans la chambre. Tu avais laissé la boîte de cartes postales ouverte sur ton lit. Comme si tu n'avais pu me dire que tu avais prévu de les emporter avec toi, toutes ces cartes qu'elle nous écrit, comme si tu en étais le seul destinataire, comme si toi seul avais le droit de les relire dans ton coin, d'en déchiffrer l'écriture toujours plus hésitante et maladroite. En cet instant, Emmanuel, lorsque j'ai vu le carton vide, je jure devant Dieu qu'il m'est apparu comme un abîme et que je t'ai détesté de toutes mes forces. J'aurais pu me résoudre aux plus basses manœuvres. J'ai pensé un instant redescendre au salon et tout dévoiler : tes malaises, vrais ou faux, la correspondance clandestine avec maman, tous ces détails pitoyables qui décorent ton existence. Ma haine était sincère et, comme je suis un lâche et que j'ai peur de leur faire face, je me suis allongé sur mon lit et j'ai fait une petite sieste ridicule. Je me suis représenté notre tante, la plus jeune, en costume moyenâgeux, penchée au-dessus de fourneaux brûlants, relevant de larges manches pour introduire un bouquet d'herbes maléfiques dans un croupion bouilli. Tous étaient présents : père, oncles, autres tantes, cousins, déguisés en mirlitons, soumis à mes ordres, flanqués de nez vérolés, préparant ton dernier repas avec leurs doigts crochus. J'y allai en psalmodiant la recette pour qu'ils accélèrent. Ils découpaient des courges monstrueuses et crachaient des crapauds dans des casseroles en cuivre.

Puis j'ai ouvert les yeux, je me suis levé et j'ai descendu l'escalier. Ils étaient tous installés autour de la table de jeu. Du haut de la première marche, j'ai fièrement annoncé qu'Emmanuel était parti et je suis remonté ranger la boîte.

*

C'est le maître de musique qui m'a donné ta lettre en mains propres. Il m'a convoqué dans son bureau il y a deux semaines et m'a demandé pourquoi tu écrivais au collège plutôt qu'à la maison. Il voulait savoir où tu étais parti. Il a eu l'air fâché que tu ne l'aies prévenu de rien. Pas un mot pour lui, le maître de musique. Notre ami. Vous n'étiez pas en mauvais termes, tu ne l'avais pas roué de coups comme Hercule le sien, condamné pour la peine aux travaux. Il a laissé un sourire s'installer au fond de ses yeux doux et bons. J'ai répondu que tout était convenu entre nous, que tu écrivais pour les autres à la maison et pour moi au collège. Il a souri encore et approuvé. Puis il a dit avec un grand sens de la justice qui n'appartient qu'à lui : «J'espère qu'Emmanuel va bien. Tu l'embrasseras pour moi», ce qui voulait dire «Tu lui diras qu'il m'écrive», et j'ai promis de le faire.

Je ne suis pas étonné que tu aies choisi l'hôtel des Étoiles. Le papier à en-tête est joli avec sa couronne céleste au-dessus du nom. Je me suis demandé si tu l'avais choisi au hasard, si *vous* l'aviez choisi au hasard, en laissant un doigt tomber sur une page quelconque de l'annuaire ou en feuilletant un dépliant à la gare.

J'ai refait le trajet dans ma tête dans le compartiment en même temps que je le refaisais réellement assis sur la banquette en bois. Tu as dû arriver comme moi aux alentours de minuit car il faut bien une journée entière pour faire le voyage et tu es parti juste après le déjeuner. Tu as dû mal dormir. Peut-être avais-tu demandé une couverture au contrôleur – il en a à disposition dans sa cabine. J'en ai demandé deux avec un oreiller et je suis arrivé vers deux heures du matin car le train s'est arrêté pour rien en pleine campagne en début de soirée.

Tu as marché jusqu'à l'hôtel, qui n'est pas si loin de la gare. Il t'a paru quelconque, mais tu y es entré quand même. Tu as poussé la porte, tu as posé comme moi aujourd'hui tes mains sur le comptoir. L'homme de la réception t'a dit sur un ton un peu bourru : «C'est la chambre 27 au deuxième étage» avant de reprendre son journal.

Il m'a tendu l'enveloppe que tu avais laissée à mon attention, les clés de la 27 et celles aussi de la chambre voisine.

La 27 avait une vague odeur de moisi. Je me suis assis dans ton fauteuil. J'ai récité avec mon manteau sur le dos les dates des cartes postales que nous recevons. Tu n'avais rien laissé qu'un mot laconique dans l'enveloppe, ouverte et recachetée par le concierge. Aucune trace ici de ton passage.

Aucun objet. Aucune odeur. L'anonymat des hôtels. Nous pouvons reconstruire les événements qui se sont déroulés ici de la manière suivante pour la postérité sans trop nous éloigner du vraisemblable.

Le premier soir, très certainement après l'heure du dîner, Emmanuel a ouvert un récit de voyage. Peut-être bien *Le Voyage d'Urien* d'André Gide dont il appréciait la prose lyrique, les fausses épiphanies et l'irréalité calculée – un livre que nous avons souvent lu à tour de rôle et dont nous aimions nous réciter des passages. Lorsqu'on nous emmenait, enfants, dans des endroits encore inconnus de nous, des endroits nouveaux qui n'avaient pas la lumière bleutée du jardin, je te demandais : «Est-ce que ce sera comme dans *Le Voyage d'Urien*?» ou «Est-ce qu'il y aura des icebergs?». Mes lèvres étaient tout près de ton oreille pour que personne n'entende.

Il s'est assis pour le lire. (La chambre d'à côté a elle aussi un fauteuil pour la lecture, un grand fauteuil de cuir rouge orienté vers la fenêtre.) Il a entendu pour la première fois un gémissement. Il a collé son oreille contre le mur et a pu reconnaître la voix d'une femme. Une heure ou deux ont passé. Il a cru comprendre, et cela a troublé sa lecture, qu'il s'agissait d'une plainte, mais à peine articulée et perceptible, comme si la personne souffrante était très loin. Peut-être était-elle à l'autre bout de la pièce et que cette distance, en réalité négligeable, affaiblissait sa voix.

Les gémissements se sont espacés pour former des grappes sonores distinctes, modulées d'abord, comme s'ils étaient chantés. Ils se sont peu à peu transformés en petits cris très secs.

Emmanuel a décidé de s'enfermer dans la salle de bains. Nous chantions, parfois, enfermés dans celles de nos maisons de vacances, mais là c'était différent. Il a collé son oreille contre le carrelage et a entendu – maintenant de très près – une plainte continue. Une femme devait être assise dans la chambre contiguë. Il s'est assis à son tour sur le siège des toilettes. Elle s'est tue. L'hôtel est assez sonore. Il est bien possible qu'elle ait repéré sa présence. Je ne saurais me prononcer sur ce point car j'étais le seul client de l'étage lorsque ce fut mon tour et je n'ai jamais eu l'ouïe fine d'Emmanuel, son sens de l'espace sonore, son don inné pour faire porter sa voix. Quoi qu'il en soit, il a entrepris de l'imiter.

Sa belle voix claire, qui vient du ventre, a résonné contre les carreaux. Emmanuel a collé son oreille contre le mur et n'a obtenu aucune réponse en retour. Je pense qu'il s'est senti coupable, observé et pris au piège. Nous connaissons tous les deux ce sentiment confus. Mais Emmanuel, optimiste ou compréhensif, s'est dit que cette femme avait besoin de se plaindre de cette façon si particulière, seule dans une chambre d'hôtel. Peut-être avait-elle eu toutes les peines du monde à en choisir une. Emmanuel avait-il trouvé sa propre destination si facilement? L'avaient-ils trouvée tous les deux si facilement? Je crois que non. Il a envisagé cette plainte comme un droit, sa présence dans la chambre 27 comme une chance, et s'est senti coupable d'avoir contrarié les efforts de cette femme.

De quel droit voulait-il communiquer avec elle? De quel droit avait-il emporté les cartes postales? Allons, je ne me plains pas parce qu'Emmanuel, le ventre léger, l'esprit mûri par le voyage, fort des échanges épistolaires avec maman, a pensé un moment frapper à la porte de sa voisine. Non. Il est sorti, s'est arrêté devant et a envisagé des possibilités très différentes. Glisser un mot, parler au réceptionniste. Mais non, mais non. Un mal irréparable était fait. Emmanuel, décontenancé et à court de moyens, a dû pleurer.

Plus tard encore, des gouttes se sont mises à tomber régulièrement dans le lavabo de l'autre côté du mur. Il a tourné le robinet d'eau froide. La qualité sonore des gouttes n'était pas la même dans sa salle de bains à lui. Il lui semblait maintenant que la femme crachait à intervalles réguliers.

Le lendemain matin, Emmanuel est descendu prendre son petit déjeuner. La salle à manger était presque vide. Elle l'était encore les jours suivants.

Voilà.

La fin de cette dernière journée solitaire relève de la conjecture. Emmanuel a pu s'essayer de nouveau à la lecture : les cartes postales, *Le Voyage* ou bien un autre livre. Il a rédigé son mot et l'a confié au concierge en partant, lequel m'a confirmé que la femme de la chambre 26, une Espagnole de Barcelone, avait quitté les lieux après lui.

Le mot est sec, rapide, pour ainsi dire muet, et ne fait aucune référence aux événements antérieurs à son arrivée. Il ne dit presque rien sur ce qui s'est passé dans la 27, mis à part les quelques éléments ici rapportés, d'ailleurs en grande partie reconstitués grâce aux indications du concierge. Une dernière ligne tendre clôt cette note laconique en milieu de page, le genre de phrase dont la froideur est aussi définitive que la peine que l'on a éprouvée soi-même à l'écrire.

Rien ne dit s'il réussira dans sa quête. J'ai peur, moi aussi, de l'échec. Je pense qu'Emmanuel a dû dormir profondément le dernier soir. Peut-être dans le fauteuil. Il y a longtemps, lorsqu'il s'endormait dans celui du salon la bouche ouverte, maman fronçait les sourcils et levait l'index devant ses lèvres. Je traversais la pièce toute chaude, pleine du bruit des mouches. Je m'avançais vers lui sur la pointe des pieds, je frôlais à peine le dos du fauteuil pour la faire rager. Elle levait les yeux au ciel d'un air contrarié, nous regardait d'un seul mouvement de tête, lui assis et moi debout, et souriait pour nous deux, quand même amusée de mes bêtises, indulgente, espiègle elle aussi, ravissante comme une petite reine de juillet.

Destination australe

Remettons les choses en place d'un bon coup de patte. De noir vêtu et ferme sur la glace, vous m'attendiez, cher Walker (et non point le contraire), votre inénarrable chapeau planté droit sur le chef. Vous glissiez calmement, comme autrefois avec la révérende. Édith vous séduisit, ne l'oubliez pas, d'une pirouette empruntée à Cyd Charisse, reproduite *on ice* pour vous seul sur la patinoire de Central Park une nuit claire de juillet, en pleine crise de la baie des Cochons.

Édith allait alors sans peine en jupe plissée et bas de laine sur cette banquise artificielle, maintenue par un mystérieux système de réfrigération soufflée. Vous l'observiez comme un petit garçon rêveur guidé par la lune.

J'imagine que, à plus de trente années d'intervalle, l'absence de nuit a dû vous surprendre. Non moins, j'imagine, que l'*Endurance* lorsque vous l'avez vue grandeur nature pour la première fois. Échouée en pleine lumière, là-bas derrière ; à l'horizontale et sans homme. Nous étions loin des jeux enfantins et du modélisme adolescent.

Je suis arrivé après vous – quelques minutes à peine. Vous alliez en rond pour patienter, dans le sens contraire des aiguilles d'une montre. Tourniquet, lacets cirés : rien n'y manquait *for Christ's sake*. Je me présentai debout pour mettre un terme à ces simagrées; comme autrefois le préposé aux chevaux peints et aux carrosses viennois pour dégriser les enfants qui n'en finissaient plus de tourner sur le manège. Il s'accrochait à un guidon ou une roue, et plantait ses pieds dans le sable pour faire ralentir la machine.

Vous m'avez vu. Patinant droit sur un galet de marcassite, vous vous êtes avancé. Où étaient donc vos pieds, Walker? Et comme vous portiez mal votre nom en cet instant de commémoration!

«Vous? demandai-je. Mais oui, moi-même, cher Bernard.» Quelques mots, rien de plus, et les présentations étaient faites comme dans l'ancien temps. On ne s'embarrassait pas de tant de manières, à l'époque. Il fallait gagner sa croûte.

«Édith nous fera-t-elle l'honneur...?»

Je me suis arrêté tout net. J'aurais aimé, Walker, n'avoir jamais prononcé ces mots, lancés avec maladresse pour sacrifier à la plus banale des politesses. Vous avez relevé mélancoliquement la tête en direction du trois-mâts.

Je lis les journaux, et pourtant ce fait divers n'avait jamais retenu mon attention. Que la révérende fût à bord de l'épave me surprit plus encore que le simple fait du naufrage. Si belle et dévouée; toujours avec ce bijou rouge en bisulfure de fer à l'annuaire. Frottée au savon et bien mise.

Enfin... Nous avions peu de temps devant nous et la deuxième question, comme on dit, brûlait mes lèvres. Je la posai, passant outre l'inévitable accusation d'égotisme.

Était-elle venue *pour moi*? Vous avez commencé par vous taire. Votre hésitation était légitime. Édith aurait-elle eu pour projet de me ramener à la maison sous forme de tapis avec des yeux en verre irisé et des dents dévitalisées vernies au pinceau que je l'aurais compris tout autant. Mais ce n'est pas cela que vous avez dit. Non. Après quelques tours de piste, paresseusement tiré par un de mes congénères en bas âge, vous avez remarqué – comme à la cantonade, alors que nous étions seuls :

« Édith avait la manie des voyages. »

Tiens donc, Édith ? Les voyages ? *I presume you were right.* Après tout, qui d'autre aurait pu le savoir mieux que vous ? Personne, sans doute. Mais – j'y reviens – pourquoi choisir le pôle austral pour destination, sinon pour ma pomme ?

Je vais vous le dire, *dearest Walkie*, petit vaurien, et puis nous nous quitterons une deuxième fois.

Pensez aux fesses qui se sont assises sur elle, sur vous et sur moi ; habillées tantôt de coton, tantôt de gabardine, suivant la saison. Et comme nous étions fiers et lustrés d'accueillir chaque après-midi tant de postérieurs enfantins, tous les trois disposés en cercle sur le manège, loin des feux de la glace, là-bas, à Manhattan. Et même quelques derrières adultes lorsque le risque de tomber était trop grand, l'enfant en amazone. Il y eut, enfin, ce grand échalas avec sa veste de collégien qui avait oublié sa maquette sur le banc. Un beau trois-mâts tout bien gréé, portant le nom que vous savez. Édith le voulait pour elle et nous sommes tous descendus du plateau en pleine nuit pour cacher l'embarcation dans les environs du zoo.

Voilà maintenant que nous nous sommes retrouvés. Comme la vie est souvent toute petite et parfois même conforme aux prédictions des plus mauvais livres, vous avez continué tout droit vers l'épave en me laissant là comme une quantité négligeable.

Le jour tombait, je m'en souviens, ce qui n'a pas manqué de nous surprendre, vu notre latitude. Il y avait même comme une ombre sur l'*Endurance*, mais c'est une autre histoire pour quand vous reviendrez. Et nous parlerons à nouveau longtemps, tous les deux. Sans Édith. Longtemps.

Barbara, de neuf à quarante ans

(1962)

Elle me dit, à la fois hautaine et indécise, au point que je m'interroge – la froideur de son regard pourrait en cacher une autre qui ne serait pas de façade, dont elle n'aurait pas la maîtrise et qui lui ferait presque peur –, elle me dit, donc, ou plutôt m'annonce : « Elle sera mieux dans ma chambre. Je vais demander un bocal à Marinette. » Elle se dirige vers la cuisine, y échange quelques mots avec Marinette, repasse rapidement par le salon la main posée sur le bocal et monte solennellement l'escalier.

Je laisse mon article quelques instants sans détourner le regard du journal. Elle arrive en haut des marches. Le parquet craque. Elle ne referme pas la porte. Le sommier grince. C'est qu'elle reste assise, sans bouger, la porte ouverte, et observe le contenu qui s'agite.

(1965)

Depuis quelques mois, elle refuse par intermittence de sortir. Elle parle trop fort, grignote hors des heures de repas, accroche ses jupes dans les portières, les ronces, les coins de table. Puis, soudainement, elle se métamorphose sans raison apparente. Elle découpe sa poire au dîner, vient servir le café et s'assied près de nous sur un accoudoir comme un chat domestique.

Sa bouche est tantôt très pâle et presque sans chair, tantôt trop rouge. À d'autres moments encore, ses lèvres sont presque violettes, comme si elles hésitaient à choisir une couleur plutôt qu'une autre.

Nous feuilletions l'album de famille, l'autre soir. Sa mère m'a demandé si je pensais qu'elle sera aussi belle que la sienne. André était à côté de nous sur le canapé. Nous nous sommes regardés comme s'il avait été absent. Confronté aux photos, j'ai été convaincu qu'elle le sera en effet, mais cela compte assez peu pour moi. C'est la beauté de sa mère qui m'importe, la beauté de Jeanne, moins parfaite, plus complexe, qui me guette depuis notre premier baiser sans qu'André se doute le moins du monde de notre secret.

(1970)

Revenu d'Australie pour trois longs mois après quatre semaines en mer. Je reprends très vite l'habitude de cette campagne normande que je n'ai pas vue depuis cinq ans.

Nous avons passé tous les quatre un mois de juillet délicieux, ponctué de longues conversations, le soir, sur la terrasse.

Elle ne savait rien de ma présence. Elle est venue de Paris pour le week-end. Elle y a maintenant un petit studio pour potasser son bachot toute la semaine jusqu'au vendredi soir.

J'étais dans la pièce qui sert de bibliothèque. Elle était dans sa chambre. Elle est venue prendre un livre sans savoir qu'on m'y avait installé et a sursauté en me voyant.

(1980)

Paris. Elle porte une robe bleue et un chapeau d'un autre bleu un peu plus clair. Moi, un pull col roulé noir. Je la trouve un peu pâle. Elle m'avoue que ce qu'elle fait en ce moment avec moi est devenu très rare. Elle sort peu et encore moins à l'heure du déjeuner. Je lui fais remarquer que cela ne doit pas l'empêcher d'appeler ou d'écrire. Ses doigts, petits, fins et durs comme des bâtonnets de buis, tapotent la nappe. Nous commandons des cuisses de grenouille.

J'en profite. «Les gens ne sont pas des grenouilles», lui dis-je lorsque le serveur apporte nos plats, pour lui rappeler un petit incident d'il y a dix-huit ans. «On ne peut pas les conserver dans des pots et les ranger sur une étagère dans sa chambre. Ils ne se laissent pas faire, eux.» Elle me fait les gros yeux et cogne ma jambe avec son pied en se remettant bien droit sur la banquette.

(1983)

C'est elle qui part. Aux États-Unis. «Longtemps? Ce sera pour longtemps?» Elle ne me dit rien. Elle ne sait si sa réponse doit être faite pour me rassurer ou pour m'inquiéter. Je la sens hésiter. «Ce sera peut-être pour très longtemps», me répond-elle finalement en me regardant droit dans les yeux. Elle ne le pense pas. Je sais très bien qu'elle n'en a pas la moindre intention, qu'elle n'en a pas la force.

(1985)

Premier retour après deux années. Dîner de retrouvailles dans la maison de Normandie. Sa mère la ramène d'Orly. Un peu fatiguée. Rayonnante. Elle a rarement été aussi belle. Elle veut s'occuper des bagages plus tard et nous voir tout de suite. Elle raconte tout avec avidité et me fait comprendre qu'elle m'a réservé certains détails.

Nous montons nous coucher. Aparté dans le couloir. Elle me prend par le bras. «J'ai changé, m'assure-t-elle, mais vous pas trop. Nous devrions aller marcher demain matin très tôt et revenir préparer le petit déjeuner pour tout le monde. Nous leur ferons une surprise.» Je dis oui et me prépare au pire. Plus tard, je l'entends de ma chambre refermer doucement le coffre de la voiture garée dans l'allée, puis défaire ses valises.

Petit condensé du lendemain: un certain Jeff ne se fera pas au mode de vie français. «Je vis au milieu des champs depuis deux ans, me confie-t-elle, c'est très beau et plat à perte de vue.»

«Pourquoi ne pas revenir, lui dis-je, est-ce là la vraie raison? Le Jeff serait-il contre?» Oui. Il est contre. Elle me regarde d'un air à la fois agacé et amusé, comme si elle avait marqué un point en ayant fait un choix sur lequel je n'ai aucune prise.

«Je ne vois vraiment pas pourquoi la France lui ferait peur. L'Iowa a été français deux fois de suite, bien qu'espagnol entre les deux. Voilà un passé qui crée des liens.»

Elle hausse les épaules et part faire un tour seule dans le jardin.

(1990)

Mort de Jeanne. Le fameux Jeff est resté les fesses sur son tracteur. C'est à croire que nous ne le verrons jamais. Il me revient, au cimetière, que j'ai connu Jeanne lorsque sa fille n'avait que cinq ans. Je le lui rappelle. Elle prétend que c'est trop loin pour qu'elle puisse s'en souvenir. Je ne la crois pas. Elle a enfoui cette mémoire-là dans une grosse malle qu'elle a emportée très loin au fond des Grandes Plaines et dont, en réalité, elle ne peut se défaire. Je ne crois pas un seul instant qu'elle ait pu oublier le voyage que nous avions fait tous les trois dans le midi en mille neuf cent cinquante-huit.

Je lui avoue ou lui rappelle – je ne suis pas trop sûr – que j'ai aimé sa mère plus que tout au monde et que je perds aujourd'hui même ce que j'ai eu de plus précieux.

«Je sais bien, me dit-elle. Vous savez qu'elle m'a écrit la même chose à propos de vous il y a un mois : que si vous disparaissiez, elle perdrait très exactement cela, ce qu'elle a de plus précieux. Elle a utilisé le même mot.»

Pause. Comme j'ai envie d'être avec Jeanne. Elle continue.

«Nous avons failli vous rejoindre en Australie quand vous êtes parti, mais papa était trop malade. Vous savez, c'était juste avant la fin. J'ai même insisté pour que nous y allions après sa mort.»

Je me souviens moi aussi de la mort d'André, mais comme d'une libération et d'un espoir qui ne sont jamais venus à terme, qui ont fini par vieillir et n'ont jamais servi à rien.

(1993)

Je ne compte plus les aller-retours Paris-Des Moines qu'elle fait depuis trois ans. Cette fois-ci, j'en suis certain, elle ne repartira plus. Nous avons passé tout ce mois de septembre à en parler. Elle est résolue et s'exprime avec lenteur. Notre conversation continue en présence des autres comme un fil ininterrompu. J'avoue que j'ai du mal à retrouver une personne authentique derrière son visage. Je la vois comme dans un cadre trop décoré ou sous un verre opaque. Ses yeux sont tristes. Ses lèvres, gaies sans raison, prononcent des paroles contraires à ses pensées. Elle me parle de sa fille, de l'école bilingue qu'elle a trouvée à Paris, un établissement pour expatriés et fils de fonctionnaires d'ambassade.

C'est encore une enfant. Elle garde toujours la paume légèrement creusée lorsqu'elle la repose sur son verre de vin, comme quand elle voulait faire un couvercle pour le bocal.

Dernière semaine d'octobre.

Normandie. Il ne restait personne à table. Nous finissions de déjeuner et la fille de Marinette s'était déjà mise à la vaisselle. Comme elle était plus proche que moi de l'évier, elle a voulu lui passer les assiettes sales sans se lever de sa chaise et a failli basculer. Elle s'est rattrapée à mon épaule pour reprendre son équilibre. Petites pattes d'oie au coin des yeux. Je commence à retrouver sa grand-mère, la superbe en moins.

Elle a vu que j'avais pris note des petites moisissures de la vie, s'est levée, a quitté la pièce.

Il m'a semblé qu'elle ne marchait pas vraiment, qu'elle n'avait pas vraiment parlé non plus, qu'elle n'était même pas réellement revenue parmi nous, mais plutôt qu'elle s'était perdue comme moi depuis longtemps dans les méandres de ce qu'elle avait vaguement entrepris, sans jamais arriver à ses fins, sans même y prêter trop d'attention.

L'Éternel

On voyait Pascal se lever tôt le matin, s'habiller en douce dans la pénombre et longer la rangée de lits ses chaussures à la main. Il sortait du bâtiment par les communs et se dirigeait à grands pas vers le ru. De la fenêtre, nous l'observions disparaître derrière le feuillage. Là-bas – nous l'apprîmes de l'aumônier des années plus tard –, il s'accroupissait au bord de l'eau et restait penché au-dessus des herbes, muet et terrifié comme les crapauds qu'il attrapait à la main pour les enfermer dans une boîte en fer-blanc. Puis il allait cacher sa prise dans la remise du régisseur et revenait se coucher avant l'heure de la cloche.

Au moment de la sieste, Pascal y retournait pour les épingler vivants sur une planchette en bois. Le soir, il les ouvrait au couteau tout droit de bas en haut avant le bénédicité. Et ainsi de suite, incessant, chaque jour, selon le même rite.

Un matin – nous attendions, sa couverture était immobile –, Pascal resta couché. L'Éternel, courroucé, avait passé sa main sur son visage et fermé ses paupières. C'est ce qu'on nous dit ce jour-là, sans un mot d'explication. Quand on nous jugea en âge de savoir la vérité, on nous parla du sort affreux de ces bêtes que l'on entendait coasser depuis le réfectoire aux pâles heures du matin. On ne nous dit pas pour quelle raison Dieu s'inquiétait tant du sort de créatures aussi laides; pourquoi Pascal, sourd comme un pot, beau à périr et monté comme un âne, valait lui, moins qu'un crapaud.

La dernière fois

M iguel n'avait rien à faire de particulier cet après-midi-là, le jour de la fête des fleurs. L'oisiveté lui pesait depuis le matin. Vers midi, il a subitement décidé d'aller nager.

Il a pris son maillot, celui que Herr Fischer lui avait acheté pour le féliciter de son doigté, et il m'a téléphoné de la cabine d'en bas pour me dire qu'il prendrait le 54 de dix heures et demie qui va tout droit à Los Baños. J'ai décidé de l'accompagner. Je l'ai attendu à mon arrêt et, quand le bus est arrivé, je l'ai rejoint sur la banquette avant d'aller m'installer sur la plate-forme. J'accompagne Miguel volontiers bien que j'aie peur de l'eau, mais j'ai besoin de mes moments de solitude, que rien d'autre que le vent ne me touche, là, à l'extérieur, pendant que l'autobus roule et sort de la ville, toujours avec la présence rassurante de Miguel à l'intérieur.

En règle générale, personne ne vient jamais sur la plate-forme à cause de la poussière. Certains voyageurs passent une tête, hésitent un moment à respirer l'air chaud et repartent s'asseoir à l'intérieur. Ils posent leurs paquets sur leurs genoux et regardent par la fenêtre. La plate-forme du 54 a l'avantage d'être spacieuse, plus large que celle du 57 ou du 62 qui prennent le même chemin. Je pouvais donc m'accouder pour regarder tantôt le côté montant de l'avenue, tantôt son côté descendant, luxueux tous les deux, flanqués de faux réverbères Napoléon III. J'observais Miguel derrière la vitre. De tous les surnoms qu'on lui donne : Mimi, Miguelito, M. le Meilleur, je ne sais pas lequel lui va le mieux. Ce jour-là, il était Miguel Bords, le gars du coin, mon ami d'enfance.

Le poinçonneur a traversé l'allée centrale. Il semblait contrarié d'avoir à sortir rien que pour moi. Il a regardé mon sac posé par terre et il a dit : « Alors, comme ça, tu vas te baigner ? » J'ai opiné du chef. « À Los Baños ? » J'ai acquiescé une fois de plus sans rien ajouter. Il a haussé les épaules. Comme le nom l'indique, il n'y a absolument rien d'autre à faire à Los Baños. « Alors, il faudra t'arrêter à la station d'avant. À Fuegos. À cause des travaux. Les trottoirs sont défoncés. »

Il a poinçonné mon ticket et, comme j'étais sur le point de prévenir Miguel que nous allions devoir marcher un bon quart d'heure avant d'atteindre la plage, au moment où je glissai le bout de papier dans ma poche, j'ai trouvé une enveloppe cachetée avec mon prénom écrit dessus en gros. J'ai pensé que ce pouvait être une lettre de Rosa. Mais Rosa, en fait, n'a jamais écrit. Est-ce que j'espérais secrètement recevoir une lettre d'elle ? C'était ma confidente après la mort de maman. Elle avait dix-huit ans quand c'est arrivé. Je lui ai fait réciter ses leçons pour l'entrée à la faculté de médecine. Je lui ai appris à dormir dans le noir sans avoir peur, à côté de moi, dans la chambre. Puis elle est partie de l'autre côté de la frontière pour Montevideo sans dire un mot et elle n'a plus jamais fait signe. Non, ce n'était pas un mot de Rosa. C'était un mot de Herr Fischer, un mètre quatre-vingt-dix, quatre-vingts kilogrammes. Il avait dû le mettre dans ma poche avec les billets de cent la dernière fois que nous étions ensemble à l'hôtel. C'est une curieuse circonstance. Je venais tout juste de penser à lui, à sa manière de rire d'un rire franc en montrant toutes ses dents et de remonter son pantalon de la main gauche. Je l'ai lu en me plaçant de dos, pour que Miguel ne me voie pas. Herr Fischer me donnait rendez-vous vendredi soir et me demandait de venir avec Miguel. À deux, cette fois. *Zwei.*

Miguel était content que les trottoirs soient défoncés. Il trouvait que c'était une bonne idée de marcher à partir de Fuegos. Ça allait nous donner faim. Peut-être allais-je même avoir envie d'essayer de nager pour enlever la sueur. Miguel avait raison. Le soleil était à son zénith quand nous sommes arrivés. Il a sorti un deuxième maillot de son sac et nous nous sommes baignés. Je suis entré dans l'eau très doucement. Miguel m'a pris par la main et m'a demandé de m'allonger avant que je perde pied. Je l'ai fait. Il m'a tiré par les bras et m'a dit de rester bien à plat à la surface. Il m'a fait faire de grands cercles autour de lui en pivotant comme sur un axe, puis il m'a prévenu qu'il allait me lâcher une première fois. Pour essayer. Il faut bien une première fois.

« Herr Fischer veut que nous venions à deux vendredi », ai-je dit avec le plus grand calme. J'avais les yeux fermés à cause du soleil, les bras collés le long du corps, Miguel assurait qu'on pouvait tenir même comme ça. « Alors, ça sera deux fois le prix pour chacun, a-t-il dit, quatre fois, quoi. Maintenant, tu sais faire la planche. »

Nous avons souvent racolé ensemble au lieu-dit La Vuelta, derrière la dune. Au départ, Miguel avait beaucoup plus de succès. Il m'a initié, montré les petits trucs qui font que les clients reviennent rien que pour vous. C'est moi qu'ils ont fini par préférer. Alors il m'en a voulu et nous avons été en froid un moment. Il se mettait à un bout et moi à l'autre. On ne se parlait plus. C'est moi qui ai trouvé Herr Fischer, moi qui lui ai proposé de le partager, histoire de faire le premier pas. Un coup l'un, un coup l'autre. Je me suis dit en repensant à ce mot qui n'était pas de Rosa qu'une séance à trois pouvait très bien sceller notre réconciliation. En fait, nous nous étions revus parce que Miguel avait sonné à ma porte un matin avec, justement, une lettre de Rosa qui lui réclamait de l'argent. Elle ne manquait vraiment pas de culot. Rosa n'était rien de plus qu'une voisine de palier. Elle avait disparu avec le grille-pain. C'est le passé.

Le vendredi soir, Herr Fischer nous a emmenés dîner à La Bonne Poularde. Nous avons pris des apéritifs au bar pendant que l'on préparait notre table. Il a commandé du homard et du vin blanc. Nous avons fini par des îles flottantes et nous sommes retournés à l'hôtel. Il s'est assis dans son fauteuil et a allumé la télévision. Il a demandé à Miguel d'enlever son short et de nous servir à boire.

«Viens là», m'a-t-il dit. Je me suis assis à côté de lui sur l'accoudoir et j'ai cherché un film dans la pile à côté du fauteuil.

«Non, non, a-t-il fait. Pas ce soir.»

«Pas de film?»

Non. C'était inhabituel. Herr Fischer a toujours besoin d'un film. Miguel est revenu avec le plateau. Herr Fischer avait l'air sombre. Il s'est excusé comme un gamin qui vient de faire une bêtise et lui a demandé de se rhabiller. «C'est *moi* qui vais servir», a-t-il dit en pointant l'index en direction de sa poitrine à lui, puis il a demandé si Miguel pouvait aller chercher des jus dans le frigidaire. Miguel est revenu avec du raisin et de l'ananas. Je n'avais même pas idée que Herr Fischer pouvait boire ce genre de chose. Il a rempli nos trois verres à ras bord et il a dit:

«Vous êtes bien mes petits lapins, n'est-ce pas?»

Miguel remettait son short avec une certaine lenteur – avec regret, aurait-on dit. Herr Fischer a continué, ou plutôt entonné avec ferveur:

«Ce soir, vous êtes mes lapins et nous allons boire des jus de fruits.»

Miguel a dit qu'il n'aimait pas trop ça, les jus de fruits, mais Herr Fischer n'a rien voulu entendre. «On n'a qu'une santé», a-t-il affirmé péremptoirement.

Il a fait asseoir Miguel sur le canapé en face de nous.

«J'ai quelque chose de très important à vous dire», a-t-il affirmé avec sérieux. Il a pris une toute petite gorgée d'ananas, s'est essuyé le front et a regardé l'écran droit devant lui. Parfois, Herr Fischer parle pour lui-même et raconte des drôles de trucs. Mais là, c'était différent.

«Est-ce que vous pourrez comprendre cela?» a-t-il demandé sans vraiment s'adresser à nous. «Mais bon, je dois vous le dire. Je vais repartir, repartir pour toujours, et j'aimerais que lorsque vous vous souviendrez de moi, lorsque je serai loin, vous ayez en tête notre dernière soirée. Ça serait quand même mieux.»

Il s'est levé avec son verre à la main et s'est dirigé vers la baie vitrée. Les lumières de la ville scintillaient derrière, toute l'avenue du 17-Mai avec les guirlandes dans les acacias, la statue des Libérateurs. Il est resté un long moment sans rien dire, puis il est revenu s'asseoir à côté de moi. Ses yeux étaient pleins de larmes. C'était terrible. Je ne m'étais jamais imaginé que Herr Fischer pouvait pleurer. Il pouvait gémir et souffler. Mais pleurer... Ça alors. Il a posé son verre sur la table basse et a regardé ses pieds.

«Lapins. Jus de fruits. Lapins. Si seulement on pouvait dire ça... Les meilleurs homards de toute la côte. *Verstehst du das, Miguel?* Comment vous allez faire sans le fric?»

J'ai eu peur un instant. Pourquoi Herr Fischer ne s'adressait-il pas à nous deux ? Nous étions là pour ça. Miguel a passé rapidement la main dans la poche arrière de son short, là où il tient le canif, mais Herr Fischer a tout de suite rectifié le tir, comme s'il avait deviné. Il a relevé la tête et m'a dévisagé très vite, comme on peut faire avec quelqu'un qu'on connaît assez pour déceler tout de suite le mensonge.

« Toi aussi, tu comprends, n'est-ce pas ? »

Miguel a récupéré la télécommande et a commencé à zapper. Herr Fischer s'est levé pour aller dans sa chambre. Miguel s'est retourné vers moi en levant les yeux au ciel. Herr Fischer est revenu avec le seau à glace du minibar. Il l'a posé sur la table à côté des jus.

« J'ai aussi des cadeaux pour vous », a-t-il dit.

Penelope Cruz est apparue sur l'écran et Miguel s'est allongé sur le canapé, les jambes repliées sur l'accoudoir. La voix de Penelope a empli la pièce, comme si elle répondait à l'interviewer en criant, puis Miguel a baissé le son. Herr Fischer est reparti dans sa chambre une seconde fois et il en est revenu avec un grand sac en plastique argenté qu'il a posé par terre à côté de lui.

« Ce sont des cadeaux utiles, mais des cadeaux quand même », a-t-il dit sans aucune intonation particulière, sans bonheur ni fierté. « La vendeuse m'a aidé à choisir. » Là, il a eu un petit sourire content.

« Non, c'est ma sœur qui est danseuse », a rectifié Penelope Cruz en considérant le journaliste d'un air impertinent. « J'ai fait de la danse, moi aussi, en Espagne et ensuite à New York. De la danse jazz avec Raúl Caballero. Ma sœur faisait du classique. »

« Reprends un peu de raisin si tu veux, a dit Herr Fischer, je sors cinq minutes. »

Il est allé sur le balcon en tirant la porte vitrée derrière lui. Peut-être avait-il encore besoin de pleurer, ou alors ne voulait-il pas entendre le son de la télévision. Miguel a fait *toc toc* contre sa tempe avec l'index, mais j'avais l'impression que Herr Fisher était bizarrement triste plutôt que complètement dingue. Chacun a le droit d'être triste de temps en temps. Ça nous arrive. À moi. À Miguel. À n'importe qui.

Il est revenu, il s'est assis de nouveau dans le fauteuil, tout au bord. Ses bras pendaient entre ses jambes glabres et bronzées.

«Mon frère est mort ce matin», a-t-il dit.

Miguel a éteint le poste.

«Très loin d'ici. *In Germany.*»

Il a laissé tomber trois glaçons dans son verre de jus. Un par un, comme de petits cailloux. Un peu de jus est retombé sur le plateau en verre de la table basse.

«Il était plus jeune que moi. Nous ne nous étions pas parlés depuis vingt-cinq ans.»

Il a posé son doigt sur la plus grosse goutte et a tracé un trait avec en diagonale. Puis il a pris une autre goutte pour faire des petits ronds et une autre encore pour des pointillés.

«Bangkok, 1985.» Sa main est tombée comme un couperet sur le verre de la table. «85. Pfftt... Plus rien.»

Miguel aussi a un frère, avec lequel il n'entretient pas les meilleurs rapports du monde, mais il n'a rien dit. Herr Fischer s'est cru obliger d'insister en espagnol.

«*Nada. Veinticinco años.*»

Il a dessiné une dernière diagonale avec son doigt jusqu'à l'angle opposé de la table, puis il est resté un long moment au bord de son fauteuil sans rien ajouter.

«C'était dans une chambre un peu comme celle-là. Nous étions tous les deux en vacances. Pas vraiment pour les mêmes raisons. Mon frère adore les monuments. Il adore l'histoire. Il est revenu plus tôt que prévu parce que le musée était fermé. »

Miguel a ri de ses belles dents blanches, l'air de dire « Eh... c'est des choses qui arrivent », et la glotte de Herr Fischer s'est mise à monter et à descendre comme si l'air lui manquait.

« Il m'a craché dessus », a-t-il expliqué.

Herr Fischer a baissé les paupières, il a levé la main droite, a écarté l'index et le majeur en ciseaux et a posé un doigt sur chaque œil en appuyant très fort.

« *Hier. Auf den Augen... Matthias, mein Bruder.* » Sur les yeux, le crachat. Herr Fischer insistait tellement qu'on avait l'impression qu'il allait les enfoncer au fond de ses orbites et ne jamais les retrouver. Ils allaient se perdre dans son crâne tout plein d'idées noires. Puis il s'est calmé, il a glissé les pieds dans ses mocassins et a massé toute la surface avec ses doigts : les yeux, les arcades sourcilières, les tempes, comme quelqu'un qui a beaucoup réfléchi et décide qu'il est temps d'aller se coucher.

« N'ouvrez pas les cadeaux avant d'arriver à la maison », a-t-il dit en regardant par la fenêtre.

Miguel a ouvert le sac dans l'ascenseur. Herr Fischer nous avait acheté des pantalons longs, des blazers avec des écussons anglais, des chemises blanches, des caleçons rayés, des mocassins noirs et aussi des marron foncé. Quelqu'un est monté au dix-septième étage et Miguel en a profité pour sortir. Nous nous sommes retrouvés dans un couloir vide avec une moquette beige à losanges et des appliques dorées tout du long, exactement comme à l'étage de Herr Fischer. J'ai essayé un blazer. Miguel s'est mis en slip pour enfiler un pantalon. Herr Fischer devait avoir le compas dans l'œil parce que tout nous allait à la perfection, comme si on avait été faire les courses avec lui. Miguel a ramassé son short et sa culotte, nous avons jeté nos vieilles affaires dans la cage de l'escalier de service et nous avons rappelé l'ascenseur.

«Quand est-ce que je vais mettre une cravate?» a dit Miguel. L'idée m'est venue d'aller nous faire tirer le portrait. Pour envoyer une photo à Rosa, pour lui faire la nique.

Nous sommes arrivés au rez-de-chaussée. La porte de l'ascenseur s'est ouverte. Les gens couraient dans tous les sens. Une femme s'est évanouie sur le carrelage en essayant de sortir de la salle du restaurant. Quelqu'un a dit: «Il est tombé devant elle. Elle était assise juste à côté de la fenêtre. C'est là qu'elle dîne tous les soirs avec son mari.» Nous avons traversé le hall. Il y avait une grande confusion à la réception, un attroupement devant les marches, toute une foule à l'extérieur. Les gens criaient, disaient de ne pas s'approcher. La police allait arriver.

«Je l'ai vu enjamber le balcon», a dit une vieille femme qui traversait la rue avec un déambulateur. Un homme a allumé une cigarette en considérant Herr Fischer aplati sur l'asphalte. Il avait l'air d'un mannequin désarticulé dans un bain de sang. L'un de ses mocassins avait disparu. Ses cheveux étaient collés par une matière visqueuse. On avait l'impression qu'ils avaient glissé sur le côté de son crâne pour lui faire une frange.

«On se casse vite fait», a fait Miguel lorsque la sirène de l'ambulance a fait taire tout le monde.

Nous avons marché calmement le long de l'hôtel sans nous retourner jusqu'au coin de la rue, puis nous avons couru de toutes nos forces dans la nuit. Le vent commençait à pincer. Il y avait une odeur de mer tellement forte qu'il semblait que nous courions sur l'eau. Miguel était devant moi et me tendait la main. Nous sommes allés côte à côte sous la lune fraîche jusqu'à Los Baños. Nous avons replié nos affaires neuves dans le sac en plastique argenté. Miguel l'a calé avec une pierre. J'ai fait la planche. Je lui ai demandé de ne pas lâcher ma main. Pas encore.

« Ça va aller, a-t-il dit. T'en fais pas. Ça va aller tout seul. »

Table périodique

Origine des textes

Les nouvelles de ce recueil sont presque toutes parues dans des versions différentes : sous forme de beaux livres illustrés à tirage limité, dans des revues littéraires, en ligne, ou encore dans la traduction portugaise de Clarisse Tavares pour le volume *As ostras e outros contos* (*Les huîtres et autres contes*) publié l'année 2000 à Lisbonne par Livros do Brasil à l'initiative de João Carlos Alvim de Carvalho. Elles réapparaissent ici avec des modifications souvent très importantes proposées par Martine Bertéa qui a lu, relu, souri en coin et gommé beaucoup.

À quelques détails près, « Kipling la nuit » est parue sous sa forme actuelle en 2011 dans *L'Arsenal*, n° 5. Une version plus ancienne avait été lue en 2005 à l'occasion du Salon du livre à l'invitation de Christiane Baroche pour la Société des gens de lettres. « Machines » et « Le Rhin » sont parues dans *As ostras* et « Le Rhin » une deuxième fois mais toute seule en 2002 aux éditions Manière noire avec deux linogravures et vingt dessins originaux en fac-similé de Gilles Ghez. Comme son sous-titre l'indique, « Tobermory détective (à la Saki) », également incluse dans le volume portugais, répond à la merveilleuse nouvelle de Saki plus sobrement intitulée « Tobermory ». Hitchcok l'adorait.

Noël Coward y voyait à raison un chef-d'œuvre. La belle traduction française de Jean Rosenthal se trouve dans le volume *La Fenêtre ouverte* (Union générale d'éditions, collection «10/18», avec une introduction admirative de Graham Greene). J'ai tenu à ressusciter cet extraordinaire animal dont on apprend la mort à grand regret. Pour ce qui est du domaine français, le chat de Saki est digne de Kiki-la-Doucette et de Poum (Colette), sans parler des chats aux reins féconds de Charles Baudelaire.

«Le chien d'avant», «Le chat cuisinier» et «Demain la poule», autres incursions animalières, sont parues à l'invitation de Franck Senaud sous le titre collectif *Trois nouvelles courtes*, avec un dessin à la plume de l'auteur pour chacune, dans le numéro 39 du magazine *Préfigurations* de mai-juin 2008, «Imagesigne», disponible sur http://revue. prefigurations.com/39ImageSigne/index.htm. Notez que la première était déjà parue dans *Ça presse*, n° 31 en décembre 2006 avec son illustration, puis en 2012 sous le titre «Le chien» dans le volume collectif *Manière et mémoire* sous la direction de Monique Roncerel, publié pour l'anniversaire des vingt ans d'édition de Manière noire.

«Julien» est parue dans *As ostras*, ainsi que «Cérémonies», laquelle a par ailleurs refait surface sous une toute autre forme dans *Ça presse*, n° 47 en décembre 2010. «Mademoiselle Salinas» trouve ici sa toute première édition et nous révèle un peu du passé de Dolores («Lol» pour les intimes dans les «Cinq portraits de Lol»). «Vampire» est parue dans un autre numéro de *Ça presse*, le 38 (septembre 2008), avec en illustration une photo d'Éric Fleming tirée du film *Dans les griffes du vampire* (*Curse of the Undead*) d'Edward Dein (1959, Universal International), le seul bon western avec vampire que je connaisse. (Ma connaissance des westerns de ce genre est, je l'avoue, imparfaite. Je dois mes faibles lumières sur le sujet à Max Schoendorff, mais Max n'est plus depuis octobre 2012, alors que faire?)

« Le banquet », « Énigme dans le désert », « Légende du cercueil de verre » et « Visites » appartiennent également à *As ostras*, mais sous une forme tellement ancienne que l'on se demande... La première est également parue avec « Coupelle », toutes deux déjà fort remaniées, dans *Travioles*, n° 12, hiver 2005-printemps 2006. Elles étaient suivies pour la circonstance de l'histoire de Tobermory dont il vient d'être question, sous le titre général *Le Banquet et autres récits*. Merci à Dominique Rabourdin et à Antoine Gallien pour cette publication. L'histoire du chat s'appelait alors « Saki ressuscité / Tobermory détective (*fin*) » et la légende du cercueil était elle aussi une « histoire ». « Le banquet » est l'un des textes les plus anciens du recueil. Il doit beaucoup à deux nouvelles de Gombrowicz : « Le festin chez la comtesse Fritouille » (1928) et « Le banquet » (1946), reprises dans le recueil *Bakakai* traduit en français par Georges Sédir, grâce à qui la comtesse Pavahoke devient pour nous, Français, la comtesse Fritouille, une délicieuse trouvaille que Gombrowicz a dû chérir.

La paternité de l'énigme dans « Énigme dans le désert » revient à Nelson Goodman. Le texte ici publié est une refonte sans originalité philosophique de « The Truth-tellers and the Liars », publié pour la première fois de manière anonyme comme *Brain Teaser* dans le *Boston Post* du 8 juin 1931 (p. 1, colonnes 1 et 2). Goodman rapporte dans l'introduction à l'article écrite à l'occasion de sa republication dans le volume *Problems and Projects* (The Bobbs-Merril Company, Inc, Indianapolis, 1972, p. 449-450) que Carnap lui en a proposé une version modifiée en provenance de Varsovie cinq années plus tard. L'énigme aurait également voyagé jusqu'au Japon. « Solution de l'énigme » pèche par le même conformisme. Pour l'original, voir la réponse proposée anonymement le lendemain par Goodman dans le *Boston Post* du 9 juin 1931, p. 15, colonne 5, sous le titre « Three Men Were Two Nobles and One Hunter »). « Énigme dans le désert » est également présente dans *As ostras*, mais sans sa solution.

« Le mauvais ange », inédite, a été inspirée par une boîte de Gilles Ghez portant ce titre, présentée à Naples à l'occasion de l'exposition collective *Les peintres d'histoire* en 1994. Elle en a hérité, je crois, les vertus descriptives. « Le mauvais ange » est très certainement un diorama littéraire et la nouvelle qui lui correspond une manière d'écrin.

Un version assez différente de « Vidéos » est parue en 2003 aux éditions du Rocher dans la collection « Nouvelle » à l'initiative de Pierre-Guillaume de Roux. L'incursion dans l'univers de la pornographie, dont il est question de manière oblique ailleurs dans ce recueil, se fait ici par abaissement et abjection. Quel en est le vrai sujet ? Le désir de faire le mal, ni plus ni moins, le mépris du bourreau pour sa victime et le dégoût que sa faiblesse lui inspire.

« Les fourreurs » est parue à peu près telle quelle dans *Manière noire – Livres d'artistes*, un volume de textes et de dessins publié en 1996 par la Société des sciences, arts et belles-lettres de Bayeux à l'occasion des *Premières rencontres de l'écrit et de l'estampe* autour de Michel Butor. Elle a circulé depuis, un peu au hasard, sur plusieurs sites Internet. J'avais noté dans la préface à *As ostras* qu'une certaine vitrine de la troisième rue, entre les avenues Fairfax et la Cienega à Los Angeles, était à l'origine de cette histoire. Je ne suis pas certain que cette indication soit juste, ou même utile. Je peux maintenant penser à des vitrines d'Odessa qui seraient beaucoup plus parlantes. Je remarque d'ailleurs qu'Isaac Babel, né dans le vieux quartier Moldavanka, était déjà pris à témoin dans ce texte introductif.

« Invitation à un démontage », « La clé », « Invitation à un remontage » et « Rasages successifs de mon oncle » ont été publiées ensemble dans *Travioles* n° 9-10, hiver 2003-printemps 2004, sous le titre général *Invitation à un découpage et autres nouvelles* avec deux illustrations originales de Gilles Ghez pour les deux premiers textes. « La clé » s'appelait alors « Histoire de la clé ». C'est bien sûr sans compter les inévitables versions portugaises de *As ostras*. L'histoire de « Rasages successifs de mon oncle » m'a été racontée presque telle quelle par Adriana Baillie-Kapeller. Une illustration de Gilles Ghez, bien postérieure à l'évocation de ce souvenir mais malheureusement absente de la revue, la rend à merveille.

« Harper's Bazaar » est inédite ainsi que « Le cas Perenfeld ». La première s'est nourrie de la lecture enthousiaste dudit magazine. La deuxième relève du style patchwork et rassemble des notes prises en Roumanie entre Bucarest, Lugoj et Oradea, sans nul doute sous l'influence de Norman Manea.

« Monsieur Loiseleur », « Cinq portraits de Lol », « Coupelle », « Les gants » et « Mâchez, ma chère, ma chair chère » ont des ancêtres portugaises dans le recueil que l'on sait. On commencera peut-être à avoir l'impression que madame Tavares a perdu son temps en traduisant des textes sans cesse modifiés. Mais non. Sa traduction embellissait déjà des originaux très imparfaits et la relecture de ces nouvelles dans sa langue chuintée a induit bien des refontes, comme le suggère peut-être « Petites conversations avec Maria de Lurdes », inédite. De plus, les portraits de Lol sont parus sous forme de livre d'artiste à l'initiative de Max Schoendorff aux éditions URDLA en 1992, avec cinq lithogravures originales de Gilles Ghez, et « Les gants » sous le titre *Les Gants aux mains d'I.* aux éditions Manière noire en 1996 avec une gravure originale de Gilles Ghez. Michel et Monique Roncerel avaient accueilli ce texte dans leur maison d'édition et nous réitérâmes tous les quatre, Ghez, Roncerel et Pataut, avec l'histoire du Rhin dont il a été question plus haut. Michel nous a quittés en 2007 et cette histoire de multiplication magique des gants lui revient aujourd'hui en hommage.

«Monsieur Loiseleur» a été en grande partie inspirée par la vitrine d'un tailleur de la rue Durantin, monsieur Élie. Pour ne point quitter Ghez, autre autochtone de la même rue, précisions que «Mâchez, ma chère, ma chair chère» est le titre d'un de ses dioramas (1974-1975, collection Francine Couvrat des Vergnes), lequel illustre la couverture du volume *As ostras*. Monsieur Loiseleur, qui ne nous lâche pas si facilement, est revenu en 2002 in *Ça presse*, n° 14, septembre. Comme pour toutes les publications dans *Ça presse*, le concours de Marie-Claude Schoendorff et de Cyrille Noirjean a été précieux.

Avançons. «L'éponge incestueuse» a été publiée in *Ça presse*, n° 45, juin 2010. «Derme, épiderme, pachyderme» était inédite. «Vents», plus ancienne encore que «Le banquet», est parue in *Ça presse*, n° 27, décembre 2005, avec un changement notable dans le choix du prénom. «Ulan Bator», «Allers-retours hésitants sur le pont Alexandre-III bien après le temps de l'Occupation», «L'herbier, d'abord, puis le bateau», «Rasages successifs de mon oncle» et «Diaboliques» faisaient partie du volume portugais. Les allers-retours hésitants ont fait surface in *Ça presse*, n° 12, avril 2002, et «Diaboliques» dans le n° 21 de la même revue en juin 2004.

«Heureux dénouement» et «Brahms, BWV 1016» étaient inédites. J'ai assisté à une scène proche de celle décrite dans la première nouvelle dans un restaurant familial de Sienne. «Brahms, BWV 1016» doit tout à Brahms. «Lenteur et douceur» doit vraiment beaucoup, trop sans doute, à Norma Colombero, qui traduisit excellemment mes entretiens avec Michael Dummett (*Pensieri – Interviste a cura di Fabrice Pataut*, De Ferrari Editore, Gênes, 2004). J'aurais presque envie de dire qu'elle lui doit tout et que c'est du vol pur et simple; mais bon, je ne vais pas m'effacer à ce point. Merci mille fois, ô Norma, pour ces aperçus gastronomico-politiques. Les récents déboires électoraux de Mario Monti et le spectre d'un retour possible de Silvio Berlusconi devraient nous inciter à la délicatesse. «Lenteur et douceur», publiée en septembre 2013 in *Ça presse* n° 58, quelques mois après les élections italiennes, le suggère à sa façon.

Une version très ancienne de «Cartes postales» faisait partie de *As ostras* sous le titre «Éloge d'Emmanuel» et a également fait l'objet d'une publication sous ce titre en 2005 dans le tout premier numéro de *L'Arsenal* grâce à Aymeric Patricot. C'est certainement la nouvelle qui a le plus changé. Elle a subi tant de modifications à la suite de ces deux publications et fait l'objet de tant de retournements que c'est finalement le petit livre de jeunesse de Gide lu par les deux frères, *Le Voyage d'Urien* (1893), qui reste aujourd'hui le plus fidèle à son intention de départ.

«Destination australe» a été écrite pour le livre *Les Théâtres immobiles* consacré aux dioramas de Marie-Claude de Brunhoff, publié aux éditions du Seuil sous la direction de René de Ceccatty en 2008. Elle s'inspire directement du diorama *I presume* (2004) et avait alors ce titre. C'est l'ours blanc qui parle. Je note que le révérend Walker apparaît dans deux autres dioramas tout autant dignes d'attention: *Le Rêve du révérend Walker* (1999), avec l'ours, et *Dracula* (2006), sans la bête. Le trois-mâts est déjà là dans *Ombre sur l'Endurance* (1999).

«Barbara, de neuf à quarante ans» faisait partie de *As ostras* et se retrouve ici à peine modifiée. «L'Éternel» est parue in *Ça presse*, n° 16, mars 2003. C'est le texte qui a le moins souffert. Un mot en plus et un mot en moins, c'est peu.

Nous arrivons au bout. «La dernière fois», qui referme le volume, était jusqu'ici inédite. Comme indiqué dans «Petites conversations avec Maria de Lurdes», j'ai mis le temps à dire les choses. La patience m'a aidé pour cette dernière nouvelle. J'y vois un bien. Malgré toute la tristesse du monde, n'avons-nous pas là une conclusion optimiste? Je l'espère.

Paris, janvier 2014.

Table des matières

Table des matières

CET OUVRAGE COMPOSÉ
EN CASLON C. 12,5 A ÉTÉ RÉALISÉ
PAR DV ARTS GRAPHIQUES
À LA ROCHELLE (CHARENTE-MARITIME)
ET ACHEVÉ D'IMPRIMER EN FÉVRIER 2014
SUR LES PRESSES DE L'IMPRIMERIE CORLET
À CONDÉ-SUR-NOIREAU
DÉPÔT LÉGAL : MARS 2014
N° D'IMPRIMEUR : 162203
N° D'ÉDITION : 085

ISBN 978-2-36371-085-7